Böttcher & Fischer

Hauptsache, es fährt!
Die BöFi-Autofibel

Böttcher & Fischer

Hauptsache, es fährt!

Die BöFi-Autofibel

Projekte-
Verlag
Cornelius

Impressum

1. Auflage
© Projekte-Verlag Cornelius GmbH • Halle, 2013
www.projekte-verlag.de
Mitglied im Börsenverein des Deutschen Buchhandels

Satz und Druck: Buchfabrik Halle
www.buchfabrik-halle.de

ISBN   978-3-95486-321-1
Preis: 10,00 Euro

Inhalt

Das Auto, eigentlich Automobil, ist ein in unseren Breiten weit verbreitetes Transport- und Beförderungsmittel, Sport- und Spaßgerät, aber auch Ziel von Begierde und Hass, besonders wenn es nicht anspringt. Am Auto kommt heute im Prinzip niemand vorbei, außer vielleicht auf einem Motorrad an der Ampel.

Das Auto ist des Deutschen liebstes Kind, dementsprechend wird es einerseits streng, andererseits aber auch alternativ erzogen.

In unserer Auto-Fibel geht es weniger um das Auto selbst, also um die Technik, sondern um das Drumherum, also Reifen, Stoßstangen, Spiegel und natürlich – wir sind ja Radiomoderatoren – die Antenne. Genauso beleuchten wir Straßen, Verkehrszeichen und die Leute, die in ein Auto einsteigen, oder von einem über den Haufen gefahren werden. Nein, das Letzte nicht, aber wir verweisen auch auf Alternativen zum Auto fahren, wie zum Beispiel Schieben oder Trampen.

Viele von uns sind auf das Auto angewiesen, weil sie sonst nicht zu ihrem Job oder zu ihrer Schwiegermutter kämen. Für uns zwei ist das Auto ein unverzichtbares Mittel, um nicht nur ins Studio, sondern auch zu unseren Veranstaltungen und dann auch wieder zurück zu kommen.

Auf diesen Fahrten haben wir uns Gedanken rund um das Auto gemacht, ohne dabei zu vergessen, auf die Straße zu achten. Die Ergebnisse dieser vielen

Stunden haben Sie nun vor sich liegen. Genießen Sie unsere Auto-Fibel bitte mit einem Augenzwinkern, nehmen Sie das Buch – genauso wie uns – nicht allzu ernst.
Viel Spaß beim Lesen wünschen

Böttcher und Fischer

DAS AUTO AN SICH

Was ist eigentlich ein Auto? Es wird als des Deutschen liebstes Kind bezeichnet, als fahrbarer Untersatz, aber auch als Umweltschädling Nummer eins. Die Wahrheit liegt vermutlich irgendwo in der Mitte – allerdings kann man bei drei Dingen die Mitte nicht so exakt bestimmen …

Egal, eigentlich ist AUTO nur eine Abkürzung, die für Allgegenwärtiges Unabdingbares Transport-Objekt steht. Nein – ein Auto ist laut diversen Nachschlagewerken ein mehrspuriges Kraftfahrzeug, das von einem Motor angetrieben wird und zur Beförderung von Personen und Gütern dient. Damit wären theoretisch auch Schienenfahrzeuge gemeint, aber die haben sich im Laufe der Zeit verselbständigt, ebenso bilden Lastkraftwagen eine eigene Kategorie. Uns geht es in diesem Buch um das Auto an sich, also um den PKW, den Personenkraftwagen.

Dabei hieße „auto" früher etwas ganz Anderes, aber nur in Spanien und Portugal. Dort bezeichnete man einaktige religiöse Aufführungen als „auto". Aber spätestens seit der Spanier Fernando Alonso Formel-1-Weltmeister wurde, ist auch in der südwestlichen Ecke Europas ein „auto" einfach nur ein Auto.

Dabei hat so ein Kraftfahrzeug durchaus etwas Religiöses – und zwar nicht nur das Papamobil, das Dienstfahrzeug des Papstes. Als sich die evangelische Bischöfin Margot Käßmann in angetrunkenem Zustand hinter das Lenkrad setzte, zeugte das schon von sehr viel Vertrauen in Gott. Allerdings sollte jeder, der nur Gas gibt und darauf hofft, dass Gott ihn schon lenken wird, dringend zur Beichte – in eine Autobahnkirche zum Beispiel. So etwas ist aber nicht mit den amerikanischen Drive-In-Kirchen zu verwechseln. Ob der Pfarrer dort direkt vor dem Altar aussteigt oder über eine Rampe hoch zur Kanzel fährt, wissen wir nicht – aber in unsere Autobahnkirchen geht man noch zu Fuß hinein.

Zudem kann ein Auto in gewisser Weise auch missionieren. Hierzulande hat schon mancher Atheist, wir zwei eingeschlossen, Stoßgebete in Richtung Himmel geschickt, damit der Platz zum Anhalten noch reicht oder bei Glatteis und Aquaplaning die Räder wieder Bodenhaftung bekommen. Und nicht zuletzt haben viele Angestellte des Autobauers mit dem göttlichen Blitz im Logo in letzter Zeit einige Male um den Erhalt ihrer Arbeitsplätze gebetet. So viel zu Gott.

Die Göttin der Automobile kam jedoch aus Frankreich, so nannte man den Citroen DS. Der Begriff Automobil kommt ebenfalls aus dem Französischen. In Paris und den dazugehörigen Vororten nannte man kurz vor 1900 eine mit Druckluft betriebene Straßenbahn „voiture automobile", einen „Wagen, der sich selbst bewegt". Allerdings haben die Franzosen den Begriff „automobile" auch nur geklaut. Sie setzten das Wort aus dem griechischen „auto", das „selbst" bedeutet, und dem lateinischen „mobilis", das für „beweglich" steht, zusammen.

Das Auto an sich hieß auch nicht immer so. Die ersten Autos wurden noch als Motorwagen bezeichnet, um sie von den Pferdefuhrwerken zu unterscheiden – vermutlich deshalb, weil die ersten Kraftfahrzeuge im Prinzip noch wie Kutschen aussahen, und noch nicht die langweilige Einheitsform von heute hatten. Die Zeiten ändern sich eben. 1896 wurde im Konversationslexikon „Brockhaus" festgestellt, dass die Betriebskosten bei Motorwagen geringer als bei Zuggespannen sind, weil das Fahrzeug nur während der Fahrt Geld kostet, während man Pferde auch füttern müsse, wenn sie im Stall stehen und nichts tun.

Heute kostet ein Auto durch Steuer und Versicherungen natürlich auch Geld, wenn es steht, und das tut es laut Statistik den größten Teil seines Lebens. Eigentlich müsste ein Fahrzeug Stehzeug heißen, denn selbst bei der Fahrt steht man öfter mal im Stau. Und dass ein Auto billiger als ein Pferdefuhrwerk ist, kann man heute auch nicht mehr behaupten. Aber Ende des 19. Jahrhunderts konnte man nicht ahnen, dass Anfang des 21. Jahrhunderts die Benzinpreise so hoch sind, dass selbst die Frömmsten beim Anblick dieser Zahlen gotteslästerlich fluchen

4 – 4 – 3 – 2 – 2 – 4 – (2 – 3) – 4 – 4 –
DIE AUTOFORMEL

Die Zahlenreihe ist keine mystische mathematische Formel, sondern eigentlich der in Ziffern ausgedrückte Wert, wie gerädert ein Mensch im Laufe seines Lebens ist.

4 – Nach der Geburt wird der Mensch zunächst in einem Kinderwagen durch das Leben geschoben.

4 – Wenn er theoretisch nach der Kinderwagen-phase schon allein laufen könnte, steigt er aber aus Bequemlichkeitsgründen doch lieber in ein Tretauto. Dieser Lebensabschnitt ist gemeinhin auch als Bobbycar-Phase bekannt.

3 – Irgendwann will der Mensch mit seinen Füßen nicht nur rutschen, sondern treten. Das Dreirad bietet dafür die idealen Voraussetzungen.

2 – Mit der Zeit findet der Mensch seine Balance und steigt zuerst auf einen Roller und dann auf das Fahrrad um.
2 – Nach der Radlerphase wird ihm das Treten auf dem Rad zu anstrengend und er will gefahren werden, und das geht am besten mit einem Moped.

4 – Irgendwann merkt der Moped fahrende Mensch – meist bei Regenwetter – dass er auf dem Moped nass wird, und legt sich ein Gefährt mit Dach zu, das erste Auto.

(2 – 3) – Ein Dach ist ja ganz gut, aber es beengt irgendwie, und das Gefühl von Freiheit bekommt man auf einem Motorrad oder einem Trike.

4 – Im Alter merkt der Mensch, dass das Fahren mit einem Motorrad oder Trike für einen schon etwas

Älteren dann doch nicht mehr das ganz Optimale ist, und er steigt wieder in ein Auto.

4 – Abgesehen von einem vielleicht zwischenzeitlich benutzten Rollator, der auch vier Räder hat, findet die letzte Fahrt im Leben eines Menschen meist in einem Kombi oder Transporter statt.

Wer hat's erfunden?

Es gibt Sachen zwischen Himmel und Erde, für die keiner die Verantwortung übernehmen will – und dabei gewesen sein will erst recht keiner. Aber es gibt auch Dinge, die viele für sich reklamieren. Wie das Wort Reklame schon sagt, bleibt der Ruhm oft an dem hängen, der die Sache zwar nicht in die Welt gesetzt, aber lauthals hinausposaunt hat.

Es ist eben oft so im Leben: Einer hat eine Idee, dann kommt ein Anderer, kopiert und verbessert sie, und der Dritte macht sie richtig massentauglich und erntet den Ruhm und die Knete.

So hat zum Beispiel nicht Alexander Graham Bell den Fernsprechapparat erfunden, da kann die Gruppe „Sweet" noch so lange davon singen. Es war Philipp Reis, der auch das Wort „Telephon" dafür einführte. Emil Berliner gilt als der Erfinder der Schallplatte, aber vor ihm hatte ein gewisser Charles Sumner Tainter schon Wachsplatten im Schrank. John F. Kennedy hätte also sagen müssen: „Ich bin ein Tainter."

Thomas Alva Edison hat eben nicht die Glühbirne erfunden, die Idee hatte schon zwei Jahre vor ihm der Engländer Joseph Wilson Swan gehabt, aber Edison hat sie vermarktet und wurde so zur Lichtgestalt der Technikgeschichte. Dem Engländer blieb statt der Glühbirne vermutlich nur ein Bratapfel.

Auch unser eigentliches Metier ist davon betroffen. Allgemein wird die Erfindung des Radios Guglielmo Marconi zugeschrieben, er ließ sich dafür im Juni 1896 im Patentamt registrieren. Doch schon zwei Monate zuvor brachte der Russe Alexander Popow eine drahtlose Übertragung menschlicher Sprache über eine Entfernung weit jenseits der Menschen möglichen Rufweite zustande. Dafür wurde er in Paris zwar geehrt, geriet aber in Vergessenheit. Das Chaos perfekt machte dann das Patentgericht der USA, als es später entschied, die Erfindung des Radios dem Physiker Nicola Tesla zuzugestehen, der sich das Patent für die technischen Grundlagen des Radios gesichert hatte. Heute werden in den USA unter dem Namen Tesla übrigens Elektroautos gebaut.

Damit sind wir wieder beim Auto. Wer hat's erfunden? Nichts Genaues weiß man im Grunde nicht. Die Geschichte des Automobils ist im Prinzip eine Reihe von Missverständnissen. Alles begann mit einer fast göttlich zu nennenden Vorhersehung. Der englische Franziskanermönch Roger Bacon schrieb im 13. Jahrhundert, dass man eines Tages Karren bauen könne, die sich fortbewegen, ohne von Menschen oder Tieren gezogen oder geschoben zu werden. Vermutlich waren ihm vorher die Pferde

seiner Kutsche durchgegangen. Ob sich seine Zeit-
genossen von seinem Orakel vom Bock gestoßen
fühlten oder vor Lachen vom Pferd gefallen sind, ist
nicht überliefert. Aber heute gibt uns diese Vision
vielleicht Hoffnung, dass wir eines Tages doch mit
Warpgeschwindigkeit reisen oder uns einfach an einen anderen Ort beamen lassen können. Gut – wir
selbst vielleicht nicht mehr, aber eventuell unsere
Nachkommen. Andererseits trifft auch nicht jede
Vorhersehung ein, schließlich ist die Welt nicht am
21. Dezember 2012 untergegangen. Wir leben noch
– und wir fahren noch Auto.

Damit sind wir wieder zurück beim Thema. Fangen
wir ganz von vorn an: Vor dem Auto gab es das Rad,
das wurde von verschiedenen Kulturen unabhängig
voneinander an unterschiedlichen Stellen der Erde
erfunden – vermutlich an Bergen oder Hügeln.
Denn wir nehmen mal stark an, dass das Rad eher
ge- als erfunden wurde. Der Mensch hat sich vermutlich das Rad einfach aus der Natur abgeschaut
und sich die Rolleigenschaften runder Objekte zu
Nutze gemacht. Da rollte auch allerhand durch
die Gegend – je nach Gegend eben Kokosnüsse,
Eicheln, Steine, auch Köpfe und der Rubel. Und
schon setzten die alten Ägypter schwere Steinblöcke
auf quer liegende Baumstämme, um sie vorwärts zu
bewegen. Die alten Griechen stellten nicht nur das
Trojanische Pferd auf Rollen, sie bewegten auch ihre
Belagerungstürme durch Treträder vorwärts, oder
auch rückwärts – je nachdem ob sie gerade angriffen
oder die Flucht ergriffen. Die etwas jüngeren alten

Römer bauten schon richtige Wagen, die in ihrem Inneren durch die Muskelkraft von Sklaven bewegt wurden. An gleicher Stelle malte Leonardo da Vinci später nicht nur die Mona Lisa, er zeichnete auch eine Art selbst fahrenden Panzerwagen.

Um 1600 soll dann ein windiger Holländer namens Simon Stevin einen Segelwagen erfunden haben, der 30 Personen transportieren konnte. Der wurde dann später zum Wohnwagen verkleinert. Der nächste Holländer, der Physiker Christiaan Huygens, erfand nicht nur die Pendeluhr, er begründete auch die Wahrscheinlichkeitsrechnung, nach der heute die Benzinpreise festgelegt werden. Nein – der Mann konstruierte den ersten Kolbenmotor. Das muss ein ziemlicher Knaller gewesen sein, denn für seinen „Explosionsmotor" verwendete er Schießpulver. Nach diesem Prinzip arbeiten heute noch alle Verbrennungsmotoren, und manche dieser Motoren treiben Autos heute so schnell an, dass deren Fahrer neben dem Führer- eigentlich auch einen Waffenschein haben müssten.

Im Jahr 1678 hat schließlich ein belgischer Jesuitenpater ein handliches kleines Modell eines Dampfwagens gebaut, und zwar nicht am heutigen EU-Sitz in Brüssel, sondern am Hof des chinesischen Kaisers in Peking. Also war sozusagen Matchbox viel eher da als Daimler-Benz und wir müssen uns nicht wundern, wenn heutzutage an fast allen Spielzeugautos „Made in China" steht.

In den Folgejahren machte man dann wirklich Dampf. Isaac Newton entwarf das Konzept eines

Dampfwagens, der Franzose Denis Papin entwickelte eine Kolbendampfmaschine, die mit Hochdruck arbeitete. Ob er in Terminnot war und selbst auch mit Hochdruck arbeitete, ist im Nebel der Geschichte untergegangen. Aber sicher ist, dass ein Engländer namens Newcomen das französische Gerät weiterentwickelte. Dann blieb es erst einmal ein halbes Jahrhundert liegen und dann veränderte James Watt die Maschine noch einmal und sagte dann: „Ich war's!" Ob damals am englischen Königshof die Prinzen in einer Reihe aufgestellt waren und sangen „Alles nur geklaut", weiß heute keiner mehr. Vermutlich war es nicht so, die Royals waren damals schon sehr traditionsbewusst und haben ihre Widersacher noch manuell ins Jenseits befördert.

Inzwischen hatte es, bevor das Auto eigentlich erfunden war, schon den ersten Autounfall gegeben. 1769 baute ein französischer Militäringenieur einen Dampfwagen zum Transport von Kanonen. Allerdings schaffte der nur ganze fünf Kilometer pro Stunde – zumindest in der Theorie. In der Praxis fuhr er nur einige Minuten, dann war der Dampf raus. Vermutlich hatte der Rest der Armee inzwischen die gegnerische Stadt längst eingenommen, ausgeplündert und auch ohne Artillerie demoliert. Der Dampfwagen war, wie sich hinterher herausstellte, vorn viel zu schwer und deshalb fast unlenkbar. Er wäre also bei einer Flankenbewegung der Truppe einfach geradeaus weiter gefahren und den Feinden in die Hände gefallen – wenn er nicht schon bei der ersten Probefahrt an einer Kasernen-

mauer zerschellt wäre. Immerhin könnte sein Er-
bauer Nicholas Joseph Cugnot heute wenigstens als
Erfinder des Vorführeffektes gelten, wenn es dafür
nicht schon Murphys Gesetz gäbe.

Weil die Franzosen mit der neuen Technik scheinbar
nicht so recht zurecht kamen, übernahmen nun die
Engländer das Kommando. In einer Art Insellösung
konstruierten sie Dampfwagen, die wirklich funk-
tionierten. Bekannt wurde zum Beispiel der „Puf-
fing Devil", der „pustende Teufel" von Richard Tre-
vithick, der sogar Passagiere beförderte.

Der nächste Autopionier kam aus der Schweiz. Isaac
de Rivaz baute 1798 einen Wagen mit Wasserstoff-
gasmotor, der aber nur ganze 26 Meter weit fuhr.
Entweder hatte der Schweizer vergessen, Gas oder
Stoff zu geben, oder es war der erste Berg im Weg.
Nein, der Nachteil an dem Gefährt war die Zün-
dung, die jedes Mal mit der Hand ausgelöst werden musste. Wie konnte es auch anders sein? Robert
Bosch, der später einmal die Hochdruckzündung
entwickeln sollte, war noch gar nicht geboren und
seine Vorfahren waren als Schankwirte vorwiegend
mit Bierkutschen und Brauereipferden unterwegs.

Schließlich ließ sich 1860 der Franzose Etienne Le-
noir einen funktionierenden Gasmotor patentieren,
der von anderen weiterentwickelt wurde, ehe wiederum ein Franzose das Gas durch Heizöl ersetzte.
Dieser Mann mit dem abgefahrenen Namen Edou-
ard Delamare-Deboutteville erwarb damit 1884 das
Patent auf einen Wagen mit Verbrennungsmotor, von
dem allerdings einige Modelle explodiert sein sollen.

Allerdings hatte sich schon 1875 der in Mecklenburg geborene und aus vermutlich beruflichen Gründen nach Wien ausgewanderte Mechaniker Siegfried Marcus an einem Zweitaktmotor versucht, den er aber nur auf einen Handkarren montierte. Ob dieses Gefährt, das auch nur wenige Meter vorwärts kam, das allererste Auto war, darüber streitet man heute noch. Aber ehrlich gesagt – mehr als ein Motor auf einem Handkarren ist der Trabant von der technischen Seite her auch nicht gewesen.

Doch zurück zum Auto. 1876 kam er endlich – Nicolaus August Otto. Er ließ sich den Viertaktmotor patentieren. Der Mann wurde schließlich Namensgeber dieser Ottomotoren. Ein Glück, dass er nicht Hafer hieß, sonst hätte es ziemliche Verwechslungen gegeben. So viel zu Otto – denn eigentlich waren zwei andere Erfinder schneller – und zwar nicht nur vier Takte, sondern einige Jahre. Schon 1860 und 1862 hatten der Österreicher Christian Reithmann und der Franzose Alphonse Beau de Rochas Patente auf ähnliche Motoren bekommen. Damals konnte so etwas passieren, die Patentämter waren eben noch nicht elektronisch miteinander vernetzt. Deshalb wurden später die Patente für Otto wieder aufgehoben, aber der Name Ottomotor blieb. Dass sich Nicolaus August Otto deswegen enttäuscht dem Versandhandelsgeschäft zuwandte und den ersten Katalog drucken ließ, stimmt allerdings nicht. Das war ein anderer Otto.

So erblickte folgerichtig nun endlich am 29. Januar 1886 mit dem Patent für einen dreirädrigen Motorwagen an Carl Benz das Auto an sich das Licht der Welt – obwohl es schon lange existierte. Eigentlich ist die Erfindung des Carl Benz nur so etwas wie eine Nachgeburt, und Mercedes müsste heute eigentlich Plazenta heißen.

Und um endgültig Unordnung in die Geschichte der Erfindung des Autos zu bekommen: Neben der Tatsache, dass schon fünf Jahre vor der Benzschen Patentanmeldung der Franzose Gustave Trouvé in Paris ein funktionierendes und straßentaugliches Elektroauto vorstellte, gibt es auch Berichte, nach denen schon 1880, also noch ein Jahr vorher, der sächsische Maschinenbauer Louis Tuchscherer mit seiner Familie durch Chemnitz gefahren sei – in einem selbstgebauten Auto. Der Mann soll schon 1878 in seiner Werkstatt Besuch von Carl Benz bekommen haben. Nun behaupten einige Historiker, dass Benz die Idee des Sachsen einfach übernommen habe.

Nichts Genaues weiß man eben nicht und beweisen lässt sich wohl auch nichts Exaktes mehr. Wir wollen den Stuttgartern ihren Carl Benz nicht nehmen, stellen aber die Frage: Wenn die Sachsen den Kaffeefilter, den Büstenhalter und die Gemütlichkeit erfunden haben, warum nicht auch das Auto? Nicht umsonst gilt unser Freistaat als Autoland. Aber dazu kommen wir später. Die Frage, wer das Auto nun erfunden hat, können wir auch nicht eindeutig beantworten. Aber wir begnügen uns mit dem weit verbreiteten Ausspruch: „Hauptsache, es fährt."

Was soll's?

Wenn du vor Wut ins Lenkrad beißt,
Weil das Benzin so teuer ist.
Wenn dir ein Vogel auf die Scheibe sch…
Obwohl die frisch gewaschen ist.
Wenn es am Straßenrand rot blitzt,
Weil du zu schnell gefahren bist.
Wenn jemand nörgelnd neben dir sitzt,
Weil du nicht alleine bist.
Dann musst du vor Wut nicht beben.
So ist das Leben eben.

Von Bertha Benz zum Navi – die Entwicklung des Autos

Aus den handgefertigten ersten Autos von Carl Benz, Gottlieb Daimler – der übrigens ursprünglich Däumler hieß –, Wilhelm Maybach und Siegfried Marcus hat sich eine weltweite Fahrzeugflotte aller Klassen und Hubraumgrößen entwickelt. Heute dominieren Namen wie VW, Mercedes, Ford, Toyota, FIAT und Renault, um nur einige zu nennen, den Markt. Doch gehen, oder besser fahren wir noch einmal ins späte 19. Jahrhundert zurück.
Damals schnappte sich Bertha, die Ehefrau von Carl Benz, erstens ihre Söhne und zweitens den Motorwagen ihres Mannes, und unternahm heimlich eine Fernfahrt von Mannheim nach Pforzheim. Ob sie von ihrem Mann enttäuscht war, weil er nur noch

in der Werkstatt zu finden war und deshalb mit den Kindern zurück zu ihrer Mutter wollte, wissen wir nicht. Ob er sein Auto mehr liebte als seine Gattin, ist ebenfalls nicht bekannt. Auf jeden Fall wusste er nichts von der Ausfahrt. Immerhin hatte Bertha Benz so viel technisches Verständnis, dass sie den immer leerer werdenden Tank bemerkte. Da war guter Rat teuer – und zwar wirklich nur der gute Rat, denn Anzeigetafeln mit Horrorzahlen und dahinter liegende Tankstellen gab es noch nicht. Die Muschel war nur als Meeresfrucht bekannt und nicht als Logo eines Ölmultis, der aber wirklich einstmals aus einem mit Muscheln handelnden Londoner Kuriositätenladen entstand.

Schon damals hieß es: „Fragen Sie Ihren Arzt oder Apotheker." Einen Mediziner sah Bertha Benz nicht, aber die Stadtapotheke Wiesloch. Dort fragte sie der Legende nach zehn Litern Leichtbenzin. So viel soll der Apotheker nicht vorrätig gehabt haben, aber da der Kunde auch in der weiblichen Form bekanntlich König ist, tat es das damals als Reinigungsmittel verbreitete Ligroin auch. Ob Frau Benz damit nach ihrer Rückkehr auch gleich noch eine Motorwäsche machte, wissen wir ebenfalls nicht. Vielleicht hat ihr Mann sie voller Wut gefragt, ob sie nicht ganz sauber sei …

Sicher ist jedoch, dass die damals von ihr gefahrene Strecke heute eine offizielle Ferienstraße ist und Bertha Benz Memorial Route heißt. Trotzdem ist das nicht die bekannteste, nach einer Frau benannte Straße – das ist nach wie vor die sehr verbreitete Gasse mit dem Namen der Opernsängerin Erna Sack.

Doch zurück auf die Straße: Dort tummelten sich zu jener Zeit Autos mit den verschiedensten Antriebsarten. Es gab Elektroautos, das erste wurde übrigens von einer Coburger Firma gebaut, und jede Menge Dampfmobile. Um die Jahrhundertwende ging man die Sache mit dem Auto größer an. In Europa und in den USA entstanden die ersten Automobilfabriken, in Deutschland Daimler, in Frankreich Peugeot, und in den USA fuhr man mit dem Ford fort. Dass die Rückreise mit einem Zug erfolgte, stimmt natürlich nicht. Henry Ford baute als erster eine Art Service-System auf und bildete Mechaniker aus. Allerdings weigerte Ford sich immer, sogenannte Fachidioten heranzuziehen oder einzustellen, denn seiner Meinung nach wussten Experten immer ganz genau, warum eine Sache nicht funktionieren kann. Daran hat sich bis heute nicht viel geändert.

Ford führte auch die Fließbandproduktion des Models T, „Thin Lizzy", auf deutsch „Blechliesschen", ein und äußerte – natürlich auf Englisch – den berühmt gewordenen Satz: „Der Kunde kann das Modell in jeder gewünschten Farbe bestellen, vorausgesetzt, diese Farbe ist schwarz."

Abgesehen davon, dass man sich streiten kann, ob Schwarz nun überhaupt eine Farbe ist oder nur fehlendes Licht, gibt es mehrere Arten Schwarz, wie zum Beispiel Nachtschwarz, Pechschwarz, Kohlrabenschwarz, und wenn wir in die Politik gehen, unterscheiden wir Schwarz-Rot, Schwarz-Gelb und sogar Schwarz-Grün. Ob es in nächster Zukunft auch noch Piraten-Schwarz gibt, wird man sehen.

Doch zurück zum Auto. Die ersten Autos waren noch absolute Luxusgüter und dementsprechend teuer, und damals war das Geld noch etwas wert. Doch mit der Massenproduktion sanken die Preise, so dass sich inzwischen fast jeder ein Auto kaufen kann. Dafür ist das Benzin so teuer geworden, dass man sich die Sache dann doch drei Mal überlegt.

Auch das Putzmittel von Bertha Benz brauchten nicht mehr alle Autos, denn inzwischen hatte – lange vor den gleichnamigen Jeans – der Herr Diesel, Rudolf mit Vornamen, einen Motor mit höherem Wirkungsgrad entwickelt und nannte ihn bei seinem Namen. Die Autos wurden in der Folgezeit ständig vervollkommnet, Vorderradantrieb und Scheibenbremsen waren schon patentiert, als 1903 eine Frau namens Mary Anderson in den USA den Durch- oder Weitblick hatte, einen Scheibenwischer zu erfinden. Hier in Deutschland bekam Prinz Heinrich von Preußen dafür das Patent, obwohl er seinem Bruder, dem Kaiser Wilhelm II, vermutlich lieber den Stinkefinger gezeigt hätte, weil eben der Kaiser war und nicht der Heini selber.

Im ersten Weltkrieg verlegte man sich dann aus naheliegenden Gründen auf die Entwicklung und Produktion von Lastkraftwagen, danach bauten die Hersteller viele Kleinwagen, denn Kleinvieh macht bekanntlich auch Mist. Und da kam hinten eine ganze Menge heraus. Immer mehr Bankdirektoren, Ärzte, Wissenschaftler und gut verdienende Künstler riefen nach einem fahrbaren Untersatz.

Schließlich führte Opel 1924 mit dem Modell Laubfrosch auch in Deutschland die Fließbandproduktion ein, und der Physiker Walther Nernst schockte seine Kollegen in Berlin mit der Feststellung, dass er einen umgekehrten „Leporello" fahre. Des Rätsels Lösung lieferte er gleich mit: Rückwärts gelesen heißt Leporello „oller Opel".

In den „goldenen Zwanzigern" setzte sich der Benzinmotor dann endgültig durch, denn den Treibstoff konnte man relativ preisgünstig aus Erdöl herstellen. Zudem konnte man mit den Benzin-Autos auch weite Strecken fahren – und das immer schneller. Schon damals erreichten die legendären Silberpfeile von Mercedes und auch andere Rennwagen Geschwindigkeiten, von denen man in der heutigen Formel 1 auch nicht weit weg ist.

Die meisten Fahrzeuge gingen in ihrer Konstruktionsweise auf den Mercedes Simplex zurück, dessen Namen Kaiser Wilhelm II. prägte, als er sich 1906 auf der Berliner Autoausstellung das Starten eines Autos zeigen ließ, und den Vorgang eben als „simplex" bezeichnete. In späteren Jahren kam Kaiser Franz Beckenbauer bei den Werbedrehs für einen japanischen Autobauer mit den relativ komplexen und komplizierten Bezeichnungen weniger gut zurecht. Doch mit den Worten „Schau' mer mal" hat er auch das bewältigt.

Doch Laubfrosch hin und Kaiser her – auf der anderen Seite des Großen Teiches war man damals schon weiter. In Amerika bauten die großen Hersteller wie General Motors und Co. ein Auto nach dem anderen, und machten die USA zu dem, was sie heute sind – fast pleite. Nein, sie legten den Grundstein dafür, dass die Vereinigten Staaten ein verkehrsmäßig voll auf das Auto ausgerichtetes Land wurden.

Damals noch Trendsetter, verpassten die Amerikaner später den Zug der Zeit, als sie trotz Rohstoff-Diskussionen und beginnenden Umweltbewusstseins immer noch solche Spritfresser bauten, als wollten sie die Ölvorräte dieser Welt ganz allein verbrauchen. Heute ist man auch dort etwas davon abgekommen, Ausnahmen wie der Hummer bestätigen die Regel.

Nach dem Zweiten Weltkrieg wurde das Auto dann endgültig – wie vorher schon von Volkswagen versprochen – zur Massenware. In Wirtschaftswunderzeiten konnten sich immer mehr Bürger ein eigenes Auto leisten und damit voller Stolz im Urlaub nach Italien und in der anderen Zeit drei Mal um den Häuserblock fahren.

Die DDR verpasste aus den verschiedensten Gründen mit den zur Zeit ihrer Entwicklung durchaus fortschrittlichen und innovativen Autos die Entwicklung völlig und kam auch mit der Auslieferung des Trabants nicht mehr hinterher. Dafür war man hierzulande aber Weltmarktführer in Sachen Autowitze. Dabei wurde es oft schon als Witz bezeichnet, den Trabant überhaupt Auto zu nennen. Doch dazu an anderer Stelle mehr.

Inzwischen hatten sich auch die Formen der Autos eingepegelt. Nach den noch kutschenartigen ersten Wagen, der darauf folgenden Kastenform mit dem

Luftwiderstand einer Schrankwand begann sich die Sache langsam abzurunden. Man nahm Anleihen aus der Natur auf, so versah man die schiffsähnlichen US-Straßenkreuzer mit den legendären Haifischflossen. Trotzdem brauchte man für die Modelle von Cadillac, Lincoln und anderen entgegen anderslautenden Gerüchten kein Kapitänspatent. Es gab Modelle, die einem Ei auf Rädern glichen, andere wurden mit Badewannen verglichen, nur der Käfer von VW veränderte seine Form nicht. Inzwischen hat man aber festgestellt, dass es im Prinzip nur eine Form gibt, die den geringsten Luftwiderstand bietet – und so sehen die Autos heute mehr oder weniger alle fast gleich aus, und sind nur noch durch die Gestaltung der Frontpartie und das Logo des Herstellers zu unterscheiden. Besonders auffällig ist das bei den Wagen der Marke „Copy in China". Selbst Volvo hat sich der Gleichförmigkeit unterworfen und sich von der eckigen Holztruhenform verabschiedet – die mit Verlaub auffällig oft als Leichenwagen eingesetzt wurden.

Das Kraftfahrzeug wurde ständig weiterentwickelt, die Direkteinspritzung war eine der vielen Innovationen, der Katalysator kam auf, 1978 stellte Mercedes das Antiblockiersystem vor und der Airbag sorgte für mehr Sicherheit. Der funktioniert auch fast immer. Gut – Ausnahmen bestätigen die Regel, dass der Airbag im Auto von Paris Hilton bei einem Crash nicht auslöste, hatte keine technischen, sondern andere Gründe. Entweder hat der Luftsack beim Anblick der nutzlosesten Blondine der Welt gedacht: „Oh, da ist ja schon ein Sack voll Luft", oder er dachte sich: „Nein, ich habe doch keinen Knall, auch ich habe meinen Stolz."

Doch zurück zu Mercedes. Nach dem berühmt gewordenen Elchtest kippte man sozusagen die vorherrschende Meinung in der Firma und entschloss sich, das elektronische Stabilitätsprogramm ESP auch in die Autos der mittleren und unteren Preisklasse einzubauen. Übrigens ist ESP nicht mit dem früheren DDR-Schulfach „Einführung in die sozialistische Produktion" zu verwechseln. Erstens ist Mercedes damit nun wirklich nicht in Verbindung zu bringen und zweitens haben sich die Zeiten auch in Sachen Abkürzungen geändert, wie unter anderem das Beispiel LPG zeigt. An einer LPG-Tankstelle bekommt man heute Autogas und nicht mehr wie früher Diesel für die Fahrzeuge der Landwirtschaftlichen Produktionsgenossenschaften.

Doch zurück zum Auto. Heute sind die Kraftfahrzeuge so mit Elektronik und Hilfsprogrammen ausgerüstet, dass Experten schon davor warnen, während der Fahrt alle Verbraucher im Auto einzuschalten. Die Batterie könnte sich bei manchen dann sogar während der Fahrt entladen. Und es war eben kein Witz, dass ein Mercedes-Modell durch diese Zusatzteile so schwer wurde, dass es mit fünf Personen gar nicht mehr hätte fahren dürfen.

Aber trotz ASR, EPS, TDI, Navigationsgerät und Co. – eines ist seit den Zeiten von Bertha Benz immer gleich geblieben: „Hauptsache, es fährt."

Automobile kann man nach verschiedenen Gesichtspunkten einteilen, wir sind beim Zählen auf acht gekommen. Da wäre erstens die Größe, zu der wir später kommen, gefolgt von der Karosserie. Dabei geht es nicht um den Werkstoff, wie zum Beispiel beim als Plastebomber bezeichneten Trabant, sondern um die Machart und die Form der Karosse. Grundsätzlich gibt es Limousinen, Kombis und Cabrios, die je nach Bauart ein Stufen-, ein Fließ- oder Schrägheck oder auch gar kein Heck haben.

Nein – ein Heck ist immer dran, sollte es zumindest, auch wenn es Autos gibt, die wie abgeschnitten aussehen.

Bei der Unterscheidung nach der Antriebsart geht es nach Diesel- und Ottomotor, nach Elektro- oder Gasantrieb, bzw. nach Kombinationen aus diesen, die dann als Hybride bezeichnet werden. Man differenziert weiterhin nach Heck-, Vorderrad- oder Allradantrieb möglichst mit Differentialsperre. Wenn gar kein Antrieb mehr da ist, ist entweder der Motor kaputt oder Tank leer.

Dann hätten wir die Unterscheidung nach der Anzahl der Türen, also Drei-, Vier- und Fünftürer, sowie die geflügelte Variante – wobei manchmal nicht ganz klar zu sein scheint, ob die Hecköffnung nun eine Tür ist, oder nicht. Es kann durchaus sein, dass der Autofahrer nicht beim Fahren, sondern beim Entladen zu seiner Frau ziemlich geladen sagt: „Halt doch mal die Klappe."

Als nächstes hätten wir das Abgas, dafür gibt es Normen, nach denen entschieden wird, ob es die Umweltplakette gibt oder nicht. Dann wäre da noch der Verbrauch, der sich ebenfalls in acht Kategorien einteilen lässt, und zwar in „sehr sparsam", „sparsam", „normal", „hat Durst", „säuft wie ein Loch", „frisst mir die Haare vom Kopf" und „Tankanhänger gleich hintendran". Ebenso kann man die PKW nach der Anzahl der Sitzplätze definieren. Da gibt es Zweisitzer, Dreireiher und Kleinbusse, von den Formel-1-Wagen mit nur einer Sitzschale mal abgesehen. Aber die haben keine Straßenzulassung, vermutlicher Grund ist das Fehlen einer Hupe. Wenn in einem Wagen gar kein Platz ist, handelt es sich um ein ferngesteuertes Spielzeugauto.

Je nachdem, wie schnell man unterwegs ist oder sein könnte, sitzt man in einem KT (Kriechtier), RM (Rasenmäher), LFF (langsam fahrenden Fahrzeug), oder aber in einem KF (kleinen Flitzer), ZZA (ziemlich zügigen Auto), bzw. ist man Pilot in einer WSPR (waffenscheinpflichtigen Rakete).

Als vorletzten Aspekt nennen wir hier den Preis eines Autos. Dabei existieren im Prinzip sechs Kategorien: FG (fast geschenkt), BA (Billig-Auto), PW (preiswert), T (teuer), ST (sauteuer), NZB (nicht zu bezahlen) und PWEGNV (Preis wird erst gar nicht veröffentlicht).

Meistens werden die Autos nach ihrer Größe in verschiedene Klassen eingeteilt, und das überall auf der Welt. Selbst die USA haben neben den verschiedenen Pickup-Klassen wie „Small Size" und „Full Size" inzwischen auch eine eigene Klasse für Kleinwagen. Aber wir konzentrieren uns hier auf die in Deutschland üblichen und vom Kraftfahrtbundesamt vorgenommene Einteilung.

Diese beginnt mit Matchbox – nein, natürlich nicht. Als Erstes sind in der Liste die Leichtfahrzeuge aufgeführt. Die dürfen nicht schwerer als 350 kg sein, nicht schneller als 45 km/h fahren und höchstens 4 KW Leistung haben. Bekannteste Vertreterin dieser Klasse ist die gute alte Isetta, aber es gibt auch die Modelle Nova von Ligier und Microcar Virgo.

Leichtfahrzeuge, die nicht auf 45 km/h limitiert sind, gelten dann schon als richtige Autos und sind in der Kategorie Kleinstwagen, auch Minis genannt, eingeparkt. Das sind laut Definition alle PKW, die kleiner als Kleinwagen sind. Eindeutiger geht es kaum. Typische Kleinstwagen sind Ford Ka, FIAT 500 und der Renault Twingo. Der Mini von BMW ist laut dieser Einstufung gar kein Mini, sondern ein Kleinwagen. Die Kleinwagen haben, so die Beschreibung, einen quer eingebauten Frontmotor, Frontantrieb und einen Kofferraum, der den Namen gerade noch so verdient. Es kommt eben auf die Größe des Koffers an. Ein Kasten Bier passt aber meist rein. Neben dem Mini stehen in dieser Größe zum Beispiel auch der VW Polo, der Opel Corsa und der Mazda 2 zur Verfügung.

Danach folgt die Kompaktklasse, oft auch als Golfklasse bezeichnet. Aber die eigentliche „Golfklasse" ist ein Begriff der NATO für eine bestimmte Art sowjetischer U-Boote gewesen. Autos, die aussehen wie ein U-Boot gab es zwar auch, haben aber mit den äußeren Merkmalen der Kompaktklasse nicht viel zu tun. Diese verfügen typischerweise über ein Schrägheck, oft erstaunlich leistungsstarke Motoren und sind zwischen 4,15 m und 4,50 m lang, aber ohne Anhängerkupplung. Teilweise hört dieser Konvoi von Fahrzeugen wie Toyota Corolla, Audi A3 und Skoda Octavia bei den Fachleuten auch auf die Bezeichnung „untere Mittelklasse". Aber die gibt es laut Bundesamt in Deutschland nicht, hier geht es gleich mit der Mittelklasse weiter, die laut EU übrigens schon die „obere Mittelklasse" sein soll. Alles klar?

Die Mittelklassewagen sind in der Regel viertürige Limousinen mit Stufenheck oder in der Kombi-Version. Meist haben die Motoren eine Leistung von 100 bis 120 PS. Aber Ausnahmen bestätigen bekanntlich die Regel. Als typische Mittelklasse-Autos gelten VW Passat, Volvo S60 und Citroen C5.

Nach der Mittelklasse kommt nicht etwa schon die Oberklasse, sondern erst einmal die obere Mittelklasse, von der EU aber von oben herab schon als Oberklasse eingestuft. Im Prinzip sind das die etwas größeren V6-Modelle ihrer mittelklassigen Brüder. In der oberen Mittelklasse fahren zum Beispiel der Audi A6, Chrysler 300 und die E-Klasse-Wagen von Mercedes, zu denen wir auch noch kommen werden.

Jetzt endlich folgen die Oberklassewagen, von der EU schon als Luxus-Autos eingestuft. Die gibt es nicht mehr als Kombis. Wahrscheinlich sind sie sich zum Transport sperriger Dinge einfach zu schade. Dazu zählen die inzwischen auslaufenden Maybach-

Modelle von Mercedes, der Porsche Panamera, VW Phaeton und die Wagen, auf denen Bentley und Rolls Royce steht.

Die Italiener um Lamborghini, Ferrari und Maserati gehören in die Kategorie Sportwagen. Diese Fahrzeuge sind relativ leicht, haben leistungsstarke Motoren, sind schnell von Null auf Hundert und können eigentlich nur auf unseren deutschen Autobahnen ausgefahren werden – müssen sie aber nicht. Natürlich gibt es neben den Italienern, von denen es heißt, dass sie nie von der Erfindung des Automobils hätten hören dürfen, auch andere Modelle, wie zum Beispiel die Corvette von Chevrolet, den Porsche 911 und den Bugatti Veyron. Diese Raketen sind an anderer Stelle dieses Buches noch mal explizit erwähnt.

Aber nun ist ein Personenkraftwagen nicht immer nur dazu da, Personen von A nach B zu transportieren, gelegentlich muss man auch mal etwas anderes transportieren. Deshalb gibt es die Kategorie Hochdachkombis/Kleintransporter – auf neudeutsch „Utilities", also auf Gebrauchsdeutsch die „Hundefänger". Diese Autos haben mit einem höheren Dach logischerweise auch eine größere Innenhöhe, meist Schiebetüren für die billigen Plätze hinten und senkrechte Heckklappen. Alles Andere wäre auch glatte Raumverschwendung. VW Caddy, Opel Combo und Citroen Berlingo sind nur einige Autos dieser Kategorie.

Kommen wir zu den Vans. Das Wort ist – man glaubt es kaum – ein Anglizismus und kommt nicht aus den Niederlanden. Dort haben nur die Menschen oft ein „van" im Namen, aber nicht die Autos. Weil wir gerade bei den Niederländern sind: Wohnmobile sind natürlich auch eine Auto-Kategorie, auf die wir hier aber verzichten. Das steht dann vielleicht in der holländischen Ausgabe dieses Buches.

Zurück zum Van. So werden in den USA große Lieferwagen genannt. Das Wort entstand aus dem Begriff Caravan, der früher für Planwagen üblichen Bezeichnung. Ein Van ist heute ein Kfz mit bis zu neun Sitzen, das sich vielseitiger als ein normaler PKW nutzen lässt. Die ersten kamen in den 80er Jahren aus Japan nach Mitteleuropa, wie der Mitsubishi Station Wagon und der Nissan Prairie. Inzwischen bauen wir die Dinger selber, und zwar als Mini-Van wie dem Citroen C3 Picasso, als Kompakt-Van wie dem Opel Zafira und als Großraum-Van wie dem Mercedes Viano.

Jetzt geht es ab ins Gelände, für das die Geländewagen, neudeutsch Offroader, gedacht sind. Diese zeichnen sich durch hohe Steigfähigkeit, eine große Bodenfreiheit und Allradantrieb aus. Den wirklichen Geländewagen folgten in letzter Zeit die SUVs (Sports Utility Vehicles). Die sehen zwar wie Geländewagen aus, sind aber weniger dafür geeignet. Wahrscheinlich gibt es heutzutage deshalb sogar schon „Schlamm-Spray", mit dem man die Autos wenigstens so aussehen lassen kann, als kämen sie aus dem Gelände. Der Clou am Ganzen ist die ziemlich neue Klasse der City-SUVs, also der Geländewagen für die Stadt. Aber wenn man sich manche innerstädtische Straße anschaut – so blöde ist die Idee gar nicht.

Typische Geländewagen sind natürlich der Jeep Wrangler, der hierzulande noch gut bekannte russische AUS und der Range Rover. Zu den SUVs zählen Nissan Juke, Toyota Landcruiser und der Skoda Yeti. Als Softroader gelten kleine SUVs wie der Toyota RAV 4, die dann auch leichter zu bergen sind, sollten sie doch einmal von der befestigten Straße abkommen.

Natürlich sind die Grenzen zwischen den einzelnen Kategorien fließend. Manchmal weiß man – im Gegensatz zur Bahn – gar nicht, in welcher Klasse man eigentlich sitzt. Einige Autobauer haben auch eigene Klassenbezeichnungen eingeführt, wie zum Beispiel Mercedes mit seinen Klassen A, B, C, E, G, M, R und S – wobei die E-Klasse eben kein Elektro-Auto ist.

Es gibt auch Fahrzeuge, die Merkmale verschiedener Gruppierungen aufweisen, die sogenannten Crossover-Fahrzeuge, wie zum Beispiel Sportlimousinen. Aber letztendlich zählt nur eines: „Hauptsache, es fährt."

Von Acura bis Zenvo

Wir haben versucht, aus verschiedenen Quellen alle möglichen Hersteller und Marken zu finden. Dabei ist es durchaus strittig, ob eine Firma, die sich einen Motor kauft und dann den Rest Drumherum selber baut, als Autohersteller gilt, oder nicht. Aber wir streiten einfach nicht mit, und haben hier alle Autotypen und -marken aufgeführt, die bei drei nicht auf dem Baum, in der Tiefgarage oder auch auf dem Schrottplatz waren. Manche werden auch längst nicht mehr hergestellt, rollen gelegentlich aber doch noch. Wir haben bestimmt auch nicht alle Autos der Welt gefunden, aber die Wichtigsten und Bekanntesten sind auf alle Fälle dabei. Wer mehr über einzelne Fahrzeugmarken wissen will, muss selber googeln. Die meisten beginnen übrigens mit M, aber das ist kein Wunder, Motor fängt ja auch mit einem M an.

A – Acura, Aston Martin, Alfa Romeo, Alpina, Aixam, Ariel, Audi, Adler, Artega, Asia Motors, Austin, Austin-Healy, Abarth, Auto-Union, Auto-Bianchi, Avto-VAZ, Amphicar, AMS, AWS

B – Bentley, Brilliance, BMW, Bugatti, Bitter, Bristol, Buick, Borgward, Brilliance, Benarrow, Bertone, BYD, Bajaj, Barkas, bb, Beck, Brabus

C – Chrysler, Cadillac, Caterham, Chevrolet, Corvette, Citroen, Callaway, CityEL, Commuter Cars, Cooper, Cobra, Changfeng, Chatenet, Chery, China Automobile, Clenet, Connaught, Campagna, Caparo, Carlsson, Cargofun

D – Dacia, Daihatsu, Dodge, De Tomaso, Daewoo, Donkervoort, DAF, DeLorean, Datsun, Dehler, DFM, DKW

E – EMW, Elite, Excalibur, Eagle

F – Ferrari, Fiat, Fisker, Ford, FAW, Fun-Tech, Fornasari, Fuldamobil, 9FF,

G – Gumpert, GAS, GMC, Ginetta, Geely, GreatWall, GeoMetro, GG, Gibbs, Glas

H – Honda, Hummer, Hyundai, Heuliez, Holden, HDPIC, Hotzenblitz

I – Isuzu, Infiniti, Iveco, Iran Khodro, Isdera, IFA, IHC, Innocenti, Imperial, Intrall, Irmscher

J – Jaguar, Jeep, Jiangling, Jehle, Jensen, Jetcar

K – Kia, Koenigsegg, KTM, Karmann, Karabag, Keinath, Kreidler, Kombat, Koenig, Keating, Kepler, Kaipan

L – Lancia, Lada, Lamborghini, Landrover, Lexus, Lotus, Ligier, Lola, LTI, Landwind, Lincoln, LaForza, Laraki, LDV, Lightning, Lloyd

M – Maserati, Maybach, Mazda, McLaren, Mercedes-Benz, Mini, Mitsubishi, Morgan, Mahindra, Marcos, Maruti, Matra, Merlin, MG, Microcar, Mitsuoka, Moskwitsch, Matra, Mercury, MicroCar, Marussia, Melkus, MDI, Messerschmidt, Monteverdi, Morris, Melkus, Mosler

N – Nissan, Nanjing, NSU, Noble

O – Opel, Oldsmobile, Oltcit

P – Peugeot, Porsche, Pagani, Panoz, Pininfarina, Pontiac, Proton, Packard, Pullman, Piaggio, Plymouth, Panther, Polaris, Puch, Peraves, PGO, Praktiko

Q – Qvale Mangusta, Quantum, QiRui

R – Renault, Rolls Royce, Radical, Reliant, Rinspeed, Rover, RUF

S – Saab, Saleen, Seat, Skoda, Smart, Spyker, Ssang-Yong, Subaru, Suzuki, SAS, Scion, Saturn, Studebaker, Santana, SAIC, Saporoshjez, Steyr-Daimler-Puch, Shelby, Simca, Savage

T – Tata, Tatra, Trabant, Tesla, Toyota, TVR, Twikel Talbot, Triumph, Tschaika, Terrafugia, TH-Automobile, Think, Tofas, Tramontana, TRAX, Tucker, TV, Tushek

U – UAS, Ultima

V – Volvo, VW, Vauxhall, Veritas, Venturi, Vilner

W – Wiesmann, Wolga, Wartburg, Weineck, Weber

X – Xtra

Y – Yugo, YES

Z – Zastava, Zagato, ZAP, Zenvo

STAU, GLATTEIS, HEKTIK

Nur wer nichts macht, der macht auch keine Fehler – es sei denn, er ist verheiratet und rührt im Haushalt keinen Finger. Dann klappt auch das, aber hier geht es um das Autofahren. Und selbst der beste Fahrer zeigt gelegentlich mal eine falsche oder zumindest nicht ganz optimal zur Situation passende Reaktion, um es mal vorsichtig auszudrücken. Der häufigste Fehler hinter dem Steuer eines Kraftfahrzeuges ist laut einer Befragung von Fahrlehrern das zu schnelle Fahren. Nun kann es zwar sein, dass man irgendwo ganz schnell hin oder ganz schnell weg muss, aber an die StVO muss man sich trotzdem halten. Auf Platz zwei der Liste der Fehlverhalten steht das Drängeln. Fast jeder Autofahrer hat schon mal die Aggression anderer Verkehrsteilnehmer zu spüren bekommen. Übrigens sitzen laut einer anderen Umfrage die meisten Drängler in einem schwarzen BWM. Warum das so ist, weiß niemand so genau, vielleicht fragt man mal die bayrische Staatsregierung, die solche Autos als Dienstwagen hat. Nein, die haben vermutlich noch am wenigsten Ärger, der sich in Aggressionen zeigt.

Gründe sind eher langes Stehen im Stau oder auch die nicht zum Fahrer passenden weiteren Insassen im Auto. Durch diese Leute kann sich Ärger ergeben, der dann irgendwie raus muss. Gut, man könnte auch die Insassen rausschmeißen, allerdings braucht man die meistens zwei Tage später wieder. Am meisten sind Fahrer übrigens genervt, wenn die anderen Mitfahrer im Auto rauchen. Danach folgt das Herumspielen an den Armaturen wie den Schaltern für Heizung oder Radio. Erst auf Platz drei folgen Kommentare zum eigenen Fahrstil. Aber gerade in diesem Punkt kann man schon mal emotional reagieren und zum schlechten Vorbild für die Kinder auf der Rückbank werden. Statistiker haben herausgefunden, dass 75 Prozent der Eltern am Steuer regelmäßig schimpfen, 54 Prozent schreien sogar herum. Fast jedes zweite Kind ist der Meinung, dass die Eltern unkonzentriert fahren. Kein Wunder, wenn immer mehr Paare nur ein Kind haben wollen. Aber trotzdem sind 98 Prozent der lieben Kleinen mit dem Fahrstil der Alten zufrieden.

Allerdings kann der Nachwuchs auch, besonders auf langen Fahrten in den Urlaub, nervig und quengelig werden. Dann „Ruhe im Karton" zu rufen, bringt meist nicht viel, weil man in den meisten Fällen in einem Auto aus Blech und eben nicht mehr in einem Karton, also einem Trabi sitzt. Deshalb sollte man bei Fahrten mit Kindern regelmäßig Pausen machen, und die Kinder an einem Spielplatz an der Autobahnraststätte aussteigen lassen und sie zur Not erst auf der Rückreise wieder abholen. Nein, natürlich nicht. Kindern sollte man aber generell ein sicherheitsbewusstes Verhalten im Straßenverkehr beibringen, und zwar durch Vorbildwirkung. Schließlich sind die Eltern für die Erziehung, also auch für die im Straßenverkehr, verantwortlich. Die beste Methode dafür ist, dass Papa fährt und Mama dem Kind erklärt, was er dabei alles falsch macht.

Ab und zu fährt der Papa oder die Mama zwar richtig, aber trotzdem falsch, und zwar in die Irre. Das ist hierzulande schon fast jedem passiert, schließlich gaben in einer Umfrage 93 Prozent der Leute an, dass sie sich schon mal verfahren oder verlaufen haben. Wie viele sich im Leben schon mal verrannt haben, hat mit dem Straßenverkehr allerdings nichts zu tun.

Trösten kann man sich, wenn man verkehrsmäßig auf dem Holzweg ist, immer wieder mit dem Umstand, dass man dadurch neue Leute kennenlernt. Irgendwann fragt man ja doch einen Passanten nach dem Weg. Man erkundet auch neue, einem völlig unbekannte Gegenden. Zur Entschuldigung sei auch noch gesagt, dass das Wort Orientierung bekanntlich von Orient kommt, und man schon deswegen damit im Abendland seine Probleme haben darf.

Probleme beim Fahren an sich gibt es oft im Winter. Experten weisen daraufhin, dass man an kalten Tagen die Fahrbahn besser erst einmal testet, bevor man losfährt. Gut, es gibt Leute im Land, die tun das auch im Sommer. Diese Sonntagsfahrer laufen dann vor einer unübersichtlichen Kurve die Biegung erst mal zu Fuß ab, ehe sie sich mit dem Auto da durch trauen.

Aber zurück zum Winter. Das Gefährlichste daran ist eher nicht der alljährlich auftretende plötzliche und unerwartete Wintereinbruch, sondern das Glatteis auf den Straßen. Aber auch schon im Herbst kann Laub die Fahrbahn zu einer gefährlichen Rutschbahn machen. Und wenn der Winter wirklich mal plötzlich und unerwartet schon im Herbst einbricht, wird es besonders prekär. Eis auf der Straße, darüber das Laub, das bildet dann zwei glatte Schichten übereinander, die sich gegenseitig verschieben, so dass man im Extremfall mit dem Auto überhaupt nicht mehr vorwärts kommt. Nein, so etwas kommt in der Praxis kaum vor. Eher geben die Leute zu viel Gas, wenn die Räder durchdrehen.

Bei Fahrten auf glatten Straßen zeigt sich, so die Meinung einiger Experten, das fahrerische Können vor allem, wenn es bergab geht. Dieser Ansicht müssen und wollen wir an dieser Stelle widersprechen. Autofahren ist bekanntlich wie Fliegen, und beim Flugverkehr heißt es schließlich, dass noch alle herunter gekommen sind. Man muss mit dem Auto im Winter die Berge vor allem hochkommen, das ist die Kunst im Winter. Wer das schafft, darf sich als alter Hase bezeichnen.

Apropos Alter: Laut Statistik steigt die Unfallhäufigkeit ab dem 75. Lebensjahr an, also dem 75. Lebensjahr des Fahrers, nicht des Autos. Manche Politiker fordern deswegen schon regelmäßige Gesundheitschecks für Senioren, andere wollen ihnen den Führerschein gleich ab einem gewissen Alter entziehen. Allerdings merken auch wir zwei inzwischen: Je älter man selbst wird, desto weniger kann man sich mit der Idee anfreunden. Zudem bringt dieser Vorschlag auch nichts, denn als Radfahrer oder Fußgänger sind Senioren genauso gefährdet.

Deshalb fordern Experten, die Infrastruktur des Straßenverkehrs seniorengerechter zu machen. Es reicht aber nicht, dem Ampelmännchen einen Krückstock oder einen Rollator zu spendieren, da müssen zum Beispiel längere Ampelphasen her. Auch entsprechende Fahrerassistenzsysteme können hilfreich sein, am besten gleich welche, die sprechen. Müdigkeitswarner gibt es schon. Warum sollen die nicht mit dem Fahrer reden und zum Beispiel fragen: „Schläfst du schon?" Bei Senioren fragen sie dann: „Lebst du noch?"

Nein, das wäre ziemlich makaber. Aber egal, ob man nun langsam und vorsichtig fährt, oder schnell unterwegs ist, weil man sich von Stalkern, Räubern oder dem Finanzamt verfolgt fühlt, es zählt nur eines: „Hauptsache, man fährt."

MOTOR & CO.

Wie der Mensch Arme, Beine, Blutkreislauf und Nervensystem hat, gibt es beim Auto auch verschiedene Baugruppen. So ein Auto ist eben auch nur ein Mensch und funktioniert nur, wenn alle Teile zueinander passen und miteinander arbeiten.

Im Prinzip besteht ein Auto aus vier Teilen, aus A, U, T und O, also Antrieb, Unterboden, Tank und Originalpapieren. Nein – natürlich nicht, es handelt sich um fünf Baugruppen. Der Motor ist dazu da, dass sich etwas dreht, die Kraftübertragung, damit etwas ankommt, das Fahrwerk, damit es vorwärts geht, die Karosserie, damit man auch mitkommt, und die Fahrzeugelektrik, damit der Funke überspringt.

Wir sind keine Fachleute, deshalb gehen wir in Sachen Autotechnik nicht allzu sehr in die Tiefe und verzichten auf Fachbegriffe wie Dreikanalspülung, homogene Kompressionszündung, Druckumlaufschmierung und Lanova-Einspritzverfahren. Wer Genaueres wissen will: Jedes Auto hat eine Betriebsanleitung und Fachbücher gibt es jede Menge.

Stattdessen wollen wir die Hauptbaugruppen des Autos nur kurz anreißen.

Das Wort Motor kommt aus dem Lateinischen und heißt so viel wie „Beweger". Im Prinzip arbeitet ein Motor wie ein Säufer: Erst wird etwas hineingeschüttet, danach dreht sich alles. Nein, so einfach ist das nicht, der Säufer muss auch noch Raucher sein, denn ein Feuerzeug wird auch gebraucht. Zumindest ist das bei Verbrennungsmotoren so, auf die wir uns hier konzentrieren. Es gibt auch andere Antriebsaggregate, wie zum Beispiel Elektromotoren, bei denen muss der Säufer nur unter Strom stehen. Nun gibt es solche Verbrennungsmotoren und solche. Man unterscheidet erstens nach der Bauart. Auf Dampfmaschinen und Gasturbinen verzichten wir an dieser Stelle, es bleiben Kreis- und Hubkolbenmotoren. Zu den Kreiseln kommen wir später, jetzt geht es an die zwei in der Automobilbranche gebräuchlichsten Motoren, an den Otto- und den Dieselmotor. Beginnen wir mit Nikolaus Otto, der seinen Motor 1876 patentieren ließ und ihm seinen Namen gab – den Familiennamen natürlich. Bei einem Nikolaus-Motor hätte man sonst vielleicht gedacht, dass der Motor nicht läuft, sondern nur stiefelt.

Beim Diesel werden Kraftstoff und Luft erst im Brennraum gezündet, der Otto mixt schon vorher, falls es kein Direkteinspritzer ist. Otto braucht im Gegensatz zum Diesel, der sich selbst anbrennt, eine Fremdzündung. Deshalb hat Robert Bosch die Zündkerze erfunden. Ottomotoren können auch mit verschiedenen Gasen, mit Ethanol und mit Wasserstoff betrieben werden. Im Klartext: Otto frisst vieles in sich hinein.

Nun gibt es im Otto-Katalog zwei Bereiche, den Zwei- und den Viertakter. Der Zweitakter verdichtet und arbeitet im ersten Takt, beim zweiten wechselt er die Ladung. Der Viertakter ist etwas anders gestrickt, der saugt im ersten Takt an, im zweiten verdichtet er, im dritten Takt kommt er zum Arbeiten und im vierten lässt er die Sau dann raus.

Ingesamt gesehen hat der Viertaktmotor einen höheren Wirkungsgrad als der Zweitakter, zudem muss man beim Viertakter auch kein Öl mehr ins Benzin geben. Viele Tankstellen haben gar kein Gemisch mehr im Angebot, deswegen hat sich der große Bruder von Ottos im Autobau durchgesetzt, selbst Kleinkrafträder und Rasenmäher laufen heute schon in vier Takten.

Der Dieselmotor ist ein Selbstzünder, braucht nur beim Kaltstart mit dem Vorglühen etwas Feuer von außen. Gegenüber dem Otto hat er einen besseren Wirkungsgrad, ist bei gleicher Leistung aber schwerer. Zudem hat er technologisch bedingt eine begrenzte Maximaldrehzahl. Wer schneller sein will, braucht extra noch einen Kompressor oder Turbolader. Zu guter Letzt stößt der Dieselmotor auch noch Ruß und Feinstaub aus. Die Abgase müssen aufwändig gereinigt werden, ehe es die grüne Umweltplakette gibt.

Damit ist das Kapitel Hub aufgehoben, wir kreiseln jetzt kurz zum Felix. Felix Wankel hat schon 1932 eine Drehkolbenmaschine DKM 32 konzipiert, nach dem Zweiten Weltkrieg verbesserte er seine Erfindung mit den Firmen Borsig und NSU. Ja, NSU war mal ein Autobauer!

Beim Wankelmotor springt der Kolben nicht ständig auf und nieder, sondern dreht sich gleich. Dadurch muss die Hubbewegung wie bei den anderen nicht erst über Pleuelstangen in eine Rotation umgewandelt werden. Das spart schon mal ein paar Teile am Auto.

Leider hat sich Felix Wankel mit NSU zerstritten, weil die, wie er sagte, „aus meinem Rennpferd einen Ackergaul gemacht haben." Die Firma NSU gibt es heutzutage auch nicht mehr, deshalb denkt man bei Wankelmotoren heute meist an Mazda, die damit ihre RX-Autos ausrüsten. 1991 haben die Japaner mit einem Wankelmotor-Rennwagen sogar die „24 Stunden von Le Mans" gewonnen. Inzwischen baut die Firma auch einen Wankelmotor mit Wasserstoffantrieb. Audi setzt in seinem A1 e-tron neben dem Elektromotor jetzt auch einen Wankelmotor ein, der lädt allerdings über einen Akku nur die Generatoren wieder auf – ziemlich wankelmütige Sache.

Jetzt sind wir mit unserer Grobmotorik erst mal am Ende und kommen zur Kraftübertragung. Dazu gehört alles, was zwischen dem Motor und den angetriebenen Rädern – wo immer die auch sind – eingebaut ist und auch arbeitet. Dazu zählt unter anderem auch die Kupplung. Für Automatik-Fahrer: Die wird durch das Pedal betätigt, das bei euch fehlt. Irgendwie muss das Drehmoment und die Drehzahl ja bei den Rädern ankommen. Wer will schon immer im Leerlauf auf der Stelle stehen? Und weil man nicht immer gleich schnell fahren will oder darf, haben die Autobauer noch Getriebe eingebaut, mit denen man das regulieren kann.

So viel dazu und jetzt übertragen wir unsere Kraft auf das Fahrwerk. Das sind die Teile am Auto, die dafür sorgen, dass die Motorkraft auch auf der Straße ankommt und in die richtige Richtung geht – es geht also um die Räder und die Lenkung. Die meisten Fahrzeuge sind ja auf Rädern unterwegs – wer sich gerade auf Ketten fortbewegt, sitzt entweder auf einer Baumaschine oder in einem Panzer. Gut, es gibt auch Personenkraftwagen, die wie ein Panzer klingen, aber Autos der Marke Saporoshjez sind hierzulande doch sehr selten geworden.

Zum Fahrwerk gehören auch die Radaufhängungen sowie die Federung und Dämpfung, die beim derzeitigen Zustand unserer Straßen immer wichtiger wird. Die Erfindung der Federung bekommt heutzutage leider immer öfter den Status eines durchschlagenden Erfolges. Nicht zu vergessen sind auch die Bremsen, schließlich will man nicht immer nur fahren, sondern gelegentlich auch mal anhalten, selbst wenn es in Sachsen-Anhalt ist.

Kommen wir zur Karosse, so sagt man zum Aufbau und der Verkleidung eines Kraftfahrzeuges. Dabei sind die unterschiedlichsten Formen zu sehen: „Hässlich", „Geht so", und „Schön und windschnittig". Nein, in Wirklichkeit unterscheidet man nicht nach der äußeren Form, wahre Schönheit ist unter der Haut. Hier gibt es drei Varianten. Die erste ist die Rahmenbauweise, bei der die eigentliche Karosserie und der Rahmen für sich sind und elastisch miteinander verbunden werden. Bei der zweiten, der mittragenden Bauweise ist die Karosse auf den Rahmen geschweißt, in der IKEA-Version wird auch verschraubt. Die PKW haben meist die dritte Art, hier übernimmt die versteifte Bodengruppe die Rahmenfunktion. Verkleidet sind die PKW natürlich auch, manche kommen sogar in Tarnkleidung einher. Das sind die sogenannten „Erlkönige", also Prototypen, die inkognito getestet werden. Wenn so ein Erlkönig den Hof nur mit Müh und Not erreicht, müssen die Techniker noch mal ran.

Apropos Technik – zum Auto gehören auch jede Menge Kabel, Sicherungen und Schalter, also die Elektrik bzw. Elektronik. Irgendetwas muss ja an einem Auto immer leuchten oder aufblinken, oft weiß man gar nicht, was das eigentlich ist. Aber ohne Strom läuft nun mal am Auto nichts, der wird von A bis Z gebraucht, von den Anzeigeninstrumenten bis zur Zündanlage. Wenn die Batterie den plötzlichen Heldentod stirbt, wird alles zappenduster. Dann ist einem alles egal, die Benzinpreise an der Tanke, die Punkte in Flensburg und die verpassten Termine. Man will nur eines: Wieder sagen können: „Hauptsache, es fährt."

Italienische Farblehre

Einst war der Ferrari weiß.
Da kam ein schwarzer Lambo.
Der lief dabei ganz heiß.
Und benahm sich wie Rambo.
Der Weiße blieb erst ruhig.
Dann kam er aus dem Lot.
Er wurde richtig glutig.
So wurde der Ferrari rot.

Waffenschein nötig

In den Niederlanden gibt es nicht nur Wohnwagen, dort werden auch richtig schnelle Autos gebaut. Die Firma Bewerp Inc. hat dort einen „fliegenden Holländer" auf vier Räder gestellt, der mit 700 PS in 2,8 Sekunden von null auf hundert und erst bei 360 Sachen am Limit ist. Der Nachteil dieses Renners namens Savage Rivale GRT ist natürlich die fehlende Anhängekupplung. Einen Wohnwagen sollte man besser aber nicht anhängen, das sähe nicht nur seltsam aus. Und weil die Holländer ungern allein fahren, schob man gleich noch einen anderen Sportwagen nach, den Vencer Sarthe. Der ist nicht ganz so schnell, soll „nur" 326 Sachen schaffen, und wird vermutlich von vermögenden Holländern als Zweitwagen für die Ehefrau angeschafft.

Ausfahren kann man diese Geschosse in den Niederlanden allerdings nicht. Erstens ist die Geschwindigkeit auf den dortigen Autobahnen begrenzt und zweitens ist man bei vollem Durchdrücken des Gaspedals entweder schon in Deutschland oder in der anderen Richtung ins Meer gefahren.

Italien ist dagegen etwas größer, das Land ist auch so etwas wie die Heimat der Supersportwagen. Gut, Ferrari scheint nur Weltmeister in der Formel 1 zu werden, wenn ein Ausländer im Cockpit sitzt, aber die Italiener haben schon etwas Benzin im Blut. Ferrari scheint auch ziemlich resistent gegen Krisen zu sein, denn Firmenchef Luca di Montezemelo meinte einmal: „Wir werden immer 6.000 Verrückte finden, die einen Ferrari kaufen."

Doch die Italiener heizen nicht nur mit Ferraris durch Ferrara oder andere Städte, sondern auch gelegentlich auch mit einem Maserati oder einem Lamborghini. Die „Lambos" gibt es übrigens nicht nur als Sportwagen, sondern auch als Geländeautos. Der neueste SUV aus der Schmiede von Lamborghini heißt „Urus", was von „Auerochse" abgeleitet wurde. Zu Autonamen steht an anderer Stelle mehr. Am Anfang hat Lamborghini Traktoren gebaut, so richtig können sie scheinbar nicht aus ihrer Haut. Trotzdem denkt man bei Lambo zuerst an Sportwagen wie Diablo, Gallardo oder Aventor, und nicht daran, dass die Italiener inzwischen – genau wie die Elsässer von Bugatti, die Briten von Bentley und die Zuffenhausener von Porsche – zum Geflecht des VW-Konzerns gehören.

Solche Autos sind natürlich nicht nur da, um damit schnell zu fahren, sondern vor allem Statussymbol, mit 300 Sachen wird man darin ja nicht gesehen. Und für so ein Statussymbol gibt man schon mal eine Stange Geld aus, nicht nur beim Kauf, sondern auch bei der Wartung. So hat ein Scheich aus dem Ölstaat Katar seinen Lamborghini per Flugzeug zur Inspektion nach London fliegen lassen. Und damit man im Lambo auch statusgemäß telefonieren kann, hat der Autobauer jetzt sogar ein spezielles Smartphone entwickelt. Statt Kunststoff und Aluminium wurden bei dem Gerät Gold, teuerstes Saphirglas und Krokodilleder verarbeitet. Trotzdem wurde das Design als „potthässlich" bezeichnet.

Die Wüste scheint auch für andere Marken ein nobles Pflaster zu sein. So ist jeder fünfte jemals ausgelieferte Bugatti Veyron in den Vereinigten Arabischen Emiraten zugelassen. Bugatti hat mit dem Veyron 16.4 aber auch eine Rakete im Programm, die nur noch 2,5 Sekunden braucht, bis sie von null auf hundert ist. Wer das 1.200-PS-Geschoss dann über 375 km/h beschleunigen will, muss dafür mit einem zweiten Schlüssel erst den „Top-Speed-Modus" aktivieren. Aber der „arabische Frühling" hat gezeigt, dass man auch als Ölscheich und Wüstenherrscher immer bereit sein sollte, ganz schnell zu verschwinden. Schneller als so ein Supersportwagen ist eigentlich nur unsere Personenwaage im Studio, wenn der Böttcher mit Anlauf drauf springt.

Eigentlich müsste man solche Beschleunigungsorgien mit Autos, die auf den ersten Metern sogar schneller als ein Kampfjet sind, verbieten. Wir haben in Deutschland ohnehin zu wenig Augenärzte, und die werden gebraucht, wenn so ein Bugatti einen Kavaliersstart hinlegt. Bei den Zuschauern müssen die Ärzte dann die Stielaugen wieder hinein drücken, bei den Fahrern der Boliden ist es genau umgekehrt. Deren Augen sind durch den Beschleunigungsdruck irgendwo im Hinterkopf gelandet und müssen wieder herausgezogen werden.

Beim Bremsen ist es dann genau anders herum. Übrigens musste die Hupe des Bugatti Veyron nachträglich überarbeitet werden, weil sie sich bei einer Vollbremsung allein durch die physikalisch nun mal existierende Masseträgheit aktivierte.

Nun gibt es aber nicht nur Sportwagenhersteller, deren Namen mit einem „i" enden. Die Großen der Autobranche haben ebenfalls Modelle im Programm, die nicht gerade langsam sind. Oft werden sie von spezialisierten Tuning-Firmen noch schneller gemacht. Weil es in Amerika bekanntlich nichts gibt, was es nicht gibt, hat sich der US-Tuner AMS einen Nissan GTR vorgeknöpft und seine Leistung von etwa 500 PS auf knapp 2.000 hochgeschraubt.

Auch die deutsche Vorzeige-Firma Mercedes-Benz ist hier dabei. Die Tuning-Experten von Brabus haben zum Beispiel einen Mercedes C 63 AMG zum „Bullit Coupe 800" veredelt. Der 6,3-Liter-Motor leistete danach 800 PS und katapultierte das Auto in knapp zehn Sekunden auf Tempo 200. Nach 23,8 Sekunden zeigte der Tacho schon 300 Sachen. Das Geschoss könnte man in seiner deutschen Heimat sogar ausfahren, die Höchstgeschwindigkeit liegt laut Angabe bei „über 370 km/h". Das auszuprobieren, sollte man aber nur Profis überlassen, und dann auch nur auf abgesperrten Strecken. Normale Leute sollten dann vielleicht doch erst mal mit dem Smart fahren, der als Zugabe beim Kauf eines von Brabus umgebauten SLR McLaren Roadster mitgeliefert wird. Der McLaren selbst hat übrigens den Wettkampf gegen einen vom englischen Spitzengolfer Nick Faldo geschlagenen Golfball gewonnen. Auf einer extra dafür abgesperrten französischen Rennstrecke war das Auto genau 0,124 Sekunden schneller.

Abgesperrt ist inzwischen auch die Funke & Will AG im sächsischen Großenhain, die den „YES!"-Roadster bauten, dann aber in Insolvenz gingen. Inzwischen wird der YES!2 im hessischen Edermünde gebaut. Viel zu bauen gibt es allerdings nicht, der Wagen hat weder Dach noch Türen, auf überflüssigen Schnickschnack wurde ebenfalls verzichtet. Der YES! wurde deswegen auch schon als Motorrad auf vier Rädern bezeichnet.

Auch im thüringischen Altenburg werden Sportwagen in Kleinserie gefertigt. Der ehemalige Audi-
Motorsportchef Roland Gumpert hat sich von den
vier Ringen getrennt und baut nun den „Apollo".
Nach einer Probefahrt soll der ehemalige Weltklasse-
Rallyepilot Walter Röhrl gesagt haben, dass das Auto
sehr angsteinflößend ist. Wenn dem schon die Knie
schlottern, dürfte eine Apollo-Fahrt für uns Norma-
los schon etwas von einem Suizid-Versuch haben.
Von Thüringen zurück nach Sachsen: In Heyda bei
Riesa sitz die „AC Cars by Gullwing GmbH", die
ihre Autos aus rechtlichen Gründen nicht wie die
AC-Legende „Cobra" nennen darf. Deshalb heißen
die Renner MK und sind Nachfolger der Cobra.
Auf Porsche spezialisiert hat sich die Firma 9ff in
Dortmund. Deren Vorzeige-Objekt bringt es auf
knapp 1.000 PS.
Fehlen noch die BMW, die von der Firma Alpina
veredelt werden und so auf über 300 km/h beschleunigen. Aber das ist noch nicht alles in „good old Germany", es gibt noch mehr Firmen, die Sportwagen
anbieten, wie zum Beispiel Artega, Bitter, Carlsson
und RUF. Das Unternehmen Irmscher holt Sachen
aus einem Opel heraus, die selbst die Konzernmut-
ter GM nicht für möglich gehalten hätte. Veritas,
vielen nur als Nähmaschine bekannt, so heißt auch
eine alte deutsche Rennwagenschmiede, die jetzt
wiederbelebt wurde.
Jeder, der sich zu DDR-Zeiten auch nur am Rande
für Automobilrennsport interessierte, hat schon mal
etwas vom Melkus RS 1000 gehört. Inzwischen fer-

tigt man in Dresden den RS 2000, der nicht mehr auf dem Wartburg basiert, sondern Komponenten vom britischen Lotus hat.

Damit sind wir schon über den großen Teich gefahren und bei Shelby in den USA. Deren stärkstes straßenzugelassenes Modell, der Shelby Ultimate Aero TT, bringt es auf eine Höchstgeschwindigkeit von 412 km/h. Aber das ist noch lange nicht das Ende der Fahnenstange. Den Vogel will jetzt ein Amerikaner namens John Gocha in seiner Tuningschmiede Intense abschießen. Er hat angekündigt, einen Mosler MT 900 auf 490 km/h zu beschleunigen und dafür eine Straßenzulassung zu beantragen. Dafür braucht er ein Antriebsaggregat mit sage und schreibe 2.500 PS. Der Motor wird mit einem Gemisch aus Benzin, Wasserstoff, Ethanol und Methanol versorgt und soll pro Minute über 20 Liter davon verbrauchen. Bei einem 200-Liter-Tank müsste man theoretisch alle zehn Minuten tanken. Allerdings wäre man bei einem Tempo von fast 500 km/h in der Zeit auch schon über 80 Kilometer gefahren.

Da hört dann der Spaß auf und wird zum Wahnsinn. Bei mehr als 400 Sachen hätte man nach der jedem noch aus der Fahrschule bekannten Faustformel einen selbst bei einer Gefahrenbremsung einen Anhalteweg von etwa einem Kilometer. Das hat dann schon Dimensionen wie im Zugverkehr. Dort heißt es ja: „Das, was der Lokführer auf den Gleisen sieht, ist eigentlich schon tot." So ähnlich ist es bei solchen Geschossen auf der Autobahn auch. Nur schaut der Raser in einem Supersportwagen gelegentlich auch in den Spiegel …

Aber nun von den Waffen zurück zu den Autos. Nicht nur hier in Deutschland, Westeuropa, Japan und den USA werden schnelle Supersportwagen gebaut, auch im Osten tut sich einiges. Russische Autos wurden lange verspottet, und das nicht ganz zu Unrecht, wenn man sich zum Beispiel an den berüchtigten Saporoshjez erinnert. Der wurde in der DDR oft als Lottogewinn vergeben, weil ihn sonst keiner freiwillig haben wollte. Russische Autos galten als „aus einem Block gefeilt", als komfortlos, aber auch als robust. Überflüssige Technik hatten sie nicht an Bord. Vielleicht lag das daran, dass die russische Mikroelektronik einfach nicht kleinzukriegen war, vielleicht haben sich die Konstrukteure auch gedacht: „Was nicht dran ist, kann auch nicht kaputt gehen." Wahrscheinlicher ist allerdings der Materialmangel, der den Einbau solcher Dinge wie Airbags oder Servolenkung verhinderte, und oft mit den Worten kommentiert wurde: „ABS, Servolenkung und Airbags sind doch nur etwas für Weicheier."

Doch die Zeiten haben sich geändert. Inzwischen hat der russische Autobauer Marussia nicht nur ein Formel-1-Team, sondern auch einen für die Straße zugelassenen Rennwagen. Der Motor stammt zwar von Cosworth, aber der Rest ist auch nicht von schlechten Eltern. 420 PS treiben den Marussia B1 und seinen Nachfolger B2 auf an die 300 km/h. Russland ist allerdings auch sehr groß, da gilt es, ziemlich zügig lange Strecken zu überwinden. Von denen sind aber bei weitem nicht alle asphaltiert, so dass die Leute dort im Zweifel dann doch auf die

Geländewagen von GAZ oder gleich auf die unverwüstlichen LKW vom Typ Ural zurückgreifen.

Auch auf dem Balkan geht es heutzutage geschwind zur Sache. Wo früher der rumänische „Karpatenschreck", der TV 12, kaputt am Straßenrand stand, düst heute der Tushek Renovatio aus Slowenien vorbei. Der Karbon- und Aluminium-Renner bringt es auf mehr als 300 Sachen.

Allerdings ist, wie auch bei vielen anderen Dingen im Leben, nicht immer das drin, was drauf steht. So hat die italienische Polizei einen vermeintlichen Ferrari gestoppt, der sich als Fälschung entpuppte. Es war ein Pontiac. Später verhafteten die Carabineri sogar eine ganze Bande, die solche Fälschungen über das Internet verkauften, und zwar für 20.000 Euro pro Stück. Bis auf einige kleine Teile und das Emblem mit dem sich aufbäumenden Pferd war nichts Originales daran.

Aber das ist wie bei einer Rolex-Uhr für 100 Euro. So ein Plagiat zeigt, wie das Original eben auch die Uhrzeit an. Und beim gefälschten Ferrari gilt somit auch das Motto: „Hauptsache, es fährt."

Die Hure und das Klopapier

Viele Autohersteller sind nach dem Namen ihres Gründers benannt – Adam Opel, Henry Ford, Andre Citroën, Soichiro Honda, Louis Chevrolet, Ettore Bugatti. Die Reihe ließe sich beliebig fortsetzen. Nein – eben nicht.

Michael Trabant ist zwar ein deutscher Profiboxer gewesen, hat mit dem gleichnamigen Auto aber nichts zu tun. Das war schon vorher da. Genauso ist es mit Vanessa Walther oder Günther Meier, die haben einfach nur die Initialen VW und GM.

Ebenso können manche Personen gar nichts dafür, dass sie für eine Automarke herhalten mussten. Abraham Lincoln konnte sich, als 1920 der Autobauer Lincoln gegründet wurde, nicht mehr wehren, weil er schon lange tot war. Genauso ging es dem schon vorher in die ewigen Jagdgründe eingegangenen Franzosen Antoine Laumet de La Mothe, Sieur de Cadillac, der 1701 den Fehler machte, die Stadt Detroit zu gründen.

Rennfahrer Emil Jelinek war ein begeisterter Kunde von Daimler und wurde schließlich Leiter der Vertretung in Nizza. Er gab dem 1901er Modell von Daimler schließlich den Namen seiner Tochter – die hieß Mercedes. Was daraus geworden ist, müssen wir nicht erklären.

Andere Autohersteller haben Abkürzungen als Firmennamen wie die Bayerische Motoren Werke Aktiengesellschaft (BWM), Sociedad Española de Automóviles de Turismo (SEAT), Svenska Aeroplan Aktiebolaget (SAAB), oder die Fabbrica Italiana Automobili Torino (FIAT). Gut, FIAT kann auch „Für Italiener ausreichend Teile" heißen, aber dazu an anderer Stelle mehr.

SAAB gehört inzwischen einem chinesischen Unternehmen, Volvo auch, aber einem anderen. Vermutlich haben sich die Chinesen die zwei Firmen gekauft, weil in deren Namen kein „r" vorkommt. Dabei hatten die Schweden, die Volvo einst gründeten, keinen Chinesisch-, sondern Lateinunterricht. Volvo kommt aus dem Lateinischen und bedeutet: „Ich rolle". Damit hätten die Chinesen nun aber wieder Schwierigkeiten.

Die Rumänen von Dacia waren auch in der Schule, haben aber wohl mehr in Geschichte aufgepasst. Der Name Dacia geht auf die römische Provinz Dakien im heutigen Rumänien zurück. In der Schule gar nicht aufgepasst scheinen die Japaner zu haben, als sie den Namen des Firmengründers Kiichiro Toyoda als Unternehmensbezeichnung Toyota falsch schrieben. Hinterher hieß es, dass damit dem alten Herren die Trennung von Arbeits- und Privatleben erleichtert werden sollte. Aber das ist natürlich Quatsch. Eine Trennung von Arbeit und Privatem gibt es in Japan gar nicht.

Andere Firmen griffen nach den Sternen, wie zum Beispiel Subaru. Subaru heißt auf japanisch zwar „Vereinigung" – die Firma entstand durch die Zusammenlegung von sechs Unternehmen –, aber Subaru ist auch der japanische Begriff für das Sternbild der Plejaden, das eben genau die sechs Sterne hat, die man auf dem Subaru-Logo sieht. Astronomisch ging es auch in den USA bei Saturn und in der DDR bei Trabant zu. Saturn als Automarke gibt es nicht mehr, inzwischen heißt ein großer Elektronikmarkt bei uns so. Der Trabant, der slawisch „Begleiter" heißt, wird auch nicht mehr hergestellt. Inzwischen heißt eben ein ehemaliger Profiboxer so.

Eine mehr oder weniger himmlische Angelegenheit war der Trabant trotzdem, es gab ihn sogar in himmelblauer Farbe – auch wenn das Ding nie fliegen konnte. Aber besungen wurde er auf alle Fälle.

Hyundai könnte namenstechnisch auch aus der DDR kommen, das Wort bedeutet im Koreanischen „Fortschritt". Allerdings wurden im DDR-Kombinat „Fortschritt" Mähdrescher gebaut. Den Bau des Trabants als Fortschritt zu bezeichnen, haben sich nicht mal mehr die alten Männer im ZK der SED getraut.

Lotus soll der Kosename der Ehefrau des Firmengründers Colin Chapman gewesen sein. Gott sei Dank scheint er sie sehr geliebt zu haben, sonst würden die Sportwagen und auch der gleichnamige Formel-1-Rennstall heute ganz anders heißen.

Lada geht auch in die Richtung, das Wort steht im Russischen dagegen für „Liebchen". In Südkorea scheint man dagegen große Worte zu lieben. KIA steht dort für den Slogan „Aufstieg Asiens". Allerdings wurde der Aufstieg Asiens schon vor der Jahrestausendwende vom Fortschritt, also Hyundai geschluckt.

Nur Lexus, die Nobelmarke vom falsch geschriebenen Toyota, tanzt aus der Reihe. Das Wort wurde von einer Werbeagentur entwickelt. Ursprünglich hatte man sich für „Alexis" entschieden, nach „Alexis Carrington" aus der TV-Serie „Denver-Clan". Daraus wurde dann Lexus, das für Eleganz und Chic stehen soll. Ein bisschen klingt das auch wie Luxus.

Jeep stammt angeblich auch von einer Kunstfigur, und zwar von der Trickfilmfigur Popeye Jeep. Das sagen zumindest einige Experten, andere behaupten etwas anderes.

Ob man nun von Luxus sprechen kann, wenn sich viele Autobauer es heutzutage leisten, teure Werbexperten einzukaufen, die dann Namen wie „Ce'ed" (Kia) oder „Probe" (Ford) raushauen, wissen wir nicht. Aber einige dieser Namensfindungsfachleute sollten ihr Honorar besser zurückzahlen. Peugeot hatte eines seiner Modelle mal „Inka" nennen lassen. Das ist noch kein Verbrechen, allerdings bewarb man den „Inka" mit „der Liebling der Mexikaner". Danach sollen sich sogar die alten Azteken in Mexiko im Grabe umgedreht haben.

Einige dieser Fachleute scheinen einen Atlas zu besitzen, den sie auf einer beliebigen Seite aufschlagen und dann blind mit dem Finger darauf tippen. Nein – einige Autos sind nach Städten oder Gegenden benannt, aber nicht aufs Geratewohl. Obwohl – es sind meist Orte, an denen man sich gerade wohl fühlen könnte, wie zum Beispiel Capri, das sich Ford ausdachte, oder SEAT, die eine Liste der spanischen Städte und Inseln abarbeitet. Wie Hyundai ausgerechnet auf Santa Fe kam, kann man nicht nachvollziehen, aber Ford setzte nicht nur auf die Capri-Sonne, sondern auch auf deutsche Gegenden wie zum Beispiel beim Taunus oder Eifel. Alles in allem sind das gut klingende Namen. Anders geht es auch gar nicht, wer würde denn in einen Audi Uckermark einsteigen oder in einen VW Sahara. Obwohl, so weit weg ist VW mit seinem Touareg nicht mehr.

Auch Opel setzte mit dem Ascona mal auf die Geographie – vermutlich kamen sie auf den Namen der Stadt im Binnenland Schweiz, als ihnen die Dienstgrade in der christlichen Seefahrt ausgingen. Kadett, Kapitän, Admiral, damit war die Reihe zu Ende. Man verlegte sich auf Kunstwörter wie Corsa, Vectra, Calibra, Insignia, Meriva, Zafira oder Tigra. In letzter Zeit kam der angeschlagene Konzern mit der Bezeichnung Mocca um die Ecke. Den hat man sich vermutlich beim Kaffeetrinken ausgedacht. Der neueste Kleinwagen des angeschlagenen Konzerns hat aber mal kein „a" am Ende, der heißt einfach „Adam" – wie der angeblich erste Mensch auf der Erde. Damit wolle man den Firmengründer Adam Opel ehren, hieß es. Allerdings wollte der damals eigentlich nur Nähmaschinen bauen. Gut, viel größer ist der „Adam" auch nicht. Ob das Navigationsgerät im „Adam" nun „Eva" heißt, nehmen wir mal nicht an. Erstens nennen wir in Deutschland unsere Navis meist „Lisa", und zweitens ist im Alfa Romeo auch keine Julia drin, zumindest keine eingebaute.

Es bleibt nur zu hoffen, dass der Name Opel auch in Zukunft bleibt, auch wenn man heute schon lästert, dass Opel im Gegensatz zu Audi mit seinen vier Ringen nur einen Ring im Logo hat – und der ist auch noch durchgestrichen.

Doch zurück zu den Namen. Weil wir gerade bei Audi waren, durchgestrichen hätte man dort wohl besser den Vorschlag e-tron für das Auto mit Elektromotor. Im Deutschen mag das unheimlich innovativ und technisch klingen, im Französischen ist étron jedoch Kot, und zwar ohne Flügel, dafür in einem Haufen. In die sprichwörtliche Sch... – auf französisch merde – griff auch Toyota mit seinem Modell MR 2. Der wird in Frankreich nämlich genauso ausgesprochen.

Es wäre also gelegentlich von Vorteil, wenn man eine andere Sprache kann. Als Otto Normalverbraucher muss man nicht wissen, dass Pajero im spanischsprachigen Südamerika ein „Wichser" ist, aber wenn man dort wie Mitsubishi ein Auto mit dem Namen verkaufen will, vielleicht doch. Die Japaner sind damit nicht allein. Sowohl Chevrolet als auch Lada haben ein Auto namens „Nova" im Programm, nur heißt „no va" in spanisch eben „Geht nicht". Und so was geht dann wirklich nicht.

Wem das jetzt zu spanisch vorkommt, es traf auch schon andere Sprachen, zum Beispiel in Brasilien. Dort wird portugiesisch gesprochen und deshalb heißt der Ford Pinto in Rio und Sao Paulo eben Ford „Pimmel".

Bei FIAT war bei der Namenswahl für einen Kleinwagen Uno, in der Landessprache „Eins", die erste Wahl. UNO steht zudem fast überall für die Weltorganisation mit Sitz in New York, nur eben in Finnland nicht. Dort bedeutet das Wort „Trottel". Und wer will schon mit einem Trottel fahren – von schimpfenden Ehefrauen auf dem Beifahrersitz mal abgesehen.

Noch mal zu Mitsubishi. In Deutschland will man das Elektroauto iMiEV loswerden, obwohl die Sache mieft, zumindest namenstechnisch. Toyota war da schon etwas cleverer, die verkaufen ihr Modell „Opa" vorsichtshalber nur zu Hause in Japan, während Mazda mit dem „Laputa" nicht auf den Hund, sondern eher auf den Strich kam. La puta, das ist in Spanien „die Hure".

Auch Nissan, der noch fehlende Autobauer aus Japan, griff in den étron, als man in Deutschland einen Van namens Serena loswerden wollte. Nur ist Serena bei uns eben schon als Damenbinde im Verkauf. Auch Mercedes wird mit dem Vaneo nicht allzu glücklich sein. Die Schwaben haben da wohl nicht daran gedacht, dass im benachbarten Bayern unter dem gleichen Namen Klopapier hergestellt wird – aber immerhin mit drei Lagen.

Aber was die Monsieurs aus Frankreich bei Citroën geritten hat, eines ihrer Berlingo-Modelle mit dem Zusatznamen Mullewapp – nach einem aus der „Sendung mit der Maus" bekannten Kinderbauernhof – zu versehen, weiß niemand. Von dem Zeug, dass die Experten damals geraucht haben, möchten wir aus Sicherheitsgründen lieber nichts haben.

Wir trinken lieber einen, und zwar auf Kia. Deren Modell „Pro Ce'ed" klingt ja schon wie Prosit.

Viele Firmen konzentrieren sich bei der Namenswahl für ihre Fahrzeuge auf bestimmt Bereiche. So hat zwar Renault ein Modell namens „Wind" auf den Markt. Aber der eigentlich „windige" Autobauer ist Volkswagen. Golf, Scirocco, Passat blasen bei uns um fast jede Straßenecke, auf die Namen Sturm, Orkan, Hurrikan und Taifun hat man aus naheliegenden Gründen verzichtet, aber eben nicht auf Vento. So sagt man in Italien aber eben auch zu einem Furz.

Honda gibt sich mit dem Accord, dem Prelude und dem Jazz eher musikalisch, wobei es nur ein Gerücht ist, dass eine Cabrio-Variante des kleinen Jazz dann Free-Jazz heißen soll.

Viel wird auch im Tierreich gewildert. Jaguar nennt sich gleich das ganze Werk, anderen kamen für einzelne Autos auf tierische Ideen wie Opel einst mit dem Laubfrosch, Ford mit dem Puma und dem Mustang, Chevrolet mit dem Impala und FIAT mit dem Panda.

Andere Konzerne stürzen sich namenstechnisch gesehen in das Weltall, wie zum Beispiel Ford mit dem Galaxy, die Sportwagenschmiede Gumpert mit dem Apollo und natürlich Opel mit den Astra-Modellen. VW war auch in den himmlischen Gefilden unterwegs, als der Konzern nach einem Namen für sein Nobelschiff D1 sucht. Schließlich kam man – warum auch immer – auf Phaeton, den Sohn des griechischen Sonnengottes Helios. Nur hat der Sohnemann der Legende nach den Sonnenwagen seines Vaters zum Absturz gebracht. Eine phänomenale Leistung war die Sache nicht gerade, der Verkauf übrigens auch nicht. Dann nimmt man doch lieber Bezeichnungen wie Phantom oder Ghost, wie die Briten von Rolls Royce, auch wenn die heutzutage zu BMW gehören. BMW selbst macht es, genauso wie Mercedes Benz bei den meisten Modellen, anders. Die haben ihre Einteilungen in Reihen bzw. Klassen und sind den Stress mit der Namenssuche los.

Die Sache ist heutzutage auch nicht mehr so einfach wie früher. Viele Bezeichnungen sind patentrechtlich geschützt. Das musste zum Beispiel VW erfahren, als es für den „Touran" eine sechsstellige Summe an den Hamburger Autoteilehändler Ali Turan zahlen musste, der die Namensrechte besaß. Deshalb werden die Namen heute immer exotischer. Der Nissan Qashqai ist nur Beispiel. Das Auto wurde nach einem Nomadenstamm im Iran benannt, der bestimmt vor dem Patentgericht klagt. Andere Hersteller nutzen sicherheitshalber gleich Kunstwörter wie Kaleos, Mondeo oder Twingo, die oft von Fachleuten – wirkliche und selbsternannte kreiert werden.

Wir vermuten, dass viele Namensexperten in ihrem Büro sich nicht, wie sie selbst sagen, den Kopf zermartern und sich von einem Modell des Autos inspirieren lassen. Wir nehmen an, dass die einfach ein Scrabble-Spiel nutzen, blindlings in den Beutel mit den Buchstaben-Teilen greifen und dann damit würfeln. Wenn das Wort feststeht, wird danach gegoogelt. Wird es im Internet nicht gefunden, kann man es für das Auto verwenden.

Manchmal hilft einfach auch der Volksmund. So hießen die VW-Modelle 1200/1300/1500 eben „Käfer", den T1 kennt man als „Bulli", den Mercedes 300 SL W198 nur als „Flügeltürer". Warum? Weil er welche hatte …

Vom Aussehen bzw. der Ausstattung her kam man auch bei Zündapp auf den Namen „Janus". In dem Auto saßen die Passagiere auf den hinteren Sitzen mit dem Rücken zu Fahrer und Beifahrer, deshalb wurde kurzerhand der doppelköpfige römische Gott Janus bemüht. Doppelkopf als Kartenspiel war jedoch unmöglich, dann hätten die Leute hinten nach vorn und die Leute vorn nach hinten schauen müssen. Aber so lässt sich selbst der Janus nur sehr schlecht fahren.

Als ein französischer Journalist den Citroën 2CV als hässliches Entlein verspottete, hatte die „Ente" ihren Namen weg und wurde ein Erfolg. Ob sich der Journalist auch eine kaufte, ist nicht überliefert. In den USA hieß vor mehr als 100 Jahren das Modell T von Ford Tin Lizzy, also „Blechliesel". Allerdings ist „Liesel" als Spitzname heutzutage nicht mehr so verbreitet, doch immerhin jeder fünfte Deutsche gibt seinem Auto einen persönlichen Namen. Wahrscheinlich ist das deshalb so, weil es wegen der immer gleichförmiger werdenden Karosserien von Werkseite her einfach keine Individualität mehr gibt.

Oft nennt der stolze Autobesitzer seinen neuen Wagen „Baby", „Schüssel" oder auch „Rakete". Wenn es nicht anspringt, fällt auch schon mal das Wort „Mistkarre". Eine Mistkarre heißt von Amts wegen bei uns „Dreiseitenkipper", aber das ist eine andere Geschichte.

Eine eigene Geschichte ist auch die von Formel-1-Rennfahrer Sebastian Vettel, der seinen Arbeitsgeräten Jahr für Jahr einen eigenen Namen gibt. 2007 hieß die Red-Bull-Büchse Kate, danach folgte „Kate's dirty sister" – was damals aber nichts mit Pippa Middleton zu tun hatte. Im Jahr 2009 war es „Lucious Liz", ehe er in den beiden folgenden Jahren mit „Randy Mandy" und „Kinky Kylie" den

WM-Titel holte. Die 2012er Büchse hieß „Abbey", damit hat Vettel den Titelhattrick geschafft. Am Namen hat es aber vermutlich nicht gelegen.

Aber egal, ob ein Fahrzeug nun „Abbey", oder „Opel Insignia OPC Sports Tourer Unlimited Automatik" heißt, es ist und bleibt einfach ein Auto, und es kommt nur auf eines an: „Hauptsache, es fährt."

IMMER SCHÖN LANGSAM

Auf der Hutablage liegt eine Rolle.
Neben dem Fahrer sitzt seine Olle.
Und tragen beide auch noch Hut,
Ist das für den Verkehrsfluss nicht gut.
Die nachfolgenden Fahrer sind dann k.o.
Denn die Alten fahren streng nach StVO.

WIE SAGT MAN NOCH?

Auto(mobil)
Affenschaukel
Asphaltkiste
Blechbüchse
Bolide
Bock
Droschke
Fahrzeug
Fahrbarer Untersatz
Flitzer

Flunder

Fuhrwerk

Gefährt

Hämorrhoidenschaukel

Hitsche

Hobel

Kalesche

Karosse

Karre

Karton

Kiste

Klapperkasten

Klitsche

Knutschkugel

Kutsche

Möhre

Mühle

Rakete

Rennsemmel

Rostlaube

Schachtel

Schiff

Schleuder

Schlitten

Schüssel

Vehikel

Wagen

Wer noch weitere Begriffe kennt, der schreibt sie einfach hier dazu.

Schon der ehemalige Formel-1-Rennfahrer und heutige TV-Kommentator Niki Lauda hat mal gesagt, dass es Wichtigeres im Leben gebe, als mit einem Auto im Kreis herumzufahren. Trotzdem setzte er sich nach dieser Aussage wieder in einen Rennwagen und wurde sogar noch mal Weltmeister. Irgendetwas Faszinierendes muss neben der finanziellen Seite also an der Sache mit den Motoren und dem Sport dran sein. Sonst würden sich nicht Woche für Woche viele tausend Menschen auf den Weg machen, um irgendwo auf der Welt zuzuschauen, wie Autos im Kreis herumfahren.

Die Ursprünge des Motorsports liegen aber auf den öffentlichen Straßen. Das erste Autorennen der Welt führte 1894 über eine Strecke von 126 km von Paris nach Rouen und zurück. Gemeldet waren über 100 Wagen, darunter 39 mit Dampfantrieb, 38 mit Benzinmotor, aber auch fünf Elektrofahrzeuge. Am Start waren dann aber nur 21, vermutlich hat der Rest die Anreise nicht überstanden. Am meisten Dampf machte der Franzose Albert Graf Jules Graf de Dion, der auch selbst Autos baute und mit einem Dampfwagen fuhr. Hinterher wurde er disqualifiziert, vielleicht hat er als Pariser zu viel Gummi gegeben, oder er kannte als Einheimischer eine Abkürzung.

Dreizehn Jahre später dachte man sich: „Warum kleine Brötchen backen, wenn es auch größer geht?" So wurde zwar nicht das Baguette erfunden, aber das bis dahin längste Autorennen der Welt. Fünf Fahrzeuge nahmen die 13.000 km von Peking durch die Wüste Gobi und Sibirien, über den Ural, Moskau und Berlin bis nach Paris unter die Räder. Sieger wurde mit dem italienischen Fürsten Borghese wieder ein Adliger. Vermutlich sah deren Blut zu jener Zeit wirklich blau aus, weil ein gewisser Benzinanteil darin enthalten war.

Nein, aber abgehoben war diese Gesellschaft damals schon, schließlich nahm der Maestro auf seinem 50 PS starken „Itala" sogar einen 1.000 km weiten Umweg auf sich, nur um bei einem Empfang seines Teams dabei sein zu können. Nach insgesamt 60 Tagen gewann er trotzdem mit großem Vorsprung.

In Amerika ist bekanntlich alles größer als im Rest der Welt, also richtete man 1908 ein Rennen aus, das von New York aus startete. Es ging quer durch die USA an die Westküste, von dort wurden Autos und Besatzungen erst nach Japan transportiert, dann auf das asiatische Festland, von dort ging es wieder über Sibirien auf dem Landweg bis nach Paris. Weil die Fahrzeit mit 169 Tagen dann doch etwas zu lang schien, trat man danach wieder etwas kürzer und führte auch verschiedene Rennkategorien ein, damit hochgezüchtete Rennwagen nicht mehr direkt gegen Serienwagen fuhren.

Heutzutage wird mit allem Rennen gefahren, was einen Motor und mindestens zwei Räder hat, angefangen von Fahrrädern mit Hilfsmotor, über die „Dreikantfeilen" genannten Dumper, Rasentraktoren, Karts, mehr oder weniger seriennahe Autos bis hin zu den Boliden in den verschiedenen Formel-

Klassen und den Trucks, die sich spannende und spektakuläre Kämpfe und Dreher liefern.

Dabei werden in den verschiedenen Rennklassen immer mal wieder die Regeln geändert, zum Teil mitten in der Saison, denn nichts ist für den Motorsport tödlicher als Routine und Dauersieger. Daran krankt zur Zeit zum Beispiel die Rallye-Weltmeisterschaft. Wenn schon vor der Saison feststeht, dass am Ende wieder der Franzose Sebastien Loeb ganz oben auf dem Podest steht, wird es nicht für die anderen Fahrer, sondern auch für die Zuschauer langweilig.

Auch in der DTM, der deutschen Tourenwagenmeisterschaft, duellierten sich über Jahre nur zwei Marken, Mercedes und Audi. Das kannte der DDR-Bürger aber schon von der früheren Eishockeymeisterschaft mit den ewigen Spielen zwischen Weißwasser und Berlin. Jetzt ist bei der DTM wenigstens wieder BMW dazu gekommen.

Mit 13 wesentlich mehr Marken haben zum Beispiel die Rennen der ADAC GT Masters zu bieten, wobei die Veranstalter auch darauf hinweisen, dass in einem ihrer Rennen mehr überholt wird, als in der Formel 1 während der gesamten Saison.

Mit fehlender Action hat die Königsklasse des Automobilsports schon lange zu kämpfen. Wenn der Fahrer siegt, der die beste Boxen-Crew hat, kann man auch gleich Weltmeisterschaften im Reifenwechseln ausschreiben und den Rest weglassen. Dann gewinnt derjenige, der am schnellsten ein Rad ab hat und auch noch ein neues anstecken kann.

Auch die vielen neuen Rennstrecken in Asien, die meist vom Team des deutschen Architekten Hermann Tilke entworfen wurden, stehen in der Kritik. Es gibt zwar genaue Vorgaben seitens der Weltorganisation FIA, aber dass die Strecken alle gleich aussehen müssen und ein Überholen immer schwerer machen, ist zumindest fragwürdig. Trotzdem liefern die Fahrer während eines Rennens in der Königsklasse sportliche Höchstleistungen ab. Viele verlieren während eines Grand Prix mehr als zwei Kilogramm Gewicht, obwohl ihnen heute durch die Elektronik vieles immer leichter gemacht wird.

Wie sich TV-Kommentatoren oft einen abbrechen, um die Spannung künstlich hochzuhalten oder zumindest herbeizureden, ruft oft schon Mitleid hervor. Zudem kritisieren Umweltschützer die Formel 1 schon längere Zeit, nicht nur deshalb, weil bei einem solchen Rennen über 300 km gut 180 Liter Sprit verpulvert werden.

Aber auch die Formel 1 ist lernfähig, und so arbeiten die Experten heute schon an der Formel 1 der Zukunft. Wie die aussieht, weiß zwar noch keiner so richtig. Michael Schumacher wird nicht mehr dabei sein, aber neue Autos wird es geben.

Man spricht schon davon, die Hybrid-Technik anzuwenden. Dann würden neben den acht Mann, die während des Boxenstopps die vier Reifen wechseln, auch noch jede Menge Leitungspersonal wie Kabelträger und Steckdosenverantwortliche um die Autos herumwuseln, aber bei so was sind bekanntlich nie Hände genug.

Ebenso überlegt man, durch Solarstrom betriebene Radnabenmotoren einzusetzen und auf den Wagen Hightech-Segel anzubringen. Was dann bei Regenwetter und Windstille passiert, wurde allerdings noch nicht geklärt.

Nichts für ungut, aber die Formel 1 hat in der Vergangenheit schon so mancher technischen Innovation zum Durchbruch, also in die Serienfertigung, verholfen. Da wären zum Beispiel der Einsatz von Kohlefaser, Titan und Aluminium oder die Bremsscheiben aus Keramik zu nennen. Andere Dinge wie die seltsam aussehenden doppelten Vorderachsen mit der Vierradlenkung des Tyrrells aus den 70er Jahren, haben sich nicht durchgesetzt.

Ebenso wenig haben es Frauen in die Formel 1 geschafft. Die beiden bisher einzigen Pilotinnen Maria Teresa de Filippis, die 1958 drei Rennen absolvierte und Lella Lomardi, die es Mitte der 70er Jahre gelegentlich in die Punkteränge schaffte, haben bis heute noch keine Nachfolgerinnen gefunden. Dabei müssen Frauen in der Formel 1 nicht mal rückwärts einparken können. Das erledigen auch bei den Männern die zahlreichen Hilfsschubkräfte. Damen sind in anderen Rennklassen durchaus erfolgreich, wie Paris-Dakar-Siegerin Jutta Kleinschmidt oder Ellen Lohr, die 1992 schon mal einen DTM-Lauf gewann. Allerdings gibt es durchaus Frauen in der Formel 1, und das nicht nur als Grid Girls oder Boxenluder. Michael Schumacher hatte zum Beispiel die ehemalige Journalistin Sabine Kehm als Managerin, und diese Nachfolgerin des umtriebigen und umstrittenen Willi Weber hat es geschafft, dem erfolgreichsten Fahrer der Formel-1-Geschichte zu sagen, dass er doch besser aufhören sollte, bevor er seine eigene Legende zerstört. Im Schweizer Sauber-Team hat mit der Österreicherin Monisha Kaltenborn eine Frau den Posten des Teamchefs übernommen. Ob sie nun als erste Sauberfrau der Branche gilt, bleibt noch abzuwarten.

Vielleicht scheuen Frauen auch das Risiko, das mit dem Motorsport und speziell der Formel 1 verbunden ist. Andere Sportarten sind allerdings auch nicht ohne. Wir wollen jetzt nicht aus der alten Weisheit, nach der Sport Mord ist, die Schlussfolgerung ziehen, dass dann Massensport Massenmord ist. Aber wenn man hört, dass ausgerechnet das Schießen die Sportart mit den wenigsten Verletzungen ist, gibt einem das schon zu denken.

Aber Risiko ist halt überall im Leben gegeben, sonst würde man morgens ja nicht mal aus dem Haus gehen, aus Angst, dass man überfahren werden könnte. Jeder, der Motorsport betreibt, ist sich über die Gefahren im Bilde – fast jeder. Es gab und gibt immer mal wieder Fahrer, die im Rennen ihr Gehirn ausschalten und damit nicht nur sich, sondern auch andere Fahrer und die Zuschauer gefährden. Deren Namen wollen wir hier nicht erwähnen, sonst werden wir noch von Jean Alesi und Co. verklagt.

Trotzdem sind weltweit viele Hobby- und Berufsrennfahrer in den verschiedensten Rennserien unterwegs. Angefangen wird im Kindesalter meist im Kartsport, danach folgen die verschiedenen Nachwuchsserien wie Formel Ford oder Formel BMW, ehe man in den verschiedenen Rennkategorien für die Erwachsenen landet.

Aber egal, ob man nun in bei einem Dragster-Rennen innerhalb von fünf Sekunden auf mehr als 500 km/h beschleunigt, die Konzentration bei einem Indy-Car-Rennen über Stunden hochhalten muss, oder sich einfach nur beim Dorffest mit dem Rasenmäher durch ein Schlammloch quält – irgendetwas Faszinierendes ist daran.

Immer an der Wand lang

Wer bei den Namen Indianapolis, Le Mans, Isle of Man und Sachsenring nicht an dröhnende Motoren und jubelnde Zuschauer denkt, dem können wir auch nicht helfen. Für den nicht unerheblichen Rest wollen wir an dieser Stelle über einige der berühmtesten Rennstrecken der Welt schreiben, die wir – ehrlich gesagt – bis auf den Sachsenring selbst nicht kennen.

Noch eins vornweg: Bei Rennstrecken ist es im Prinzip wie im Gefängnis. Im Knast gibt es geschlossenen und offenen Vollzug, die Pisten unterteilen sich ebenfalls in offene und geschlossene Vertreter. Bei einer offenen Rennstrecke sind Start und Ziel an verschiedenen Orten, die Strecke wird beim Rennen im Normalfall nur ein Mal befahren, wie zum Beispiel beim legendären Bergrennen „Pikes Peak", dem „Race to the clouds", dem Rennen zu den Wolken.

Die meisten Strecken sind jedoch geschlossene Rennpisten und werden meist als Rundkurse bezeichnet, obwohl sie fast alle einige Ecken, lange Kanten und Schikanen haben. Diese Rundkurse werden wiederum in temporär und permanent eingeteilt. Temporär heißt, dass dort in normalen Zeiten der normale Straßenverkehr über die Strecke führt, und man die Strecke nur für die Motorsportveranstaltungen absperrt, damit die Rennfahrer keinen Gegenverkehr haben und nicht durch zivile Sonntagsfahrer behindert werden. Auf permanenten Kursen werden nur Rennen ausgetragen, in der restlichen Zeit finden dort andere Veranstaltungen wie Rockkonzerte, Kirchentage oder Verkehrssicherheitsschulungen statt. Man kann sich auf einigen Kursen auch gegen eine entsprechende Gebühr mit dem eigenen Fahrzeug um die Ecken katapultieren.

Fangen wir bei unserer Reise über die berühmtesten Rennstrecken sozusagen „daheeme", in Sachsen, an. Der Sachsenring in Hohenstein-Ernstthal zieht nicht nur Zuschauermassen, sondern auch uns beide persönlich an. Wir durften dort im Jahr 2012 das Streckenradio machen und sind heute noch von der Stimmung, nicht nur auf dem Campingplatz am Ankerberg, begeistert.

Der Sachsenring startete am Himmelfahrtstag 1927 als „Badberg-Viereckrennen" für Motorräder – übrigens gegen den Widerstand der Bevölkerung, die damals deswegen noch im Dreieck sprang. Das Rennen etablierte sich jedoch schnell und war auch eine relativ sichere Angelegenheit, ehe sich 1934 dann doch die ersten Starter wirklich um die Ecke brachten. In jenem Jahr gab es die ersten drei Todesfälle. Drei Jahre später übernahm der Kurs seinen heutigen Namen vom Grillenburger Dreieck im Tharandter Wald, nachdem das dortige Renngeschehen vor den Baum gefahren wurde. An den VEB Sachsenring war damals ohnehin noch nicht zu denken.

Nach dem Krieg ging man 1949 wieder an den Start, schon ein Jahr später kamen 400.000 Zuschauer zur ersten gesamtdeutschen Motorradmeisterschaft an den Sachsenring. In den Folgejahren gab es regelmäßig WM-Läufe, zwischendurch wurde auch mal geradelt. 1960 gewann Bernhard Eckstein auf dem Sachsenring den WM-Titel bei den Amateuren vor Täve Schur, wobei sich die beiden schon ziemlich professionell anstellten.

Nachdem 1970 in Erfurt beim Besuch des damaligen Bundeskanzlers Willy Brandt die Leute „Willy, Willy" riefen, dachten sich die Sachsen: „Was die Thüringer können, das können wir auch." So brüllten die Zuschauer am Sachsenring ein Jahr später den westdeutschen Fahrer Dieter Braun zum Sieg, und sangen anschließend auch die damals noch „falsche" Nationalhymne mit. Die Staats- und Parteiführung der DDR schaute ziemlich kariert aus der Wäsche und winkte ab, genauer gesagt, schwenkte sie die Zielflagge für die Teilnahme von Rennfahrern aus dem „nichtsozialistischen Ausland". Das war es dann erst einmal für Weltmeisterschaftsläufe auf dem Ring.

Als schließlich die DDR ihre Zielflagge sah, kam es auf der Strecke zu mehreren tragischen Unfällen, weil die Piste seit Jahrzehnten nicht modernisiert worden war. So wurden die Sachsenring-Rennen zwischendurch bei den tschechischen Nachbarn in Brünn und Most ausgetragen.

Dann fasste man sich aber nicht nur ein Herz, sondern auch Schaufel und Maurerkelle, und so wurde nicht nur die Strecke auf die Höhe der Zeit gebracht, sondern auch 1995 das Verkehrssicherheitszentrum eröffnet. Schließlich kam 1998 die Motorrad-WM auf die modernisierte Strecke zurück, die auf der nun 3,671 km langen Strecke vertraglich zumindest bis 2016 erst einmal vertraglich gesichert ist. Auf dem Ankerberg kann also vorerst weiterhin gezeltet werden. Aber dass der Hügel so heißt, weil man die Zelte so tief verankern muss, damit sie bei Regen nicht im Schlamm vom Berg herunterrutschen, stimmt nicht. Regen stört einen echten Fan ohnehin nicht, der kommt immer, wenn Motorenlärm angekündigt ist. Auch Auto wird auf dem Ring gefahren, so lockte der ADAC-GT-Mastercup 2012 mit 25.000 Zuschauern zwar nur einen Bruchteil der Besucherzahlen der Motorrad-WM an, aber das waren immer noch erheblich mehr als bei der gleichen Veranstaltung auf dem Lausitzring. Vermutlich haben die Betreiber des Lausitzringes deshalb im vergangenen Jahr dagegen geklagt, dass der Sachsenring staatliche Fördergelder erhält. Aber auch das wird sich noch klären.

Wer mehr über den Sachsenring erfahren möchte, dem empfehlen wir die entsprechende Fachliteratur, oder den vor kurzem gefundenen 35-mm-Film über die Rennen aus dem Jahr 1927, der inzwischen digitalisiert und verfügbar ist.

Wesentlich jünger als der Sachsenring ist der oben angesprochene Lausitzring bei Klettwitz. Allerdings ist die Idee zu seinem Bau nun wieder älter, als viele denken mögen. Die Errichtung einer Rennstrecke in der Niederlausitz war eines der großen Vorhaben des letzten Fünfjahrplanes der DDR-Volkswirtschaft. Daraus wurde dann aber erst 1998 etwas, als auch in der dortigen Gegend der Materialmangel endgültig beseitigt war.

Im Jahr 2000 wurde der komischerweise schon damals zu D-Mark-Zeiten als „Euro-speedway" bezeichnete Lausitzring mit einem Rennen der Deutschen Tourenwagen-Meisterschaft eröffnet. Theoretisch wären dort auch Rennen der amerikanischen Indy- oder Nascar-Serie möglich, denn auf dem Lausitzring sind sieben verschiedene Streckenführungen mögliche, vom großen Rundkurs bis eben zu einem solchen Hochgeschwindigkeits-Oval, wie man es aus Amerika kennt.

Allerdings kämpft man in der Lausitz mit erheblichen Finanzproblemen – aber wer tut das heutzutage nicht. Auch anderen, wesentlich älteren und traditionsbehafteten Strecken geht das so, wie zum Beispiel dem Nürburgring.

Den ersten Spatenstich unterhalb der Ruine der Nürburg in der Eifel gab es 1925, es kann natürlich auch eine Schaufel gewesen sein. So genau weiß das heute keiner mehr, es sei denn, auch dort taucht noch ein-

mal ein 35-mm-Film auf. Eröffnet wurde der Nür-
burg-, genau wie der Sachsenring, im Jahr 1927. Nur
war er mit 28 km wesentlich länger. Der südliche Teil
der Strecke wurde für Rennen schnell wieder gesperrt.
Man gab danach nur noch auf der 20 km langen Nord-
schleife, der legendären „Grünen Hölle", Gas. Formel-
1-Rennen finden aber auch dort nicht mehr statt, seit
sich Niki Lauda 1976 bei seinem spektakulären Feu-
erunfall einen Satz heiße Ohren holte. Damals ging es
am Nürburgring noch wie bei den Nibelungen zu. Erst
wurden Helden geboren und dann getötet.

Die Formel 1 zog 1984 auf den neuen Rundkurs,
der seitdem aber auch schon mehrmals umgestaltet
wurde. In die Schlagzeilen kam der Nürburgring zuletzt, als das Land Rheinland-Pfalz dort eine mehrere Hundert Millionen Euro teure Erlebniswelt
errichten ließ. Damit wollte man die zuletzt nur
noch negativen Bilanzen der Rennstrecke mit einem
Freizeitpark, Hotels und Kneipen wieder aus dem
Keller holen. Leider haben sich der Landesvater, Ministerpräsident Kurt Beck, und sein Kabinett dabei
aber so was von verspekuliert, dass man deswegen
der Landesregierung aufs Dach steigen wollte.

Weitere Rennstrecken in Deutschland, auf denen
noch gefahren wird, sind zum Beispiel der Hocken-
heimring mit seinem Motodrom, oder bei uns in
Mitteldeutschland das Frohburger und das Schleizer
Dreieck, sowie die Motorsport-Arena in Oschersleben. Geschlossen sind seit längerem schon die So-
litude bei Stuttgart und die Berliner Avus mit der
legendären Steilwand aus Klinkersteinen.

Aus Ziegelsteinen bestand einst auch die wohl berühmteste Rennstrecke der Welt im US-amerikanischen Indianapolis, der Indianapolis Motor Speedway. Erst in den 60er Jahren wurde die Piste asphaltiert, bis auf einen schmalen Streifen an der Start- und Ziellinie. Dort fahren die Rennwagen beim 500-Meilen-Rennen genau 200 Mal drüber. Dementsprechend hat das Oval einen Streckenlänge von vier Kilometern, das entspricht 2,5 Meilen. Beim Indy 500 spulen die Teilnehmer vor mehr als 400.000 Zuschauern also über 800 km ab, und am Ende bekommt der Sieger traditionell eine Flasche Milch. Mit Indiana Jones hat der Kurs übrigens nichts zu tun, weil der zwar einerseits immer auf der Jagd nach Trophäen ist, aber zweitens dabei nie einen Helm aufsetzt. Und sein Hut würde ihm bei diesen Geschwindigkeiten davon fliegen …

Bleiben wir bei unserem Rundrennen noch etwas in den USA, wo es insgesamt mehr als 100 solcher geschlossenen Rennstrecken gibt, wie zum Beispiel die in Daytona. Weil es in Amerika bekanntlich nichts gibt, was es nicht gibt, gibt es dort auch offene Rennstrecken. Am bekanntesten ist die Bergpiste auf den Pikes Peak in Colorado. Dort rasen seit 1916 jedes Jahr sowohl Autos als auch Motorräder hoch. In Deutschland ist das Rennen vor allem deshalb bekannt, weil Rallye-Pilot Walter Röhrl 1987 dort der Schnellste war. Er benötigte für die knapp 20 km lange Strecke mit ihren 156 Kurven genau 10:47 min. Der Start beim Pikes Peak erfolgt schon in einer Höhe von 2.862 Metern, dann geht es über durchschnittlich sieben Prozent Steigung bis auf 4.301 Meter hoch. Durch die dünne Luft da oben haben sowohl die Autos als vermutlich auch die Fahrer ein Drittel weniger Leistung weniger als sonst. Die Strecke, die dicht an den Abgründen der Rocky Mountains entlangführt, wurde in letzter Zeit entschärft. Wo man früher über Schotter und Pflastersteine raste, ist inzwischen überall Asphalt aufgetragen worden.

Angeblich war der amerikanische Schauspieler und Hobbyrennpilot Steve McQueen auch beim Pikes Peak dabei, aber er wurde vor allem mit der Hauptrolle in einem der bekanntesten Filme über den Motorsport bekannt, dem 1970 gedrehten „Le Mans". Die eigentliche Piste, der Circuit Bugatti, ist nur etwas über vier Kilometer lang, aber sie wird jedes Jahr um knapp 10 km öffentlicher Straße erweitert, und dann geht es bei den berühmten 24 Stunden von Le Mans zur Sache. Früher rannten die Fahrer beim Start noch quer über die Boxengasse zu ihren Rennwagen, aber inzwischen sitzen sie schon drin, wenn es darum geht, neben dem Wettkampf auch neueste technische Entwicklungen für die großen Konzerne zu testen. Berüchtigt ist die französische Strecke aber auch, und das nicht erst seit dem wohl tragischsten Unfall der Rennsportgeschichte, als 1955 ein Rennfahrer abhob, direkt in die Zuschauertribünen flog und 83 Zuschauer mit in den Tod riss.

Es ist makaber, aber noch mehr Opfer gab und gibt es auf der Isle of Man. Schon Obelix sagte, dass die Briten spinnen, und die Manxmen, so nennen sich die Eingeborenen auf der Insel in der Irischen See selbst, geben ihm auch heute noch Recht. Auf der Insel, die mit „GBM" sogar ein eigenes internationales Autokennzeichen hat, haben aber vor allem die Motorräder das Sagen bzw. Brüllen. Eine richtige Rennstrecke hat die Insel im Prinzip gar nicht, aber seit 1907 findet dort die „Tourist Trophy" auf notdürftig abgesperrten und kaum gesicherten öffentlichen Straßen statt. Am „Mad Sunday" dürfen auch Amateure mitfahren, allerdings kommen Jahr für Jahr nicht alle von denen ins Ziel. Seit 1907 gab es schon mehr als 200 Tote. Nur 2001 wurde auf der Insel mal nicht getrauert, aber damals fiel das Rennen wegen der seinerzeit grassierenden Maul- und Klauenseuche aus.

Trainiert wird auf der Isle of Man theoretisch fast immer, denn dort gibt es selbst auf den kleinsten Nebenstraßen keinerlei Tempolimit. Vor einigen Jahren versuchten die Behörden, einen Geschwindigkeitsbegrenzung zumindest mal in die öffentliche Diskussion zu bringen, ernteten aber eisiges Schweigen. Vermutlich dachten die Manxmen: „Die spinnen, die Behörden!"

Wenn wir schon mal in Großbritannien sind, kommen wir an Silverstone nicht vorbei. Auf dem ehemaligen Militärflughafen werden seit 1948 Rennen gefahren, 1950 ging dort das allererste Formel-1-Rennen über die Piste. Die Strecke ist sicher und schnell, nur die Verkehrsanbindung nicht. Die Staus und Unfälle vor und nach dem Rennen sind inzwischen schon eine eigene Legende.

Rennstrecken gibt es inzwischen auf der ganzen Welt, fast auf der ganzen Welt. Bis auf Südafrika haben die Staaten des „schwarzen Kontinents" andere Probleme, als Rennwagen mit der karierten Zielflagge abzuwinken.

Weltweit sind viele Kurse nach Legenden der Szene benannt worden, wie zum Beispiel der Circuit Gilles Villeneuve, der Stadtkurs von Montreal in Kanada, oder auch das Autodromo Enzo e Dino Ferrari im italienischen Imola. In Brasilien heißt die Strecke von Interlagos bei Sao Paulo offiziell Autodromo Jose Carlos Pace. Den Namen des wohl berühmtesten Brasilianers hinter einem Lenkrad, Ayrton Senna, tragen gleich drei Rennstrecken. Allerdings ist man sich fast überall einig, solche Strecken erst mit dem Namen einer Person zu ehren, wenn diese das Zeitliche gesegnet hat. Sonst würde vermutlich die Feuerwache am Nürburgring schon lange Niki-Lauda-Haus heißen.

Aber trotz solcher Unfälle, die nicht immer so glimpflich ausgehen, ist die Faszination von Rennstrecken ungebrochen, egal ob es nun um Indianapolis, Le Mans, der Isle of Man oder den Sachsenring geht. Nur eines gilt dort eben nicht: „Hauptsache, es fährt."

CANNONBALL UND DIE DAKAR

Abgesehen von der obersten Klasse des Rallyesports, der World Rallye Championship WRC, in der seit Jahren immer der Franzose Sebastien Loeb auf seiner „Zitrone" gewinnt, obwohl alle anderen Fahrer auch das Letzte aus ihren Autos herausquetschen, gibt es weltweit die verschiedensten Rallye-Veranstaltungen. Die werden auf den verschiedensten Untergründen gefahren, manche sogar wirklich im „Untergrund", also illegal. Weltweit rasen, schleudern und driften Autos auf Asphalt, Schotter, Sand, Schlamm, Schnee und blankem Eis.

Richtig wüste geht es bei der wohl berühmtesten und auch berüchtigsten Fernfahrt der Welt, der Rallye Dakar zu. Bekannt wurde sie in Deutschland vor allem, weil Jutta Kleinschmidt diesen Irrsinn mal gewonnen hat und seitdem eigentlich Großschmidt heißen müsste. Früher hieß sie – also die Rallye, nicht die Jutta – Paris-Dakar und führte auch von der französischen in die senegalesische Hauptstadt. Über das dazwischen liegende Mittelmeer wurden die Autos natürlich per Fähre übergesetzt, der Landweg über Israel und Ägypten wäre dann doch etwas zu lang geraten. So rasten Motorräder, Autos und Lastkraftwagen mit über 150 Sachen durch den Wüstensand, über die Dünen und quer durch die Dörfer am Rande der Sahara. Ab und zu wurde dabei auch mal ein unvorsichtiger Zuschauer überrollt oder aufgegabelt. Manchmal verfuhr sich ein Teilnehmer auch und musste dann mit dem Hubschrauber gesucht werden. Von dieser Suche kehrte auch manch Helikopter nicht mehr zurück. Zuletzt war bei der Paris-Dakar so viel Sand im Getriebe, dass man nicht zuletzt wegen verschiedener Terror-Drohungen aus dem relativ unsicheren nordafrikanischen Gebiet die ganze Sache nach Südamerika verlegte. Dort gibt es schließlich auch Wüsten und arme Dörfer.

Legendär ist auch die Rallye Monte Carlo, nicht zu verwechseln mit der alljährlichen Formel-1-Stadt-rundfahrt im Fürstentum Monaco selbst. Die „Monte" wird zwar vom monegassischen Automobilclub veranstaltet, findet aber vorwiegend in den französischen Seealpen statt, wo sich die skandinavischen Fahrer bei Eis und Schnee wie zu Hause fühlen und die Veranstaltung gern und oft gewinnen.

Kein Rennen im herkömmlichen Sinn ist dagegen die frühere 1000-Meilen-Jagd durch Italien, die Mille Miglia. Von 1927 herrschte 30 Jahre lang während der Rallye in Italien Ausnahmezustand auf den Straßen. Das ist zwar heute noch jeden Tag so, aber aus anderen Gründen. Nachdem 1957 bei einem schweren Unfall zehn Zuschauer gen Himmel fuhren, war es das für die Rallye. Heute ist die Mille Miglia eine gemächliche Fahrt mit den teuersten alten Autos, vorzugsweise mit jungen Damen als mehr oder weniger wertvolle Beifahrerinnen. Es wird nicht mehr nach Zeit, sondern mehr auf Schönheit gefahren.

Genauso erging es der Carrera Panamericana. Der mexikanische Teil der Transamerika-Straße, die von ganz oben aus Kanada bis nach ganz unten nach Argentinien führt, wurde 1950 mit einem Mehretappen-Rennen über 3.500 km eingeweiht. Zwei Jahre später siegte dort das deutsche Team Karl Kling und Hans Klenk, obwohl ihnen bei voller Fahrt ein Geier durch die Frontscheibe krachte. Nach der fünften Carrera war es für die Karren dann aus – wegen unkalkulierbarer Risiken, wie es offiziell hieß. Gelegentlich ist die Luft in Mexiko nicht nur sehr vogel-, sondern auch sehr eisenhaltig, und dass ein Auto im wahrsten Sinn abgeschossen wird, wollte man nicht riskieren. Vielleicht kreiste aber auch schon der Pleitegeier über der ganzen Sache. Heute ist die Carrera Panamericana eine Schaufahrt für Oldtimer aus den 40er und 50er Jahren, also genau den Jahrgängen, die ein Stück weiter östlich, auf Kuba, heute noch den normalen Straßenverkehr dominieren.

Weil gerade das, was verboten ist, bekanntlich am meisten Spaß macht, organisierte ein US-Automagazin in den 70er Jahren das illegale Cannonball-Rennen von New York quer durch die USA nach Los Angeles. Die Sache wurde von Hollywood mehrfach verfilmt und hat in den seit 1999 stattfindenden Gumball-Rennen ihren Nachfolger gefunden. Nur wurde aus Cannonball, der Kanonenkugel, jetzt der Gumball, die Kaugummi-Kugel. Der Sieger bekommt am Ende nämlich – warum auch immer – einen Kaugummi-Automaten als Preis.

Allerdings ist auch dieses Gumball-Rennen, zumindest in einigen Ländern, durch die die Strecke führt, offiziell verboten. Genauso sind dann auch einige der Fahrer unterwegs. Im Jahr 2007 wurde das Rennen vorzeitig beendet, weil es auf dem Balkan einen Unfall gab, bei dem zwei einheimische Verkehrsteilnehmer ihre letzte Fahrt hatten. Daraufhin erklärten einige der Sponsoren, darunter einige nicht gerade kleine Firmen, ihren Rückzug. 2012 wurde die Gumball-Rallye übrigens auf der alten Cannonball-Route von New York nach Los Angeles gefahren.

Gar nicht gefahren wurde zwischendurch mal beim „Rush Drive", der Rallye von Deutschlands Geldadel. Die bayerische Polizei kassierte kurzerhand die Ferraris, Lamborghinis und Maseratis der Teilnehmer ein, so dass die Millionäre zu Fuß um die Wiederherausgabe ihrer Schlitten betteln mussten.

Ebenso hat die deutsche Polizei schon an der belgischen Grenze ein illegales Rennen gestoppt, das von Belgien nach Polen führen sollte. Vermutlich haben die Beamten den Möchtegern-Rennfahrern gesagt, dass sie in Deutschland „nur" ihren Führerschein loswerden, in Polen dagegen das ganze Auto.

Manchmal fährt man aber auch für eine gute Sache, wie zum Beispiel bei der Mongol-Rallye. Bei diesem verrückten Rennen quer durch Europa bis hinter in die Mongolei gibt es zwar fast keine Regeln, so ist beispielsweise ein Navigationsgerät verboten, aber das Startgeld wird nicht an den Veranstalter, sondern an wohltätige Hilfsorganisationen gezahlt. Wer am Ende in der mongolischen Hauptstadt als Erster ankommt, ist dabei fast schon egal, Das Ziel überhaupt erst einmal zu finden und dann auch noch zu erreichen, ist schon Erfolg genug.

Mit mehreren Fahrzeugen können die Teams bei der 2006 zum ersten Mal organisierten Allgäu-Orient-Rallye antreten. Die Autos, die sich auf den Weg von Oberstaufen in die aserbaidschanische Hauptstadt Baku machen, dürfen laut Regel nicht mehr wert als 1.111 Euro sein. Am Ende muss das Team zwar noch komplett sein, aber es kann auf einem einzigen Fahrzeug ankommen. Eine Besonderheit dieser Rallye sind die ganz speziellen Zusatzaufgaben. So mussten schon Grenzbeamte oder die Bürgermeister der an dem über 5.000 km langen Weg liegenden Ortschaften beim Biertrinken fotografiert werden.

Nicht immer geht es bei den verschiedenen Rallyes um die schnellste Zeit. Manche haben auch Spezialetappen, auf denen man eine vorgegebene Zeit möglichst genau einhalten muss. Das ist vor allem bei den vielen regionalen Oldtimer-Fahrten, wie in Sachsen zum Beispiel der Sachsen Classic oder der August-Horch-Klassik, der Fall. Aber bei all diesen Fahrten aus Spaß und Freude zählt immer nur eine Sache: „Hauptsache, es fährt."

Ein Rad im Kiesbett?

Nicht nur, dass ein Auto ordentlich Musik machen sollte, die Verbindung besteht auch in der anderen Richtung. Ohne Auto ist ein Musiker aufgeschmissen. Zugegeben, die Superstars der Branche werden gefahren oder sogar geflogen, aber die Masse der Musiker ist dann doch eher im normalen Tourbus unterwegs.

Auch die Rolling Stones haben mal so angefangen, später als sie schon längst Stars waren, hat VW mal musikalisch gedacht, und eine Golf-Edition „Rolling Stones" herausgebracht. Ob Mick Jagger und

Keith Richards einen davon in ihren Fuhrparks haben, wissen wir nicht.

Aber nachgewiesen wahr ist, dass sich Deutschlands selbsternannter Poptitan Dieter Bohlen von all seinen Autos getrennt hat. Eingebracht hat ihm das hinterher einen Werbevertrag mit der Bahn, vermutlich leicht verspätet.

Verspätet hat sich auch sein Kollege Jürgen Drews einmal, als er nicht mit der Bahn, sondern im eigenen Wagen zu einem Auftritt fuhr. Auf der Autobahn stellte er fest, dass ihn gerade sein eigener Reifen überholte. Das linke Hinterrad hatte sich gelöst. Drews meinte hinterher, dass er das Knacken der Radmutter gehört hätte, vermutlich hat er es zuerst für ein Geräusch seiner eigenen Knochen gehalten. Er ist ja auch nicht mehr der Jüngste. Dass Jürgen Drews dieses Erlebnis musikalisch verarbeitet hat und seinen größten Hit in „Ein Rad im Kiesbett" umgetextet hat, ist aber nur ein Gerücht.

Wie wir jetzt von Jürgen Drews zu Eric Clapton kommen sollen, wissen wir auch nicht. Wir machen es einfach. Mr. Slowhand ist auch ein großer Ferrari-Fan, vermutlich ist sein Gasfuß schneller als seine Gitarren-Hand. Für den britischen Superstar baute die italienische Sportwagenschmiede sogar ein Einzelstück, den Ferrari SP 12 EC. EC steht dabei aber nicht für Euro-Card. Das Stück ist sowieso unbezahlbar. Der Wagen hat einen veränderten Grill, zusätzliche Lüftungsschlitze und andere Scheinwerfer als normalerweise. Ein Blender ist Clapton trotzdem nicht. Inzwischen hat er sogar einen Führerschein, früher war er auch mal ohne Fleppen unterwegs, natürlich standesgemäß in einem Ferrari.

Das darf man natürlich auch in England nicht, mit einer Ausnahme. Die britische Queen Elizabeth II. ist die einzige Person im ganzen Land, die ohne Führerschein und auch Kennzeichen Auto fahren darf. Gut, sie hätte auch eine Fahrschule besuchen können, aber welcher Fahrlehrer hätte sich im Falle des Falles denn getraut, ihr zu sagen, dass sie durchgefallen ist?

Ihr zu Ehren ist zu ihrem 60. Thronjubiläum eine Diamant-Jubiläums-Version des Bentley Mulsanne gebaut worden – übrigens genau 60 Stück. Der Preis wurde bisher nicht veröffentlicht. Allerdings ist es bei Bentley und auch Rolls Royce wohl so, dass derjenige, der nach dem Preis fragt, von der Kundenliste gestrichen wird.

Auch die königliche Familie hat einen Fuhrpark. Der ewige Thronanwärter Prinz Charles fährt zum Beispiel einen Aston Martin, der auf Bioethanol-Antrieb umgerüstet wurde. Der Treibstoff wird aus überschüssigem Wein englischer Herkunft hergestellt, angeblich braucht der Sportwagen 4,5 Flaschen davon pro Meile. Damit schluckt das Auto von Charles dann doch etwas mehr als sein Sohn Harry – und der verträgt schon was. Für seine Frau Camilla hat Charles – nein, keinen Pferdetransporter – , eines seiner Autos mit einer Haube versehen lassen, damit sie während der Fahrt ihre großen unförmigen Hüte nicht absetzen muss. Gut, er hätte ihr auch ein eigenes Fahrzeug kaufen können – eine sogenannte Hutschachtel. Aber Camilla muss bekanntlich immer große ausladende Hüte tragen, sie hat in der Hinsicht ja auch einiges zu verdecken. So ein Hut zieht den Blick nach oben.

Von oben herab schaut auch Wladimir Putin auf sein Volk, und zwar wieder in einer Staatskarosse aus einheimischer Produktion. Er hat seinen Mercedes-Benz S-Guard Pullman als Dienstwagen ausrangiert. Für ihn wurde eine Spezialversion des noch aus Sowjet-Zeiten bekannten SIL gebaut. Seit 2004 arbeiten Techniker an der Entwicklung des „Monolith" genannten Projektes, im Jahr 2012 war der Wagen endlich fertig.

Monolith, das klingt schon so, als wäre das Gefährt aus einem Stück Stahl herausgefeilt worden, so soll er übrigens auch aussehen. Kraftvoll, bedeutend, kantig – wie Putin selbst eben auch ist. Der Wagen hat 400 PS und auch keine manuelle Dreigang-Schaltung mehr, sondern eine Fünfgang-Automatik. Zudem wurde auch ein neues Kühlsystem integriert, da die alte UdSSR-Version bei Staus schnell heiß lief – zumindest theoretisch. In Wirklichkeit brauchten frühere Generalsekretäre nie anhalten, denn obwohl das ganze Land rot war, für sie wurden die Ampeln auf Grün geschaltet. Inzwischen werden die Straßen für „Zar" Wladimir Putin anders frei gemacht.

Aber auch Leonid Breshnew hatte als Staats- und Parteichef schon in den 60er Jahren einen Mercedes 600 W 100 zur Verfügung. Der Wagen ist vor kurzem im Internet für mehr als 100.000 Euro versteigert worden, inklusive des originalen Holzfurniers und der eingebauten Minibar. Wenn es wirklich im Original nur eine Minibar war, dann hat Breshnew den Wagen nur für Kurzstrecken benutzt.

Versteigert wurden vor einiger Zeit auch einige Autos aus dem Bestand des monegassischen Fürstenhauses. Fürst Albert brauchte vermutlich etwas Platz in seiner Garage. Insgesamt kamen 38 seiner 142 Autos unter den Hammer. Was er dann mit immer noch über 100 Wagen will, weiß er vermutlich selbst nicht. Auch er kann immer nur in einem einzigen Auto sitzen, selbst wenn er mit seiner Charlene zum Picknick fährt.

Prominente Personen legen aber nicht nur Wert auf ihrem Stand entsprechende Wagen, sondern auch auf edle Ausstattungen. So bietet Rolls Royce eben für das Picknick ein Set an, dass zufällig ganz genau in den Kofferraum eines „Phantom" passt und mickrige 15.000 Euro kostet. In der Summe ist das Essen allerdings nicht mit enthalten. Nun sind die Briten für ihren Humor bekannt, aber sie wollen auch Autos verkaufen. Deshalb gibt es diesen Picknick-Korb nur, wenn man den dazu passenden Rolls Royce Phantom Drophead Coupe für knapp eine halbe Million mit dazu nimmt.

Wer mehr als Geld hat, liegt sich dann vielleicht auch noch eine von Maler-Star Damien Hirst entworfene Abdeckung für das Reserverad zu, die für vergleichsweise wirklich mickrige 1.200 Euro zu haben ist.

Der britische Pinselheld ist aber bei weitem nicht der einzige Künstler, der für einen Autobauer arbeitet. So hat Victoria Beckham, die nicht nur als Ex-Spice-Girl und als Spielerfrau bekannt ist, sondern sich inzwischen auch einen Namen als Designerin gemacht hat, zusammen mit der Firma Land Rover einen Geländewagen ausgestattet.

Eine gute Wahl, denn sowohl Victoria als auch das Auto sind hochhackig unterwegs. Der Wagen bekam feinstes Leder, Rotgold-Überzüge an Schaltern und Drehknöpfen und Luxusteppiche. Sogar die Bedienungsanleitung findet der Käufer in einer mit Rotgold verzierten Ledermappe. Nur außen ist der Geländewagen in Grau lackiert. Vermutlich war das Kontingent an Rotgold schon aufgebraucht, als Mrs. Beckham mit den Innereien fertig war.

Gar nicht bunt dachte das Modehaus Gucci, als es den Auftrag bekam, einen FIAT 500 aufzupeppen. Der Innenraum ist in Schwarz-Weiß gehalten, draußen kam schwarzer Lack drauf – fertig. Auch das Jeanslabel Diesel durfte sich so einen kleinen Italiener vornehmen. Der hat nun Sitze aus Jeansstoff, statt Schrauben wurden Nieten verwendet und der Clou ist ein Reißverschluss am Öltank. Die Tür zum Knöpfen zu machen, darauf hat man verzichtet. Ebenso auf einen anderen Motor. Der Diesel-FIAT fährt nach wie vor mit Benzin.

Auch der Papst hat jetzt ein Produkt aus dem Hause FIAT. Er bekam vom Chef des Konzerns, Sergio Marchionne, einen Traktor geschenkt. Der Schlepper wurde extra für den Heiligen Vater gebaut und ist ganz in Weiß gehalten. Ob Benedikt XVI. damit in die Weinberge des Herrn fährt, wissen wir nicht.

Aber meist ist er, zumindest in der Öffentlichkeit, in seinem Papamobil unterwegs. Davon gibt es mehrere, aber alle sehen so aus, als hätte man einen Schneewittchen-Sarg hochkant auf Räder gestellt. Das ist schon ein seltsames Bild, bei dem man unwillkürlich an das Sprichwort denken muss, nachdem derjenige, der im Glashaus sitzt, nicht mit Steinen werfen sollte. Den Satz kennt Benedikt XVI. natürlich auch, schließlich ist er als Bayer ja auch Deutscher. Aber nur wir Deutsche bekommen es fertig, den Papst anzuzeigen, weil er im Papamobil nicht angeschnallt ist, so wie bei einem Deutschlandbesuch des Heiligen Vaters geschehen. Die zuständige Behörde hat die Klage aber abgewiesen, und das damit begründet, dass der Papst auf einer abgesperrten Straße unterwegs war. Auf eine Anklage wegen der Benutzung eines gesperrten Verkehrsweges wurde dann verzichtet.

Eine Anzeige bekam auch Formel-1-Pilot Lewis Hamilton, als er zwar angeschnallt, aber viel zu schnell über eine französische Autobahn donnerte. Seinen Führerschein musste er für einen Monat abgeben, die Geldstrafe von 600 Euro tat ihm weniger weh. Rennen durfte er in der Zeit natürlich trotzdem fahren, nur seine privaten Autos mit dem Stern auf der Kühlerhaube blieben in der Garage.

Sebastian Vettel hat natürlich, auch wenn er für die österreichischen Büchsenmacher von Red Bull fährt, ebenfalls einen Mercedes in seinem Besitz. Den AMG bekam er nach einem Sieg in Abu Dhabi geschenkt. Meist ist Vettel in seinem VW-Transporter unterwegs, falls er nicht dem in Zusammenarbeit mit Nissans Edelmarke Infiniti entwickelten Sondermodell „FX Sebastian Vettel" etwas Fahrtwind um die Nase wehen lässt.

Kollege Jenson Button scheint dagegen mit seinem privaten Smart etwas bescheidener zu sein, aber nur auf den ersten Blick. Der Engländer hat auch noch mindestens einen Mercedes, einen McLaren und einen Bugatti zu Hause herumstehen. Nur der Brasilianer Bruno Senna tanzt im Formel-1-Zirkus aus der Reihe. Er hat gar kein Privatauto. Vermutlich ist ihm das Fahren im öffentlichen Verkehr zu gefährlich.

Aber auch andere Sportler kommen nicht immer mit ihren Statussymbolen zurecht. Franz Beckenbauer hatte nicht nur Probleme im Werbespot für Mitsubishi den japanischen Firmennamen korrekt auszusprechen, sondern es war für den Kaiser auch ziemlich schwierig, mit seinem Mitsubishi 3000, logischerweise aus der Beckenbauer-Edition des Japaners, ins Parkhaus der Bayern zu kommen. Real Madrids portugiesischer Starspieler Cristiano Ronaldo wollte nach einer Party seinen Lamborghini starten, allerdings war die Batterie völlig leer. Ob er, als er den Abschleppdienst rief, auch so breitbeinig dastand, wie vor seinen Freistößen, wurde nicht überliefert. Aber die Fahrer des herbei gerufenen LKW konnten sich dem Vernehmen nach ein breites Grinsen nicht verkneifen. Allerdings hat der Mann angeblich noch elf andere Boliden, für jeden Monat des Jahres einen.

Noch eitler als der schöne Cristiano ist wohl der Däne Nicklas Bendtner. Als er bei Arsenal London unter Vertrag war, zerlegte er einen Aston Martin zu Schrott, stieg unverletzt aus und schälte sich aus seinen Klamotten. Dann riss er einen Außenspiegel ab, um zu kontrollieren, ob sein Astralkörper nicht doch eine kleine Scharte abbekommen hatte. Sein Premier-League-Kollege Jermaine Pennant hätte dazu nicht mal einen Spiegel benötigt, er ließ seinen Aston Martin gleich komplett verchromen.

Eher robuster mag es da Wayne Rooney, der Sturmtank von Manchester United, der laut seinen Kritikern 80 von 90 Minuten eines Spiels nur den Rasen kaputt tritt, ehe er dann doch die entscheidenden Tore macht. Er ließ sich einen schweren Geländewagen der Marke „Hummer" liefern. Nun befürchtet man in seinem Umfeld, dass der Wagen nicht lange ganz bleibt, wenn er so Auto fährt, wie er Fußball spielt.

In der Farbe hat sich dagegen Franck Ribery, dem man beim FC Bayern München erst mal sagen musste, dass man als „Roter" keine blauen Fußballschuhe trägt, geirrt. Er nennt unter anderem auch einen giftgrünen Lamborghini sein eigen. Ansonsten sind Profifußballer meist in den von den jeweiligen Klubsponsoren gestellten Autos unterwegs. Aber das hält viele nicht davon ab, sich noch ein eigenes Spielzeug in die Garage zu stellen. Schließlich reicht ein Wagen für solche Leute nicht aus, sie brauchen eben ein Trainings-, ein Punktspiel- und ein Auslauf-Modell. So war der ehemalige Nationalspieler Torsten Frings, als er noch in Deutschland spielte, mit einem Wiesmann Roadster unterwegs. Dass er den mit zu seinem neuen Klub in Nordamerika genommen hat, ist eher unwahrscheinlich. Vielleicht hatte er Bedenken, dass ihm in Los Angeles Paris Hilton mit ihrem pinkfarbenen Barbie-Bentley an die Karre fährt. Auffahrunfälle passieren der Blondine ja öfter einmal. Etwas besser fährt dagegen Basic-Instinct-Star Sharon Stone, zumindest ist von ihr kein Unfall bekannt geworden, von einigen ihrer anderen Filme mal abgesehen.

In Amerika ist es letztendlich genauso wie überall auf der Welt: Wenn du ein Promi bist, musst du auch mit deinem fahrbaren Untersatz auffallen. Trotzdem kochen auch solche VIPs nur mit Wasser und fahren mit Benzin, obwohl manche schon auf alternative Antriebe umgestiegen sind. Zum Beispiel fährt Mr. Facebook Mark Zuckerberg einen Elektro-Sportwagen, den Fisker Karma, und auch Indy, also Harrison Ford, steht verkehrsmäßig auf Hybrid-Fahrzeuge.

Aber egal, ob man nun als Superstar im Rolls Royce unterwegs ist, oder als Freizeitmusiker im Tourbus durch die Provinz kutscht, nur eines zählt: „Hauptsache, es fährt, das reicht nicht, da muss schon ein bisschen Musik dahinter sein."

DER SEXAPPEAL VOM AUTOMOBIL

Sex sells – Sex verkauft, das ist nun mal auch bei Autos und deren Zubehörteilen so. Nur wegen der reinen Ästhetik macht Reifenhersteller seine legendären Kalender wohl kaum.

Auch bei den Autos selber wird Sex und Erotik in der Werbung eingesetzt. So hat FIAT in einem Werbespot für Argentinien das Thema Brustvergrößerung aufgegriffen und das Ergebnis sehr ausführlich dargestellt und erst am Ende darauf verwiesen, dass es überhaupt um ein Auto geht.

Schöne und vor allem schnelle Autos und junge hübsche Frauen sind nun mal eine ziemlich perfekte Symbiose, sie gehören einfach zusammen. Deshalb wurde zum Beispiel der Beruf des Boxenluders erfunden. Nein, im Ernst: Es gibt doch kaum Auto-Broschüren oder -kalender, die ohne weibliche Begleitung des Produkts auskommen. Auf jedem Motorentreffen, egal auf wie vielen Rädern auch immer die Besucher ankommen, steht eine Miss-Wahl oder wenigstens eine Striptease-Show auf dem Programm. Auf Automessen ist kaum eine Hostess unter 1,60 m groß, über 30 Jahre alt und über 60 kg schwer. Oft stehen deshalb nicht die Fahrzeuge selbst, sondern die attraktiven und oft sehr knapp bekleideten Damen im Mittelpunkt des Interesses. Die zeigen, dass vor allem sie selbst über ein super Fahrgestell, im wahrsten Sinn des Wortes hervorragende Airbags, eine rassige Heckpartie und ein kurvenreiches Design verfügen. Als Studentin ist man eben flexibel und verdient sich so manchen Euro dazu, wenn man verstanden hat, dass Auto und Erotik zusammen gehören.

Dabei ist Autoerotik im eigentlichen Sinn etwas völlig anderes, das wir an anderer Stelle in diesem Buch ausführlich erklärt haben.

Trotzdem gehen viele Autobesitzer eine nahezu erotische Bindung zu ihrem Fahrzeug ein. Dass man der Karre einen Kosenamen gibt, ist noch verständlich, aber wer freiwillig einen Haufen totes Blech streichelt oder gar küsst … der soll das eben machen. Leute wie wir, die wir das Auto nur dazu brauchen, um morgens zum Job und danach von Termin zu Termin zu kommen, halten die erotische Beziehung zum fahrbaren Untersatz in Grenzen und gehen höchstens schnell mal mit dem Pinsel drüber, wenn sich wieder irgendwo ein Rostfleck gebildet hat.

Zugegeben, so ein Auto ist manchmal schon wie eine Ehefrau. Nicht dass man es alle paar Tage volltanken muss, nein, es muss schon gepflegt werden. Ein altes schrottreifes Auto wirkt nicht besonders anziehend. Es gibt laut Psychologen tatsächlich erotische, weniger antörnende oder gar abstoßende Autos. So sollen laut Fachleuten BMW, Mercedes und Porsche komischerweise weniger erotisch als andere Marken sein. Forscher einer Universitätsklinik für Psychiatrie, also die ganz harten Psychologen, haben entdeckt, dass der Anblick eines Maseratis bei Männern die gleichen Hirnregionen aktiviert wie der Anblick einer schönen nackten Frau. Vermutlich sind es die Regionen im Hirn, die dem Mann sagen, dass er sich beide sowieso nicht leisten kann. Aber unsere Hirnregionen sagen uns, dass so ein Maserati schon ein geiles Auto ist, zwar etwas flach, aber er kommt schnell auf Touren.

Die Amerikaner haben wieder mal den Vogel abgeschossen, als sie herausfanden, dass der Audi A8 eines der schwulsten Autos ist. Zumindest war er der teuerste Wagen in der Liste der „gay cars". Wir wissen zwar nicht, wie ein homosexuelles Auto aussieht, vielleicht ist es rosa lackiert, hat ein Plüschtier als Kühlerfigur, aber eines ist klar: Nur von hinten ist so ein A8 bestimmt nicht zugänglich.

Es kann auch gar nicht anders sein: Von der Automarke schließen Experten auch auf die sexuelle Zufriedenheit des Fahrers. So sind angeblich über 60 Prozent der Ford-Fahrer in Sachen körperlicher Liebe sehr zufrieden, aber auch 58 von 100 Audi-Fahrern. Ganz hinten liegen in diesem Ranking übrigens Opel mit 42 und Renault mit 37 Prozent. An der mit etwas Phantasie auch anders zu deutenden Raute im Renault-Logo kann es aber nicht liegen.

Mancher Fahrer findet sein Auto so erotisch und anregend, dass er sich nackt hinter das Steuer setzt. Das ist seltsamerweise nicht erlaubt, obwohl Nacktradeln und Nacktwandern durchaus akzeptiert werden, zumindest gelegentlich. Auf der A1 bei Dortmund hat die Polizei deswegen einen Autofahrer angehalten, der sich jeglicher Kleidung entledigt hatte. Vermutlich war das aber eine sogenannte „arme Sau", der sein letztes Hemd für die Kfz-Steuer gab, beim Tanken die Hosen runter ließ und als er die Polizisten sah, auch noch aus Socken und Schuhen gekippt ist.

Dabei gibt es neben dem Nacktfahrverbot auch ungeschriebene Regeln. So sollte man zum Beispiel nie ohne Mütze ins Cabrio. Das ist verständlich, denn ein Mann im Cabrio macht durchaus Eindruck bei

Frauen, deswegen sollte er immer ein Kondom in der Tasche haben.

Weil wir nun schon mal beim Thema Nr. 1 sind: Laut einer Umfrage hat fast jeder Autofahrer unter 30 Jahren hierzulande sein Fahrzeug schon mal als Liebeslaube genutzt. Sex im Auto ist allerdings mit Vorsicht zu genießen. Wer sich dabei erwischen lässt, macht sich wegen Erregung öffentlichen Ärgernisses strafbar. Allerdings gilt auch hier: Wo kein Kläger ist, da ist auch kein Richter. Es soll ja nicht nur Schuh-, sondern auch Autospanner geben.

Zudem sollte man es schon im oder auf dem eigenen Auto tun, und nicht so wie jenes holländische Pärchen, dass sich auf dem Dach eines Streifenwagens vergnügte und dann nur noch sagen konnte: „Wir haben nicht gemerkt, dass da Beamte drin saßen."

Wenn man also nicht anders kann, als die Sache mal auszuprobieren oder zu wiederholen, sollte man sich dafür ein sicheres und abgelegenes Plätzchen zum Anhalten suchen, wenn während der Fahrt ist die Sache nicht unbedingt empfehlenswert. Es ist relativ gefährlich, sich bei 160 km/h ganz nah zu kommen, wie es zum Beispiel ein norwegisches Paar auf einer Autobahn gemacht hat.

Wenn es so weit ist, gibt es trotz der beengten Platzverhältnisse viele Spielarten der Liebe. Nicht jeder hat ein Fahrzeug, auf dem der Spruch „Meiner ist 18 Meter lang" auch stimmt. Aber wo ein Wille ist, da ist bekanntlich auch ein Weg bzw. Platz.

Nur sollte man bei einem Quickie auf der Motorhaube das Auto vorher mit der Handbremse sichern, ehe man selbst hochschaltet. Zudem wäre es ratsam, eventuelle vorhanden störende Objekte wie den Mercedes-Stern oder die Rolls-Royce-Kühlerfigur vorher abzuschrauben. Es tut weh, wenn die auf der Kühlerhaube des britischen Nobelhobels flachgelegte Elli die dort angeschraubte geflügelte Emmy im Rücken hat. Das kommt natürlich in der Praxis kaum vor. Wer sich einen Rolls-Royce leisten kann, der hat auch das Kleingeld für ein Hotelzimmer übrig, selbst wenn er es nur eine Stunde benutzt. Aber inzwischen gibt es ja Hotels, die sich darauf spezialisiert haben. Dort kommt kein Gast mit einem Koffer an.

Im Kofferraum kann man sich natürlich auch vergnügen. Aber auch hier gilt es, vorher störende Dinge zu entfernen, wie zum Beispiel Einkaufs- und Sani-Kisten, Radkreuze oder auch dort angeleinte Hunde.

Legendär auch klischeebehaftet ist natürlich die Rückbank, die bei manchen Autos eher durchgelegen als durchgesessen sein soll. Fahrer teurer und schnittiger Zweisitzer sind da natürlich neidisch und schauen in die Röhre. Aber beim Sex auf der Rückbank sollte man es nicht so übertreiben, dass man am Ende noch mit dem Fuß oder auch anderen Körperteilen aus Versehen die Handbremse löst. Auch soll es schon vorgekommen sein, dass sich junge Pärchen, die sich auf der Rückbank eines älteren Modells verlustierten, dabei so zu Werke gingen, dass die Federn der Rückbank mit der darunter liegenden Batterie berührten und das

Feuer der Liebe durch das Feuer im Auto gestört wurde.

Sex im Auto, das ist natürlich auch schon längst professionalisiert und kommerzialisiert worden – auf dem sogenannten Straßenstrich, bei dem aber nur die Kunden-Akquise wirklich am Straßenrand stattfindet. Nach dem Vertragsabschluss fahren die Kunden dann für den eigentlichen Geschäftsverkehr mit den Bordsteinschwalben zu ihrer ureigensten beruflichen Tätigkeit meist in die laut Beamtendeutsch so genannten Verrichtungsboxen.

Am besten funktioniert Sex im Auto übrigens in der Reiterstellung, aber daran hat Gottlieb Daimler bestimmt noch nicht gedacht, als er im 19. Jahrhundert sein erstes Gefährt Reitwagen nannte.

In welcher Position die Pärchen in den Autos auf dem Liebesparkplatz im italienischen Städtchen Vinci bei Florenz ihre Schäferstündchen genießen, wissen wir nicht, aber bekannt ist, dass der Bürgermeister diesen Parkplatz offiziell zu einem Liebesnest umbauen ließ. Hintergrund dieser Idee ist, dass in Italien viele Männer und auch Frauen im Alter von über 30 Jahren noch bei ihren Eltern wohnen und dort an wilden hemmungslosen Sex nicht mal zu denken ist. Jetzt kann zumindest in Vinci der heiße Leonardo seine Freundin Mona Lisa bei gedämpftem Laternenlicht die ganze Palette seiner Liebeskünste zeigen.

Eher weniger künstlerisch wertvolle Bilder hat dagegen ein Sachse an seinen VW Golf geklebt. Mit seinem durch aus diversen Zeitschriften ausgeschnittenen Fotos verzierten Auto fährt er aber nicht im normalen Straßenverkehr herum, sondern laut eigener Aussage höchstens mal zu Tuning-Treffen. Ob er seinen „Porno-Golf" jemals in eine der sogenannten Erotic Washs gelenkt hat, ist zu bezweifeln. Die knapp bekleideten jungen Putzen dort würden bestenfalls die Stoßstange sauber bürsten, aber nur die des Golfs.

Eher ungewollt war die Verbindung von Auto und Sex vor einiger Zeit beim VW-Konzern. Die Skandale um Lustreisen und Sexpartys von Managern und Betriebsräten gingen durch die Medien und in die Gerichte. Seitdem gilt Volkswagen landläufig als „Deutschlands geilster Autobauer".

Allerdings ist Geschlechtsverkehr nun mal nicht der Hauptzweck, für den Autos gebaut werden, Priorität hat nach wie vor der Straßenverkehr. Nun kann es aber auch vorkommen, dass es im Straßenverkehr nicht mehr vorwärts geht. Dann kann es passieren, dass nicht nur das Auto steht, wie bei jenem Pärchen, das auf der A17 bei Dresden eine Panne hatte. Die beiden informierten den ADAC und nutzten die Wartezeit, um sich miteinander zu vergnügen. Leider kam weder der Mann noch die Frau, sondern der „Gelbe Engel" zuerst. Das war wohl einer der seltenen Momente, in denen keiner der Beteiligten gedacht hat: „Hauptsache, es fährt."

WARUM EINE FRAU AUF DEN BEIFAHRERSITZ
EINES AUTOS GEHÖRT:

1) Weil das Handschuhfach zwar seine Klappe hält, aber eben kein so schönes Seitenprofil hat.

2) Damit Ihr Auto auch innen ein geiles Fahrgestell hat.

3) Damit sich die Reifen auf beiden Seiten gleichmäßig abnutzen.

4) Damit Sie den Rückweg aus der Kneipe nicht zu Fuß antreten müssen.

5) Weil Sie steile Kurven lieber neben als vor sich haben.

6) Weil Frauen beim Sitzen die Beine übereinanderschlagen – und das geht auf der Fahrerseite schief.

7) Weil auf einer Einkaufsstraße die Schaufenster nun mal auf der Beifahrerseite vorbei huschen.

8) Weil Frauen wegen ihrer Silikonkissen einfach keinen Platz mehr hinter dem Lenkrad haben.

9) Weil der Gurt auf der Beifahrerseite nur bis 90-60-90 dehnbar ist.

10) Weil Sie abends mit dem Einparken fertig sein wollen, ehe Sie morgens wieder los müssen.

RÜCKWÄRTS EINPARKEN

Der beim FC Arsenal London unter Vertrag stehende russische Profi Andre Arschawin, übrigens gelernter Modedesigner, hat mal in einem Interview gesagt: „Ich würde es verbieten, dass Frauen Auto fahren und ihre Führerscheine einziehen." Mit der Einstellung spielt der Fußballer wohl bald in der Wüste, vermutlich in Saudi-Arabien. Dort dürfen Frauen bekanntlich nicht hinter das Steuer, in anderen arabischen Staaten dürfen sie es, teilweise aber nur mit männlicher Begleitung. Aber welcher Scheich lässt sich schon von einer Frau kutschieren? In Europa sind nun manche Frauen der Meinung, dass Herr Arschawin nicht nur zu lange in der Sonne oder im englischen Regen gestanden hat, sondern auch einen zu langen Namen hat. Speziell die deutsche Weiblichkeit empfiehlt ihm, seinen Familiennamen um die hinteren vier Buchstaben zu kürzen. Dass Frauen Auto fahren können, zeigen nicht nur professionelle Rennamazonen wie die Dakar-Siegerin Jutta Kleinschmidt oder Rallye-Pilotin Ellen Lohr, auch wenn die bei einem Wettkampf in der Lausitz schon mal ihren Subaru in einen Teich versenkt hat. Jutta Kleinschmidt wäre das nicht passiert, aber in der Wüste gibt es normalerweise auch keine Teiche.

Nein, hier geht es nicht darum, mit 160 Sachen über Feldwege oder Sanddünen zu rasen, sondern um den normalen Straßenverkehr. In dem sind laut einer britischen Studie Frauen eine Gefahr, allerdings nur, wenn sie hungrig sind. Die Experten – Andre Arschawin war übrigens nicht dabei – haben herausgefunden, dass die Frauen durch das Auslassen von Mahlzeiten müde und unkonzentriert sind und eine längere Reaktionszeit haben.

Wenn sie aber satt sind, schlagen sie richtig zu. Frauen fahren, das ist die Wahrheit, besser als Männer. Das beweist die Flensburger Verkehrssünderkartei. Nur 20 Prozent der Einträge entfallen auf die holde Weiblichkeit, die hierzulande mit Führerscheinen im Prinzip genauso oft gesegnet ist wie die hehre Männlichkeit.

Gut, man kann jetzt behaupten, dass Männer ihren Führerschein nutzen und Frauen sich lediglich an dessen Anblick erfreuen, falls ihnen ihr eigenes Foto darin gefällt. Diese Behauptung ist sogar richtig. Der Frauenanteil am deutschen Straßenverkehr liegt bei nur 32 Prozent, aber die rein auf die Fahrleistung bezogenen Daten zeigen folgende Dinge:

Erstens werden nur 16,2 Prozent aller Fahrverbote gegen Frauen verhängt, zweitens liegt der Anteil der Bußgelder für zu schnelles Fahren für Frauen bei 21,2 Prozent, und drittens sind nur 30,9 Prozent der Drängler weiblichen Geschlechts.

Wir könnten jetzt noch viertens, fünftens und sechstens anführen, aber statt dessen konstatieren wir – zugegeben tränenden Auges – dass nun auch die letzte Männerbastion gefallen ist. Eine andere britische Studie – bei der Andrea Arschawin nie im Leben mitgemacht hätte – zeigte vor kurzem, dass Frauen auch noch besser einparken als Männer.

Gut, das war in Großbritannien, von dort kommen in Sachen Straßenverkehr ohnehin nur „linke" Werte. Pustekuchen! In Deutschland wollte man es genau wissen und hat die erste Deutsche Meisterschaft im Einparken veranstaltet. Sieger wurden Sabine Langer und Birgit Michels, beides schon von ihren Namen her untrüglich Frauen und dann auch noch beide blond. Bei diesem Wettkampf, bei dem es noch unklar ist, ob es eine zweite Auflage gibt, mussten die Teilnehmer fünf verschiedene Fahrzeuge in eine Parklücke manövrieren. Darunter waren auch eine acht Meter lange Limousine und ein LKW, der auch noch in Highheels bewegt werden musste. Was die teilnehmenden Männer an den Füßen hatten, wissen wir nicht. Aber wir haben auf alle Fälle Kenntnis davon, dass es jetzt für Frauen sogar einklappbare Hochhackige gibt, damit sie noch besser fahren.

Warum dann in jedem Jahr auch noch „Frauenautos" gekürt werden, ist dann unverständlich. Gewonnen haben übrigens Mini und Smart. Eigentlich sieht eine Frau im Mini ganz smart aus, aber das geht dann in den Bereich der modischen Bekleidung. Und wer hat dieses Metier von der Pike auf gelernt? Richtig: Andre Arschawin.

SCHWARZ, WEISS, ROT ODER GRÜN

Manchen ist die Farbe ihres Autos nicht so wichtig, weil es sowieso schmutzig wird, aber die Farbe an sich ist im Prinzip gar nicht der Zweck der Farbe. Die Lackierung schützt vor allem das Blech vor dem Rosten, oder fachlich ausgedrückt vor einer Karossenkorrosion – vorausgesetzt, das Auto ist überhaupt aus Blech.

Es gab ja mal Fahrzeuge aus einem anderen Material, die aber auch lackiert ausgeliefert wurden, wenn auch erst nach 13 Jahren Wartezeit. Wahrscheinlich dauerte es so lange, bis die Pastellfarben trocken waren.

Aber zurück zum Blech. Die Farbe des Autos ist natürlich auch für den Verkauf von Bedeutung. Laut einer Studie würde knapp die Hälfte der Autokäufer ihre bevorzugte Marke wechseln, wenn der Hersteller den gewünschten Farbton nicht auf der Palette hätte.

Dabei ändert sich der Geschmack der Kunden ziemlich schnell. In den 80er Jahren war zum Beispiel Rot angesagt, in der Mitte der 90er Jahre waren viele Autos grün, inzwischen setzt man selbst in Sachen Öko mehr auf Erdfarben. Violett war noch im Jahr 2011 bei den Neubestellungen ganz unten auf der Liste, aber nach Olympia 2012, als viele Wettkämpfe in Wettkampfstätten, die in einem dunklen Pink gehalten waren, stattfanden, kann sich das urplötzlich ändern.

„Die Autofarbe ist ein Ausdruck der Zeit", sagen die Experten – und damit haben sie Recht. Wenn der

Lack abblättert, dann sieht man ganz deutlich, wie alt das Fahrzeug ist.

Das ist aber noch längst nicht alles. Wenn der Lack noch nicht ab ist, kann man sicher sein, dass es zum Beispiel in Sachen Sicherheit mit einer an Sicherheit grenzenden Wahrscheinlichkeit große Unterschiede in Sachen Farbe gibt.

So haben Experten herausgefunden, dass man in einem weißen Auto am besten geschützt ist, weil es am schnellsten wahrgenommen wird. Rot ist zwar die Signalfarbe schlechthin, aber ein rotes Autos ist in der Dämmerung schlecht zu sehen. Man weiß allerdings auch, dass Weiß als Wagenfarbe in der weißen Jahreszeit nicht mehr so optimal ist. Im Schnee fällt so eine helles Fahrzeug weniger auf und wird gern mal von einem Räumfahrzeug auf die Schippe genommen.

Bei den verschiedenen Farben gibt es auch Temperaturunterschiede. Bei uns in Europa gilt Rot als warme oder sogar heiße Farbe, und Blau wird als kühl wahrgenommen. Die Amerikaner sehen das anders, aber das machen sie in vielen anderen Dingen ja auch. Fakt ist jedoch, dass sich im Sommer dunkel lackierte Autos mehr aufheizen als helle Fahrzeuge. Bei 30 Grad Celsius Außentemperatur zeigte in einem Test das Thermometer in einem weißen PKW 69 Grad Celsius, das rote Auto wurde 74 Grad Celsius warm und ein dunkler Wagen erhitzte sich auf 83 Grad Celsius. Für Schwarz wurden keine Angaben gemacht, wahrscheinlich hat das Thermometer darin sein Leben mit einem Knall ausgehaucht.

Aber das Leben ist nun mal bunt und so kann man, wenn man Fachleuten glaubt, von der Wagenfarbe sogar auf den Charakter des Fahrers schließen. Was dann beim Besitzer eines in vier Farben lackiertem VW Polo Harlekin herauskommen soll, wissen wir auch nicht. Aber irgendwann wird auch ein einfarbiges Auto bunt. Da kommt mal ein grüner Kratzer dazu, urplötzlich hat der Wagen einen blauen Fleck oder auch eine gelbe Delle, wann er von einem Bus gestreift wurde.

Aber gehen wir mal von der ursprünglichen Grundfarbe eines Auto aus. Im Jahr 2011 sah die Verteilung der Farben bei Neuzulassungen in Deutschland so aus:

Die Goldmedaille für den ersten Platz holte sich Schwarz mit 31 Prozent der verkauften Autos. Den Silberplatz teilten sich Silber und Grau mit 30,9 Prozent, auf dem Bronzeplatz wurde Weiß mit 13 Prozent notiert, danach folgten Blau mit neun, Braun und Rot mit sechs, Gelb mit 1,4 und Grün mit 1,1 Prozent. Noch weniger Autos wurden mit 0,4 Prozent in Lila und Orange verkauft.

Beginnen wir unsere Reise durch die bunte Welt der Autofarben musikalisch: Der Eiertanz startet mit Swing-Blau, Polka-Grün, Samba-Orange und Techno-Silber. Nein, fangen wir ganz sportlich mit dem Sieger an.

Schwarz
ist für viele gar keine Farbe, sondern einfach nur fehlendes Licht. Obwohl einer der größ-

ten Deutschen schon vor langer Zeit „mehr Licht" gefordert hatte, bevor um ihn herum alles dunkel wurde, setzen wir heute nicht nur auf schwarze Buchstaben und Zahlen, sondern auch auf schwarze Autos – eigentlich kein Wunder in einem Land, in dem mehr Leute wegsterben als nachgeboren werden.

Nein – mit Schwarz hat beim Auto alles begonnen, mit dem ersten in Massenproduktion gefertigten Ford Modell T. Henry Ford soll erklärt haben: „Die Käufer können ihn in jeder Farbe haben, sofern diese schwarz ist." Heute wird allerdings bezweifelt, ob der Ausspruch wirklich von ihm stammt. Dass er es wirklich so gesagt hat, ist nicht sehr wahrscheinlich – wenn überhaupt, dann hat er nicht Deutsch, sondern Englisch gesprochen.

Schwarz wirkt laut Farbdeutung edel, fest und fromm – nein, schwer. Ein schwarzer Wagen hat scheinbar viel mehr Gewicht als ein baugleiches, aber weiß lackiertes Fahrzeug. Nachts ist ein schwarzer PKW schlecht zu sehen, besonders wenn er ohne Licht daher kommt.

Der Fahrer soll autoritär, selbstbewusst, ehrgeizig und ein Erfolgsmensch sein. Er will zeigen, wer die Macht auf der Straße hat. Schwarz gilt zudem als seriös und pietätvoll. Da ist es kein Wunder, wenn ein schwarzer Wagen meist kein Spaßmobil, sondern ein Leichenwagen ist.

In den USA ist man der Meinung, dass ein schwarz lackierter Wagen auf die geringste Zufriedenheit im Seelenleben der Insassen schließen lässt. Vermutlich kommt es aber auch dort darauf an, ob man der Fahrer ist, oder mit den Füßen nach vorn hinten drin liegt.

Schwarz ist aber nicht gleich Schwarz. Die Hersteller haben die verschiedensten Farbschattierungen oder auch nur Bezeichnungen im Angebot. Da gibt es Mitternachts- und Mystikschwarz, aber auch Magic Black. Andere setzten auf Tief-, Graphit- oder Tropenschwarz. Die in Pantherschwarz lackierten Autos sind vermutlich die Schnellsten, weil auch die in Kosmosschwarz lackierten Wagen nicht auf Lichtgeschwindigkeit kommen.

Grau

ist ebenfalls seriös, war es zumindest mal. Früher galt man mit graumeliertem Haar als gesetzt, erfahren und attraktiv, in dem Jugendwahn von heute nur noch als halbtot. Vermutlich setzen viele Bestattungsinstitute deshalb heute eher auf Grau als auf Schwarz. Dabei gilt Grau im Verkehr als besonders gefährliche Farbe. Graue Wagen sind laut offizieller Statistik sehr oft in Unfälle verwickelt, die Grauziffer ist dabei noch nicht mal berücksichtigt. Vermutlich kommt daher auch der Begriff Grauen.

Der Fahrer eines grauen Automobils gilt als umsichtig und korrekt. Er hält sich an Vorschriften und kann sich nur schwer mit den Fehlern anderer abfinden. Angeblich soll er sich sogar als etwas Besseres fühlen.

Gefühlt gibt es nur ein Grau, in der Realität gibt es auch hier viele Schattierungen im Kfz-Gewerbe.

Neben Graphitschwarz kann man auch Autos in Graphitgrau bestellen, vermutlich ist dieses Grau nur alt gewordenes Graphitschwarz. Man kann sich aber auch für ein besonderes Highlight namens Midnight-Sky-Grau entscheiden, das am helllichten Tag seine Wirkung aber kaum entfalten dürfte. Wie Alaska- und Rauchgrau aussieht, kann man sich noch vorstellen, aber was das Besondere an Lago- oder Makaha-Grau ist, fragen wir nicht nur wir uns. Dann schon eher etwas in Delfin-, Stahl- oder Silbergrau kaufen.

Autos in Garagengrau kann man auch am Straßenrand parken, bei Minimalgrau hat man wohl an der Farbe gespart, aber ob es auch digitalgraue Wagen ohne Bordcomputer gibt, hat die Statistik noch nicht erfasst.

Silber

als Autofarbe ist vorbelastet. Nicht dass darin mehr schädliche Stoffe als in Giftgrün wären, aber man denkt unwillkürlich an die Silberpfeile von Mercedes, die früher so oft Gold holten. Allerdings war das damals gar keine Farbe, man hatte aus Gewichtsgründen die ursprüngliche Lackierung einfach abgeschliffen, so dass das blanke Metall silbern in der Sonne glänzte. An den heutigen Rennern von Mercedes ist der Lack zwar wieder dran, auch wenn manche behaupten, dass er in der Formel 1 zur Zeit eben doch wieder ab ist. Aber alles ist vergänglich, auch der Spott. Wer zuletzt lacht, lacht bekanntlich am besten. Nur müsste man dann eben wissen, wann genau das „zuletzt" ist.

Trotzdem gilt Silber als schnelle Autofarbe. Zudem hat der Fahrer eines silbernen Automobils laut Straßenverkehrsteilnehmerfarbpsychologie besonders viel Sinn für Stil. Das könnte stimmen, denn selbst Michael Schumacher kann seine Ausfälle in der Formel 1 souverän erklären und seinen Frust darüber überlegen überspielen.

Silber ist natürlich auch nicht gleich Silber, zumindest ab dem zweiten, dem sogenannten Silberblick. Auf dem Markt gibt es zum Beispiel Autos in Polarsilber, hartem Platinsilber und den kosmischen Varianten Orion-, Pluto- und Mondscheinsilber. Ob die dann bei Neumond zu erkennen sind, weiß keiner.

Weiß

Man weiß ja gar nicht, wie viele Arten von Weiß existieren. Bei allen Schattierungen soll der Fahrer ein unauffälliger Typ sein, der sich durch Zurückhaltung und Sensibilität auszeichnet. Ob das dann wirklich eine Ehrung wert ist, wissen wir nicht, aber eines ist klar: Der Fahrer eines weißen Autos wäscht seinen Wagen öfter als alle anderen. Das muss er auch, denn auf Weiß fällt jede Form von Schmutz besonders auf – fast jeder Dreck. Reiner weißer Vogelkot ist auf einem weißen Fahrzeug schlechter zu sehen als zum Beispiel auf einem roten. Aber dazu später mehr.

Weiß als Autofarbe steht für eine reine, einfache und klare Aussage, die lautet: Weiße Wagen sind nicht nur deshalb die sichersten, weil sie am besten gesehen werden, sondern auch deshalb, weil sich ihre

Fahrer am sorgfältigsten an die StVO halten. Dabei ist es egal, ob sie nun in einem schnee-, einem polar- oder gar einen arktisweißen Automobil sitzen. Wem jetzt auffällt, dass es ein Stück weiter vorn auch schon polargraue Fahrzeuge erwähnt wurden, der hat aufgepasst. Vermutlich waren die Farbnamen- verantwortlichen bei Polarweiß in den arktischen Gefilden, als es dort frisch geschneit hat. Kalt er- wischt hat es dann wohl ihre Kollegen von der Kon- kurrenz, die unmittelbar danach eintrafen – für die blieb dann nur noch die Bezeichnung „frostweiß".

Blau
Ein blauer Fahrer, Entschuldigung, der Fahrer eines blauen Autos natürlich, ist laut Farberkennungs- dienst ein träumender Typ mit einem Hang zur Ero- tik. Jetzt wissen wir auch, warum bei uns bei R.SA die Haus- und damit auch die Wagenfarbe hellblau ist. Wenn wir in einem dieser Dienstautos sitzen, können wir gelegentlich sogar inkognito bleiben. Forscher wollen herausgefunden haben, dass man hellblaue Fahrzeuge im Regen fast nicht sieht. Ob die Experten dabei eine rosarote Brille trugen, kön- nen wir nur vermuten. Wahrscheinlich sind wir im Regen dann nur an den Geräuschen unserer längst auswechselreifen Scheibenwischer zu bemerken – und natürlich am Motorengeräusch. Allerdings hat die Wissenschaft nun wieder herausgefunden, dass blaue Autos leiser wirken.
Also können wir an dieser Stelle ganz ruhig erzählen, dass Blau nicht nur eine ruhige Farbe ist, sondern

auch beruhigend wirkt. Das hat jetzt überhaupt nichts damit zu tun, dass das Leben angeblich nur noch im Suff zu ertragen sei.

Doch zurück zum Blau als Autofarbe. Nüchtern betrachtet gibt es Blau bei den verschiedensten Hersteller als Königs-, Elektro- und Surfblau. Die erotische Wirkung entfaltet sich im Nacht- und im Venusblau. Logischerweise kann man bei der blauen Farbe namentlich nicht am Wasser vorbei. Deshalb gibt es Autos in Aquamarin-, Tiefsee- und Ozeanblau, das sogar ganz konkret in Atlantik- und in Pazifikblau. Dann dürfen natürlich auch die meerblauen Inseln mit Samoa- und Mauritiusblau nicht fehlen, sogar das versunkene Atlantis ist als Blau wieder aufgetaucht.

In Portugal soll Estorilblau das Rennen machen, aber hierzulande gibt es kein Blau mit regionalblauen Namen, nicht mal Preußischblau. Das liegt vermutlich daran, dass die Preußen es nie schafften, Autos zu bauen. Das blieb den Sachsen – auch den niederen Sachsen in Wolfsburg –, den Bayern, Schwaben und nicht zu vergessen, auch den Thüringern vorbehalten.

Braun

als Autofarbe ist in letzter Zeit immer mehr im Kommen. Erdfarben sind angesagt, sie sollen angeblich betonen, dass die Fahrzeuge immer umweltfreundlicher werden. Dabei galt Braun, abseits aller politischen Deutungen, einmal als undynamisch, aber das hat sich in der heutigen „Coffee-to-go-Generation" geändert. Eigentlich heißt das übersetzt „Kaffee zum Davonlaufen", aber hier geht es mehr um „Coffee-to-drive". Ein Kaffee zwischendurch kann bei langen Autofahrten nicht schaden, vermutlich gibt es deshalb braune Autos wirklich in der Farbe Kaffeebraun. Konkreter wird es bei den Varianten Cafe, Cafe Latte, bei Espresso- und Mokkabraun. Eine Pause ohne Kaffee äußert sich dann im Farbton Chilloutbraun.

Bekanntlich ist auch Bronze irgendwie braun, warum man dann eine Schattierung ausgerechnet Aurorabraun nennt, können wir nur schwer ergründen. Schließlich ist Aurora einerseits zwar der Name eines berühmten russischen Panzerkreuzers, aber auch die Göttin der Morgenröte.

Vielleicht ist das genauso wie mit dem Nil, von dem es bekanntlich einen blauen und einen weißen gibt. In Wirklichkeit sieht der Fluss aber ganz anders aus, und so heißt die Autofarbe dann auch: Nilbraun.

Rot

Ein rotes Auto ist laut den Farbeigenschaftszuweisern ideal für Leute, die auffallen wollen. Das Auge fährt schließlich mit. Aber Feuerwehrfahrzeuge sind nicht aus diesem Grund rot lackiert, sondern wegen der Signalwirkung der Farbe.

Rot wirkt zudem schnell, auch wenn man an einer roten Ampel besser schnell anhalten sollte. Der Fahrer eines roten Autos gilt als lebensbejahend und kontaktfreudig, auch außerhalb des Rotlichtmilieus. Rot als Autofarbe hat auch Nachteile. Eine Zählung hat ergeben, dass Vögel meist auf rote Autos kacken.

Andersfarbige Wagen bekommen wesentlich weniger ab, selbst an den Kotflügeln.

Eine andere Studie hat ergeben, dass rote Autos auf Passanten lauter wirken als zum Beispiel gelbe oder violette PKW. So ist das eben: Bei manchen Wagen hält man sich die Ohren, bei anderen die Augen zu. Weil man bei Rot genauer hinsieht, gibt es auch hier die verschiedensten Rötungen, angefangen von Hibiskus-, Himbeer- und Erdbeerrot, über Sunrise und Marsrot bis hin zu Vulkan- und Tabascorot. Am stürmischsten ist wohl das Tornadorot. Flamenco- und Torerorot kommen einem vielleicht spanisch vor, sind aber auch hierzulande auf Neuwagen erhältlich. Geografisch geht es beim Barcelona-, Milano- und Coloradorot zu, aber welcher Teufel die Franzosen von Citroën geritten hat, ein Luziferrot ins Programm zu nehmen, wird wohl nie jemand erfahren.

Gelb

ist bekanntlich die Farbe des Neides, aber das hat mit Autolack weniger zu tun. Hier wird es eher mit dem Eigenschaften Sportlichkeit und auch Frechheit in Verbindung gesetzt. Nicht nur weil sogar mal ein Bundespräsident „Hoch auf dem gelben Wagen" gesungen hat, assoziiert man Gelb mit Lebensfreude und Optimismus. Wahrscheinlich heißen die Fahrer der ADAC-Pannenfahrzeuge deshalb „Gelbe Engel". Allerdings ist Gelb eben auch die Farbe der Post, und in der liegen manchmal auch unangenehme Dinge. Es könnten aber auch Prospekte im Briefkasten liegen, die Autos in Bali-, Zitrus- oder Monsungelb bewerben. Man kann sich jedoch auch für Wagen in Sahara-, Kalahari- und Atacamabeige entscheiden, wobei die Farben gar nicht so „wüste" aussehen. Elfenbein ist hierzulande die Farbe des Taxis, allerdings wird der Lack nicht wirklich aus dem Material hergestellt. Das ist erstens geschützt und zweitens so teuer, dass es sich kaum ein Droschkenkutscher leisten kann.

Grün

Über das Grün sind sich die Experten in Sachen Kolorierungsdeutung anscheinend nicht ganz grün. Die hellgrüne Fraktion behauptet, dass die Farbe leicht und froh daherkommt, die Dunkelgrünen sprechen davon, dass Grün wenig Sportlichkeit hat, sondern hart, fest und auch schwer herüberkommt. Vielleicht sind die aber auch nur einem LKW-Konvoi der Bundeswehr begegnet.

Der Psychotest der Fahrer ergab, dass jemand, der am Steuer eines grünen Autos sitzt, ein Polizist sein könnte. Nein, „grüne" Fahrer sind einerseits konservativ und traditionsbewusst, andererseits auch sehr kontaktfreudig. Andere Studien behaupten, dass Fahrer grüner Autos mit sich selbst zufrieden sind. Bei den Insassen sieht das anders aus – vor allem dann, wenn die Fenster vergittert sind. Die schauen meist ziemlich kariert in die Welt hinaus.

Sehen könnten sie dabei Fahrzeuge in Tundra-, Capri- und Panamagrün und daran sieht man wiederum, wie grün die Welt ist. Es gibt aber auch –

warum auch immer – einen Autolack namens Salsa-grün. Eine mintgrüne Lackierung spricht das Auge angeblich besonders an. Was dann dem anderen Auge gefällt, bleibt offen, vielleicht Bambus- oder Tannengrün.

Lila/Violett

Eine Farbe namens Hot Magenta, die als Lila durch-geht, ist in letzter Zeit öfter als vorher verkauft wor-den – also nicht der Lack, sondern auch das Auto unten drunter. Lila, Violett oder auch dunkles Pink ist zwar nicht jedermanns Sache, aber wie schon erwähnt, waren bei den Olympischen Spielen in London viele Wettkampfstätten in diesem Farbton gehalten. Vielleicht färbt das in nächster Zeit auch auf Fahrzeuge ab. Ein Hingucker ist so ein Auto auf alle Fälle.

Orange

Auch bei Autos in Orange schaut man hin, dabei müssen die nicht mal aus Holland kommen. Meist sind es Baufahrzeuge vom Straßenbauamt, die von morgens bis abends, also von Sunrise- bis Sundown-Orange. Im PKW-Bereich ist Orange dagegen sehr selten, das sollte auch so bleiben. Es reicht, wenn die Schutzwesten in dem Farbton gehalten sind.

Nun gibt es in Sachen Autolack nicht nur schnöde Farben in uni, auch hier schreitet die Entwicklung fort. Metallic-Lackierungen sind schon zur Norma-lität geworden, ebenso Perl-Effekte. Schon wieder weniger zu sehen sind die sogenannten Chamäleon-Lacke, die je nach Lichteinfall und Betrachtungswinkel bis zu sieben unterschiedliche Farbtöne hervorzaubern konnten.

Inzwischen haben japanische Fachleute einen selbstreparierenden Lack entwickelt. Ein kleiner Kratzer kratzt dort den Fahrer nicht mehr.

Allerdings ist so ein Autolack letztendlich auch nur ein Mensch und wird mit zunehmendem Alter ebenso matt und grau. Dann könnten zum Beispiel Karbonfolien helfen, die selbst einen fast schon wertlosen Kleinstwagen so aussehen lassen, als würde die Karosse aus nicht gerade billiger Kohlefaser bestehen.

Noch teurer sind Speziallackierungen wie zum Beispiel die an einem Porsche in Russland, den sein Besitzer mit Goldplättchen im Wert vom 400.000 Euro überziehen ließ. Den Vogel schoss aber ein Autotuner ab, der einen Lack mit echten Diamanten entwickelte.

Aber egal, ob nun ein Auto einfach nur mit Rostschutzfarbe aus dem Baumarkt oder mit Splittern von Diamanten überzogen ist – Hauptsache, es fährt.

WASCHEN, LEGEN, FÖHNEN

Der Mensch wäscht, duscht, rasiert und frisiert sich, und behandelt seine Haut mit den verschiedensten Produkten wie Cremes, Lotions und anderen Schmiermitteln. Und weil ein Auto bekanntlich auch nur ein Mensch ist, sollte man mit seinem PKW das Gleiche tun, bis auf das Rasieren vielleicht. Obwohl: So ein Eiskratzer ist letztendlich auch nur so etwas wie ein Rasierapparat.

Denn nicht nur der Mensch, auch das Auto ist dem Staub und Schmutz, den ein Aufenthalt in der freien Natur nun mal mit sich bringt, ausgeliefert. Nun soll es ja Leute geben, die mit Tieren nach dem Prinzip „Wie du mir, so ich dir" umgehen. Wenn solche Menschen von einer Katze angefaucht werden, fauchen sie zurück. Beim Bellen eines Hundes zahlen sie ebenso mit gleicher Münze zurück, nur wenn sich ein Vogel auf ihren Kopf erleichtert, werden sie dem oben angeführten Prinzip untreu. Wie sollten sie das auch anstellen?

Weil alles Gute von oben kommt, treffen Amsel, Drossel, Fink und Star, vor allem aber Tauben nicht nur die Köpfe der Menschen, sondern auch deren oft unter Bäumen geparkte Fortbewegungsmittel. Und damit fängt das Dilemma an. Vogelkot frisst sich bereits innerhalb von drei Stunden in den Lack ein. Je länger der auf dem Dach oder der Motorhaube bleibt, desto tiefgehender und nachhaltiger wird seine Wirkung. Am liebsten lassen Vögel ihre Hinterlassenschaften übrigens auf rote Autos fallen. Wenn Sebastian Vettel in seiner Red-Bull-Büchse also vor sich hin schimpft: „Sch... Ferrari", dann muss er nicht unbedingt seinen Konkurrenten Fernando Alonso meinen.

Nein, man vermutet, dass die Vögel zumindest bei der Balz von bestimmten Farben regelrecht angezogen werden, und Rot ist nun mal die Farbe der Liebe.

Am besten bekommt man die Flecken übrigens mit Speisesoda oder Natron weg. Aber das Zeug bitte vorher mit Wasser vermischen, dann auftragen und hinterher gründlich aufwischen! Am hartnäckigsten sind dabei nicht die dicken Fladen von Möwen, sondern her die kleinen Spritzer von Getreide fressenden Vögeln. Die sind eben von echtem Schrot und Korn. Damit das Auto immer schön sauber aussieht, muss man aber nicht unbedingt selbst Hand anlegen. Dafür haben vor mehr als 50 Jahren die beiden Augsburger Johann Sulzberger und Gebhard Weigele die erste automatische Waschanlage, ein Modell mit zwei Bürsten, zum Patent angemeldet. Heute gibt es in Deutschland knapp 2.000 Waschstraßen und mehr als 15.000 Anlagen, in denen das Auto steht und sich die Bürsten bewegen.

Was nun besser ist, eine automatische Wäsche oder die gute alte Handarbeit, darüber werden sich Männer noch ewig streiten. Für Frauen ist der Fall klar, sie nutzen bei der Säuberung von Kleidung schon lange Maschinen, nur besonders empfindliche und edle Teile werden noch ganz vorsichtig per Hand durch das Wasser gezogen.

Allerdings ist das Auto für so manchen Mann eben sein wertvollstes und edelstes Stück, allerdings haben Experten festgestellt, dass Frauen ihre Autos genauso oft pflegen wie Männer. Da staunt Otto Normalverbraucher und fragt: „Was denn? Öfter nicht?" Gelegentlich sieht man Fahrzeuge, die eigentlich nur noch vom Schmutz darauf zusammengehalten werden. Für diese Autos wäre jede Fahrt in eine Waschanlage das Ende.

Aber auch so ist eine Automatik-Wäsche nicht ganz ohne. Vorher sollte man die Antenne einfahren oder abschrauben, sonst ist sie hinterher vielleicht sauber, aber nicht mehr dran. Auch alle Türen, Fenster und Schiebedächer sind vor der Wäsche zu schließen, sondern bekommt man danach beim Öffnen der Tür nasse Füße, von den Wasserschäden im Innenraum mal ganz zu schweigen.

Gerade bei solchen Waschstraßen sollte man vorher alles beachten, dann hat man danach keinen Stress, der durchaus schon mal vor Gericht enden kann. Dann hilft nur noch ein guter Anwalt.

Auch sollte man im Herbst vor der Fahrt in die Waschanlage das Laub aus dem Motorraum fegen. Sonst läuft erstens das Wasser nicht richtig ab, und zweitens kann sich dann im Motorraum Humus bilden. Am Ende hat man dann zwischen Batterie, Motorblock und Co. Neben den Kabel- auch noch Laubbäume.

Aber vom Baum gefallene Blätter können auch ohne Wäsche Schaden anrichten, zum Beispiel verstopfen sie die Lüftungsanlage. Deshalb raten Experten, das Laub regelmäßig zu entfernen, auch wenn Beamte dafür Stunden brauchen sollten, weil sie ja – berufsgeschädigt, wie sie sind – jedes Blatt einzeln knicken, lochen und abheften.

Außerdem könnten mit den welken Blättern auch Insekten bzw. deren Überbleibsel auf das liebe Auto fallen und dort Schäden anrichten. Deshalb schützt man das Fahrzeug nach dem Waschen am besten mit einer Schicht Wachs. Dass ausgerechnet Bienenwachs gegen Insekten schützt, wurde noch nicht festgestellt, aber die chemische Industrie bietet genug Auswahl an entsprechenden Produkten.

Das teuerste Autowachs der Welt kommt übrigens aus Brasilien, es enthält eben dieses Bienenwachs, dazu Palmenwachs und verschiedene Fruchtöle. Es kostet, nebenbei gesagt, satte 30.000 Euro. Damit wäre das Produkt zur Oberflächenpflege bei vielen Autos teurer das ganze Untendrunter. Aber das soll ja auch bei einigen Menschen nicht viel anders sein. Aber egal, ob es nun ein mit Vogelkot besprenkelter, schmutziger Gebrauchtwagen ist, oder eine niegelnagelneue und blank polierte Luxuskarosse ist, nur eines zählt: „Hauptsache, es fährt."

130

Ich bin ein Autobahn-Schild.
Ich mache manchen ganz wild.
Denn auf mir steht „130".
Nachts strahle ich fleißig.
Doch ich werde oft ignoriert.
Früher hat die Polizei kontrolliert.
Doch die hat einen Engpass beim Personal.
Für mich ist das Leben jetzt eine Qual.
Ich kann eben nicht aus meiner Haut.
Warum hat man mich nicht mit abgebaut?

In der Regel gibt es Regeln

Die Straßenverkehrsordnung legt laut Gesetz die Regeln für sämtliche Teilnehmer am Straßenverkehr fest. Das wurde irgendwann notwendig, als es immer mehr Kraftfahrzeuge gab, die bis dahin fuhren, wie sie wollten. Die derzeit in Deutschland gültige StVO stammt aus dem Jahr 1934, ist aber mehrfach erweitert und modernisiert worden.

Oberstes Gebot ist nach wie vor die Vorsicht und die gegenseitige Rücksichtnahme, das war hierzulande schon zu DDR-Zeiten so und hat sich auch mit der Wende nicht geändert, obwohl es seitdem ganz andere Autos und auch ganz andere Fahrer gibt. Trotz dieses Gebotes sind deutschlandweit acht von zehn Autofahrern der Meinung, dass im Verkehr auf der Straße zuwenig Rücksicht genommen wird. Das hat jeder schon mal festgestellt, wenn vor ihm auf der Autobahn ein Autofahrer mit Hut auf dem Kopf und umhäkelter Klorolle am Heckfenster mit 160 ganz links dahinschleicht und einfach nicht nach rechts fahren will.

Gut, zurück zur StVO: Der erste Teil des Gesetzeswerkes regelt das Verhalten, wie zum Beispiel die Straßennutzung an sich, die Geschwindigkeitsbegrenzungen, den Abstand, das Überholen, die Vorfahrt, das Abbiegen, das Halten und Parken. Im zweiten Teil geht es um die Verkehrszeichen und andere Verkehrseinrichtungen, im dritten Abschnitt sind die Durchführungs- und Bußgeldvorschriften zu finden. Da steht aber nicht drin, wie viel eine Kommune pro Jahr an Bußgeld einnehmen muss.

Die StVO wäre kein richtiges Gesetz, wenn es nicht auch Ausnahmen gäbe – und die gibt es. Bundeswehr, Polizei, Feuerwehr, Katastrophenschutz, Müllabfuhr, Straßenreinigungsfahrzeuge, der Zoll- und der Rettungsdienst sowie Radiomoderatoren im Einsatz sind laut Paragraph 35 in bestimmten Fällen von der StVO befreit. Nein, schön wäre es, wenn wir auch dabei wären, aber es ist leider nicht so.

Ein anderer Paragraph regelt zum Beispiel, dass ein Auto immer dort angemeldet sein muss, wo es am meisten benutzt wird. Liegt der hauptsächliche Einsatzort im Ausland, muss das Auto auch dort angemeldet werden. Eine Ausnahme bilden nur die Frauen-Autos, die hauptsächlich in der Werkstatt sind.

Erste Grundlage für das Fahren von Autos ist natürlich erst einmal der Führerschein. Das Konzept eines Führerscheins gibt es schon seit mehr als einem Jahrhundert. 1888 wurde so etwas wie eine Fahrerlaubnis zuerst in Preußen eingeführt, 1901 gab es die ersten behördlichen Prüfungen dafür, und zwar in Österreich. In Frankreich mussten die ersten Führerscheine auch gleich das Foto des Fahrers haben. Heute ist eher anders herum. Man wird auf der Straße fotografiert, und dann ist der Lappen weg. Wohl dem, der mehrere davon hat.

Nein, heute ist der Erwerb eines Führerscheins in Deutschland schon mit 17 Jahren möglich, allerdings schließt sich darin eine einjährige Begleitphase an, bei der eine erwachsene Person, die logischerweise auch einen Führerschein haben muss, daneben sitzt und notfalls korrigierend wirken kann. Wer verheiratet ist, hat das Problem ein Leben, oder zumindest eine Ehe lang.

So etwas wie eine Testphase gibt es aber auch bei Verkehrsschildern. Diese schmückenden Beiwerke an den Rändern der Straßen werden immer mehr. Ingesamt gibt es laut StVO 650 verschiedene Zeichen, die sich in 1.800 Kombinationen zusammenstellen lassen. Alles in allem stehen heute etwa 25 Millionen Schilder aller Art an unseren Straßen. Statistisch gesehen grüßt uns also alle 25 Meter so ein Schild. Da fragt man sich wirklich, wie man eigentlich noch auf den Verkehr auf der Straße achten soll. Manche Experten sagen, dass jedes zweite Schild unnötig sei, und wir ergänzen dazu, vor allem diese runden Schilder, auf denen so eine schwarze Zahl im roten Kreis steht, brauchen wir eigentlich nicht. Es geht aber auch völlig ohne Schilder. Im niederländischen Ort Drachten hat man ein Experiment gestartet. Dort rollt der Verkehr völlig ohne Regeln, die Teilnehmer verständigen sich per Blickkontakt, und das funktioniert auch. Der kleine deutsche Ort Bohmte bei Osnabrück hat vor einigen Jahren mit dem „Shared Space" genannten Projekt nachgezogen und testet den regellosen Verkehr ebenfalls. Das darf man aber nicht mit zügellosem Verkehr verwechseln, das ist etwas völlig anderes.

In kleinen Orten kann so ein Verkehr ohne Schilder, Ampeln, Fußgängerüberwege usw. erfolgreich rollen, aber in größeren Städten wohl eher nicht. Dort gibt es einfach zu viele Blinde auf den Straßen. Das zumindest sagen die Autofahrer über die Radfahrer, die Radfahrer über die Fußgänger, und die Fußgänger über die Autofahrer, dabei sind Trucker, Biker und Straßenbahnfahrer noch nicht mal dabei.

Ohne Schilder und Ampeln wird das in Städten nichts. Obwohl: Als in Berlin die ersten Ampeln in Betrieb gingen, kam es zu einem Verkehrschaos. Vermutlich waren die Leute rotes Licht an der Straßen aus anderen Gründen gewöhnt, hielten danach an so einer rot leuchtenden Ampel an, stiegen aus und suchten das neue Etablissement mit den leichten Damen.

Nein, aber Rot, Grün und Gelb sind eben manchmal nicht nur politisch gesehen, schwer unter einen Hut zu bringen. Gerade die Ökos unter den Autofahrern sagen ja, dass in jeder Farbe etwas Grün enthalten sei. Andere sprechen von Grün, Zitronen- und Kirschgrün.

Nein, bei Rot heißt es Halt! Übrigens darf man an einer roten Ampel auch im Auto telefonieren, aber man muss den Motor abstellen. Ansonsten kostet es Bußgeld, egal, ob das Auto nun steht oder fährt. Aber die Regelung ist ohnehin nur für Männer interessant, Frauen würden es nie schaffen, ein ganzes Gespräch während einer Ampelphase abzuwickeln.

Da hilft es auch nicht, zu behaupten, man habe das Handy nur als Wärmespeicher gegen Ohrenschmerzen benutzt oder es als Stütze für den Unterkiefer genommen. Da fällt auch den Polizisten vor Lachen der Unterkiefer herunter.

Übrigens dürfen nicht nur Polizisten für Ordnung auf der Straße sorgen. Im vogtländischen Plauen wurden vor einiger Zeit auch Feuerwehrleute zu Politessen umgeschult. Die Brandbekämpfer dürfen nun auch Falschparker aufspüren. Wenn sie einen gefunden haben, wird dessen Auto aber nicht abgeschleppt, vermutlich wird es einfach weggespült.

Parken ist eben manchmal ein Problem, vor allem dann, wenn es nicht genug freie Parkplätze gibt. Da stellt man sein Auto schon mal in eine Verbotszone. Diese Halte- und Parkverbotszonen sollen demnächst nicht mehr ausgeschildert, sondern nur noch mit farbigen Streifen am Fahrbandrand gekennzeichnet werden. Ein roter Strich ist dann vermutlich für maximal eine halbe Stunde ausgelegt, länger braucht ein Mann dafür eigentlich nicht.

Verkehrsvergehen passieren nun mal, man soll sich aber nicht herausreden, sondern im Zweifelsfall gar nichts sagen. Das raten zumindest Experten. Nach ihrer Ansicht kann die Aussage, dass man wegen Zeitdruck zu schnell gefahren sei, so ausgelegt werden, als ob man die Geschwindigkeitsbegrenzung in vorsätzlicher Handlung übertreten habe. Und das kann verdammt teuer werden. Am besten schweigt man also oder sagt nur: „Mein Name ist Hase, ich weiß von nix." Noch besser wäre: „Ich habe gar kein Auto", aber dazu sollte man vorher vielleicht aus dem Wagen aussteigen.

Manche haben wirklich kein Auto oder keinen Führerschein, die fahren dann mit anderen Verkehrsmitteln. Manche bauen sich auch selbst etwas zusammen. So hat die Polizei in der Pfalz einen rollenden Hühnerstall gestoppt. Vermutlich ist den Beamten aufgefallen, dass das Gefährt einfach nur geeiert ist. Viele fahren auch Rad. Aber auch die Radfahrer müssen sich an die StVO halten, sie bekommen für Vergehen ebenfalls Punkte in Flensburg. Genauso wie bei den Autofahrern ist auch Alkohol und das Handy bei Radfahrern tabu. Eigentlich ist das logisch, denn wenn man beim Radeln eine Bierflasche und ein Handy in den Händen hat, womit will man dann lenken?

In Flensburg sind übrigens neun Millionen Menschen registriert, und dabei sind die Kunden von Beate Uhse noch gar nicht mit eingerechnet. An der Verkehrssünder-Datei soll sich demnächst zwar etwas ändern, aber die Namen bleiben bekannt, und zwar nicht nur der Behörde, sondern auch den Staatsanwälten. Angeblich sollen einige von denen sogar dazu übergegangen sein, die eigentlich zur Terrorabwehr gedachte Kontenabfrage auch bei Verkehrssündern anzuwenden. So könnten theoretisch noch höhere Strafgelder eingetrieben werden.

Natürlich hat das theoretisch auch den Vorteil, dass Leuten mit einem Minus auf dem Konto nach dem Blitzen 30 Euro ausgezahlt werden. Nein, das wäre aus Sicht des Staates wohl eine kranke Idee.

Im Krankheitsfall muss man im Straßenverkehr besonders vorsichtig sein. So ist es zum Beispiel verboten, mit einem Gipsarm Auto zu fahren, ein Bleifuß ist dagegen erlaubt. Nein, viele Medikamente beeinträchtigen die Reaktionsfähigkeit des Autofahrers, so steht es zumindest auf dem Beipackzettel. Aber es gibt wirklich Medizin, die Wirkstoffe hat, nach deren Einnahme man besser die Hände vom Steuer lässt. Im Zweifelsfall sollte man lieber einen Arzt fragen, ehe man nach einem Crash bei einem Arzt im Krankenwagen liegt.

Nun plant das Bundesverkehrsministerium, für Schlafkranke ein Fahrverbot auszusprechen. Es gibt ja Leute, die plötzlich und unvermittelt von einer Sekunde auf die andere einschlafen. Gegen diesen Plan wollen nun die Beamten angeblich Sturm laufen, obwohl Beamte im Sturmlauf schon ein Widerspruch an sich sind.

Auch die StVO ist manchmal widersprüchlich, deshalb wird sie gelegentlich, um nicht zu sagen ständig, durch neue Teilparagraphen und Durchführungsbestimmungen, manchmal auch durch neue Schilder ergänzt.

So ist zum Beispiel unnützes Hin- und Herfahren in einer geschlossenen Ortschaft mit einer Strafe von 20 Euro belegbar. Allerdings fragt sich, was unnützes Fahren ist. Meist trifft es dann zu, wenn der Weg umsonst war.

Nun gibt es bekanntlich Personen im Staate, von denen man nur weiß, dass sie nicht beleidigt werden dürfen. Aber auch Politessen und Polizisten reagieren sauer, wenn sie mit Schimpfworten bedacht werden. Meist zieht das eine Strafe nach sich, die genau festgelegt ist.

So kostet die Aufforderung „Leck mich doch" 300 Euro, obwohl das nie ernst gemeint ist, weil ja keiner daran glaubt, dass der Aufforderung seitens der Amtsperson wirklich nachgekommen wird.

Bei anderen unflätigen Bemerkungen gibt es sogar relativ feine Nuancierungen in der Bußgeldhöhe. So sind „Kasper". Wichtelmann" und „Wichser" mit 1.000 Euro in einer Preiskategorie, während der „Raubritter" um die Hälfte teuer wird. Am billigsten kommt man noch „Du armes Schwein" weg, das zieht 350 Euro aus dem Portemonnaie. „Du blödes Schwein" kostet dagegen schon 475 Euro und „Du alte Sau" gar 2.500 Euro. Das zeigt uns, dass arm am preiswertesten ist und „alt" den fünffachen Wert von „blöd" hat. Aber „Du alte Sau" sagt man auch nicht, man wirft einer uniformierten Amtsperson einfach nicht ihr Alter vor.

Wer aber einem Polizisten zuruft: „Herr Oberförster, zum Wald geht es da lang", der macht sich laut einem Gerichtsurteil aus Berlin keines Vergehens schuldig. Vermutlich hat der Beklagte bei seinen Worten auch in die richtige Richtung gezeigt.

Weil wir gerade bei Oberförster sind: Vor einiger Zeit hat sich auch der Vatikan Gedanken um die Ordnung und Sicherheit auf den Straßen gemacht. Schließlich ist auch der Heilige Vater gelegentlich auf den Straßen mobil, deswegen heißt sein Dienstauto auch Papamobil.

Der Heilige Stuhl hat vor einiger Zeit „Zehn Gebote für Autofahrer" veröffentlicht. Darin heißt es u.a.: „Du sollst dein Auto nicht als Ort der Sünde nutzen." Gut, aber wenn sich anderswo einfach keine Gelegenheit ergibt, oder das frisch verliebte Paar partout nicht mehr warten will, bis es zu Hause ist, übergeht man das Gebot schon mal. Hinterher kann man immer noch Heinrich Heine zitieren, der mal sagte: „Gott wird mir schon vergeben, das ist schließlich sein Geschäft." Ebenso soll man, wie der Vatikan schreibt, hinter dem Steuer nicht fluchen. Aber im Stau muss man seiner Wut gelegentlich mal freien Lauf lassen, wenn man wie Martin Luther sagt: „Hier stehe ich und kann nicht anders."

Aber der Papst sagt auch, dass man sein Auto regelmäßig zum TÜV bringen soll. Darum erklärt es sich auch, dass so manche Werkstatt auf die Frage eines Kunden, ob die Karre noch mal durchkommt, antwortet: „So Gott will."

Aber auch wir zwei haben uns zum Thema StVO mal Gedanken gemacht, wie man den Staat unterstützen, und zwar nicht die StVO, aber zumindest die Führerscheinprüfung auf den neuesten Stand bringen kann. Zwar sind die Prüfungen schon mit Computertechnik modernisiert worden, aber das allein reicht nicht. Man muss auch noch an den Inhalten arbeiten. Die Fragen sind zwar in Ordnung, aber unseres Erachtens die Antworten nicht. Deswegen haben wir die ab sofort gültigen Antworten auf spezielle Fragen der Prüfung nachfolgend aufgelistet.

1. Frage: Welche Mängel an einem Fahrzeug können zu einer Gefährdung des Straßenverkehrs führen? Richtige Antwort: Wenn eine Frau fährt, die blond ist und einen Hut trägt.

2. Frage: Welche Bedeutungen haben die Weisungen von Polizeibeamten?

Richtige Antwort: Die bringen meist Ärger mit sich.

3. Frage: Was kann die Aufmerksamkeit des Kraftfahrers im Straßenverkehr beeinträchtigen?

Richtige Antwort: Der Ärger über die Benzinpreise, ein heißes Fahrgestell am Straßenrand oder der Moment, in dem die Frau auf dem Beifahrersitz Luft an ihre Airbags lässt.

4. Frage: Wodurch kann bei langer Fahrt einer Ermüdung vorgebeugt werden?

Richtige Antwort: Durch das Schweigen der mitfahrenden Ehegattin.

5. Frage: Warum sollen Sie scharfes Anfahren vermeiden?

Richtige Antwort: Damit es mir die Augen nicht hinten aus dem Kopf drückt.

6. Frage: Wie müssen Sie sich verhalten, wenn Sie in eine Baustelle oder ein Gewerbegebiet einfahren?

Richtige Antwort: Sofort anhalten, aussteigen und nach Arbeit fragen.

7. Frage: Sie nähern sich einer Schule. Schüler verlassen das Schulgebäude. Womit müssen Sie rechnen?

Richtige Antwort: Dass einige Schüler sitzen bleiben und später auf der Straße liegen.

8. Frage: Sie biegen von einer hell beleuchteten Straße in eine unbeleuchtete Straße ein. Was müssen Sie beachten?

Richtige Antwort: Fenster schließen und Gas geben – dort könnten dunkle Gestalten wohnen.

9. Frage: Sie fahren auf einer Fahrbahn mit zwei Fahrstreifen. Wie verhalten Sie sich, wenn Sie überholt werden?

Richtige Antwort: Kampflinie fahren, ausbremsen und Stinkefinger zeigen.

10. Frage: Welche Gefahren entstehen durch Aquaplaning?

Richtige Antwort: Langsame Sonntagsfahrer könnten dort festfrieren.

11. Frage: Was haben Sie am Tag bei plötzlich auftretendem Nebel zu tun?

Richtige Antwort: Genau schauen, wo der kaputte Kleinwagen stehen geblieben ist.

12. Frage: Sie nähern sich Kindern, die auf dem Gehweg Ball spielen. Wie verhalten Sie sich?

Richtige Antwort: Sofort anhalten und fragen, wer das letzte Tor geschossen hat.

13. Frage: An welchen Stellen ist das Reißverschlussverfahren anzuwenden?

Richtige Antwort: An der Freundin auf der Rückbank.

14. Frage: Was kann unter anderem eintreten, wenn Personen auf den hinteren Sitzen die Sicherheitsgurte nicht anlegen?

Richtige Antwort: Eine Schwangerschaft.

15. Frage: Sie fahren auf einer Straße durch bewaldetes Gebiet. Womit müssen Sie rechnen?

Richtige Antwort: Dass die Straße plötzlich endet, weil nicht genügend Geld zum Weiterbau da war.

16. Frage: Wovor kann ein gelbes Blinklicht auf einem Fahrzeug warnen?

Richtige Antwort: Dass gleich die Sonne untergeht.

17. und letzte Frage: Vor ihrem Fahrzeug flüchten mehrere Rehe über die Straße. Womit müssen Sie rechnen?

Richtige Antwort: Dass noch mehr Rehe kommen, erst das letzte Tier des Rudels muss laut StVO einen roten Schwanz haben.

HÄNDE WEG VOM STEUER

Experten haben festgestellt, dass sich in den letzten Jahren beim Thema Alkohol im Straßenverkehr eine Veränderung im Denken der Menschen vollzogen hat. Beim Glauben ist das etwas anderes, wie der Fall der norddeutschen Bischöfin Margot Käßmann zeigte. Aber Ausnahmen bestätigen die Regel.

Früher war es mehr oder weniger nur ein Kavaliersdelikt, sich nach einem feuchtfröhlichen Abend ans Steuer zu setzen und selbst nach Hause zu fahren. Heute sind laut einer Umfrage etwa 60 Prozent der Deutschen für ein absolutes Alkoholverbot am Steuer bzw. Lenker. Trotzdem stellt man bei Kontrollen fest, dass fast jeder zehnte Verkehrsteilnehmer mehr getrunken hat, als es erlaubt ist.

Aber was ist denn nun erlaubt? Es gibt in Deutschland einige Grenzwerte, die zum Teil auch schon ohne Alkoholeinwirkung verwirrend sein können. Deshalb führen wir hier mit germanischer Gründlichkeit die nüchternen Zahlen auf.

Für Fahranfänger, also alle, die in der Probezeit sind, und für alle, die unter 21 Jahre alt sind, gilt eins, und zwar die Null, genauer gesagt sogar 0,0 Promille. Das „A" an der Heckscheibe heißt also nicht Alkohol.

Dann hätten wir die 0,3-Promille-Grenze, bei der schon eine Gefährdung des Straßenverkehrs vorliegen kann, obwohl offiziell 0,5 Promille erlaubt sind. Wer also mit einem Wert zwischen 0,3 und 0,5 Promille Alkohol im Blut an einer gefährlichen Situation oder gar einem Unfall beteiligt ist, kann wegen Trunkenheit im Verkehr oder Gefährdung des Straßenverkehrs zur Rechenschaft gezogen werden. Ab 0,5 Promille liegt generell eine Ordnungswidrigkeit vor, auch wenn nichts passiert ist. Bei 1,1 Promille beginnt laut Gesetz die absolute Fahruntüchtigkeit, bei Radfahrern sind es immerhin noch 1,6 Promille. Wer mit einem solchen Wert auf zwei Rädern in einer scharfen Kurve die Balance noch halten kann – Glückwunsch!

Selbst das Radfahren kann einem in so einem Fall verboten werden, auch dann, wenn man gar keinen Führerschein hat. Also sollte man auch beim Radeln nicht allzu viele Radler trinken.

Im Zweifelsfall kann man die im Internet verfügbaren Promille-Rechner bemühen, oder es sein lassen, denn die Ergebnisse sind unverbindlich. Jeder Mensch ist anders und baut den Alkoholgehalt im Blut verschieden schnell ab. Wer nichts verträgt, sollte ohnehin nicht mehr fahren, vielleicht auch gar nichts trinken. Man kann auch zu Fuß oder auf allen Vieren in heikle und gefährliche Situationen geraten.

Aber eines ist noch nie vorgekommen, und zwar, dass die Polizei einem betrunkenen Fußgänger die Schuhe weggenommen und ihm das Laufen verboten hat.

Aber hier geht es um das Fahren im Straßenverkehr. Auch wenn Günther Beckstein, seinerzeit bayrischer Ministerpräsident, mal meinte, dass man nach zwei Maß Bier noch mit dem Auto fahren könne – Vorsicht! Man sollte bei Aussagen von Politikern generell vorsichtig sein, aber hier hat sich einer aus der Branche verrechnet. Wer weiß, vielleicht hatte er schon zwei Liter Bier intus, als er das sagte.

Sicherlich mag es Leute geben, die nach zwei Litern Bier und einer kurzen Wartezeit ihren Alkoholpegel wieder unter die gesetzliche Grenze gedrückt haben, wenn wir es mal so ausdrücken wollen. Aber generell sollte man sich am besten schon vorher entscheiden, was man tun möchte – Trinken oder mit dem Auto fahren.

In nicht mehr nüchternen oder gar zurechnungsfähigem Zustand könnte diese Entscheidung falsch ausgehen.

Alkohol enthemmt bekanntlich auch, anders ist es nicht zu erklären, dass ein betrunkener Autofahrer in Leipzig aus Wut über einen platten Reifen die Heckscheibe seines Wagens einschlug. Er wurde mit 1,3 Promille dem öffentlichen Verkehr für eine Weile entzogen. Hinterher soll er sich aber gesagt haben: „Ich muss doch eine Scheibe gehabt haben." Zu spät …

Selbst als Beifahrer ist man vor Strafen nicht gefeit. So reckte im thüringischen Pößneck ein Beifahrer seinen nackten Hintern aus dem Seitenfenster. Leider konnte er dabei die Polizisten daneben nicht sehen, die ihn daraufhin wegen Erregung öffentlichen Ärgernis am A… hatten.

Was mit dem Mann in den USA passiert wäre, kann man nur ahnen. Die US-Cops sind etwas härter gestrickt. In Amerika kann man nicht nur deswegen, sondern auch bei Überschreitung der in Bundesstaat von Bundesstaat verschiedenen Alkohollimite ins Gefängnis geworfen werden – und das vermutlich sogar im wahrsten Sinn des Wortes.

In den meisten Bundesstaaten über dem Großen Teich gilt übrigens ein Grenzwert von 0,8 Promille, genauso wie immer noch in Großbritannien. Der Rest von Europa ist in der Sache viel nüchterner geworden. Dabei war England mal der Vorreiter in Sachen Alkohol am Steuer. In London wurde mit dem Taxifahrer George Smith am 10. September 1897 der erste Verkehrsteilnehmer wegen Trunkenheit am Steuer verurteilt.

Damit es Ihnen nicht genauso geht: Bei Alkohol Hände weg vom Steuer! Aber nicht dass jetzt jemand meint, er könne nach zehn Bier freihändig nach Hause fahren. Das geht garantiert ins Auge.

Apropos Auge: In Frankreich wurde ein Blinder verurteilt, weil er betrunken mit einem Auto gefahren ist. Gelenkt bzw. geleitet wurde er von einem befreundeten Fotografen auf dem Beifahrersitz. Ob wenigstens der nüchtern war, ist nicht bekannt, aber er musste auch gleich mit vor den Kadi. Ob es genau der Vorfall war, der Frankreichs Regierung dazu bewog, ein Gesetz zu beschließen, nachdem jeder Autofahrer einen Alkohol-Schnelltester dabei haben muss, wissen wir nicht. Aber bekannt wurde, dass die Dinger in der ersten Zeit nicht ausreichend zur Verfügung standen und auch bei großer Hitze ungenau sind. Das größere Problem an der Sache, so sagen Kritiker, ist aber, dass Betrunkene ja genau wüssten, dass sie nicht mehr nüchtern sind, und die Geräte deshalb nicht anrühren, sondern sie sich für nüchterne Tage aufheben. Allerdings wissen sie dann auch, dass sie nichts getrunken haben.

Alles hat eben zwei Seiten, auch die von vielen gewünschte Null-Promille-Grenze. Dann müsste man auf so manche Speise oder viele Medikamente verzichten, in denen geringe Mengen an Alkohol enthalten sind.

Kurz gesagt: Im Zweifelsfall sollte man das Auto stehen lassen, oder einen Anderen fahren lassen. Nur sollte man sich vergewissern, dass der dann auch nüchtern und fahrtauglich ist – falls man das noch kann …

Nein, im Ernst: Das Schlimme am Alkohol am Steuer ist, dass man im betrunkenen Zustand nicht nur sich, sondern auch Andere gefährdet. Und die haben es einfach nicht verdient, wegen so einer Sache im Krankenhaus oder gar auf dem Friedhof zu landen. Das ist einer der Gründe, warum in den letzten Jahren ein Umdenken eingesetzt hat – ein Fakt, dem wir uns nur anschließen können und auch wollen.

Wer meint: „Hauptsache, es dreht", der sollte besser die Finger von Sachen lassen, bei denen es heißt:
„Hauptsache, es fährt."

Freie Fahrt für freie Bürger –
Die Autobahn

Was ist das überhaupt, eine Autobahn? Erstens sollte
man sie nicht mit einem Autoreisezug verwechseln,
aber zweitens stand die Eisenbahn bei der Namensge-
bung der Autobahn doch Pate. Sonst hieße sie heute
vermutlich so, wie ursprünglich in den 20er Jahren
des vorigen Jahrhunderts vorgesehen „Nur-Auto-
Straße". Gut, dass es nicht so gekommen ist, sonst
würden sich Trucker und Biker diskriminiert fühlen.
So können sie mit dem Begriff Autobahn leben, auch
wenn sie gelegentlich von ihrem LKW oder Motorrad
herunter auf die Autofahrer schimpfen.
Um gleich einmal mit einer Legende aufzuräumen:
Das Wort Autobahn stammt nicht von Adolf Hitler,
der Begriff wurde schon 1932 verwendet, als man
die „HaFraBa" plante, eine Verbindung von den
Hansestädten im Norden über Frankfurt am Main
bis runter in das schweizerische Basel. Gebaut wurde
dann aber nur eine Fernverkehrsstraße von Frankfurt
über Darmstadt bis nach Heidelberg. Aber „FDH"
konnte man sie nicht gut nennen, dann schon lieber
„Autobahn".
Eine Fernverkehrsstraße – genau das ist eine Autobahn. Sie dient ausschließlich dem Schnellverkehr

und dem Gütertransport mit Kraftfahrzeugen. Schwache Fahrzeuge, die langsamer als 60 km/h sind, dürfen sie nicht benutzen. Eine Autobahn hat in Deutschland zwei Richtungsfahrbahnen mit je mindestens zwei Fahrstreifen. Meist gibt es noch einen Standstreifen für die Pannenfahrzeuge. Nicht lästern, es kann jeden mal erwischen …

Getrennt sind die Fahrbahnen durch einen Mittelstreifen, der durch Planken oder Betonwände gesichert ist. Es gibt keine Kreuzungen mit Vorfahrtsregelungen. Übergänge an Autobahnkreuzen oder -Dreiecken erfolgen über Brücken oder durch Unterführungen. Gelegentlich fährt man aber auch zwischen den Knoten und Verzweigungen, wie sie in Österreich und der Schweiz heißen, über Brücken oder durch Tunnel.

Allein in Deutschland gibt es 39.000 Autobahnbrücken, von denen ein Großteil sanierungsbedürftig ist. Wir fahren trotzdem darüber, auch wenn mancher ein mentales Problem damit hat. Aber im Prinzip ist dieses Problem eher dentaler Natur. Ein Zahnarzt setzt auch erst eine Brücke ein, wenn die Basis, also die Zähne nicht mehr sanierungswürdig sind. Also heißt es: Zähne zusammen beißen und drüber!

Bei den Tunneln sieht es etwas besser aus, zumindest in Deutschland. Allerdings hat der ADAC festgestellt, dass viele Tunnel in Europa nicht mehr ganz so sicher sind, wie sie sein sollten. Bei einem Test fiel jeder fünfte Tunnel durch. Aber trösten wir uns damit: Durchgefallen ist bei einem Tunnel immer noch besser als eingefallen. Also Zähne zusammen-beißen und durch! Aber bitte, ohne die Augen zu schließen.

An der Stelle fällt uns ein, dass wir noch mal durch eine Art Zeittunnel mehr als hundert Jahre zurück fahren müssen, zu den Anfängern der Autobahn. Ein erster Vorläufer der heutigen Schnellstraßen war der ausgerechnet vom „Eisenbahnkönig" Cornelius Vanderbilt 1908 im US-Staat New York gebaute Long Island Motor Parkway, auch als Vanderbilt Parkway bekannt. Nur wurde damals mehr gefahren als geparkt. Heute soll das in New York anders sein. Der Verkehrsweg hatte damals schon geteilte Richtungsfahrbahnen und war kreuzungsfrei gebaut.

Als erste echte Autobahn gilt heute die „Autostrada dei Laghi", deren erster Abschnitt von Mailand nach Varese 1924 privat gebaut wurde und logischerweise gebührenpflichtig war. Die AVUS in Berlin ist zwar noch drei Jahre älter, war aber nur als Test- und Rennstrecke ausgelegt und dem öffentlichen Verkehr nicht zugänglich.

Die erste Autobahn Deutschlands wurde 1932 zwischen Köln und Bonn durch Konrad Adenauer, damals Kölner Oberbürgermeister, eröffnet. Später zog der Mann als erster Bundeskanzler nach Bonn und brauchte die Straße nicht mehr. Ob er damals schon an eine Maut dachte, wissen wir nicht. Aber die kann und muss man heute in vielen Ländern blechen, auch wenn das Fahrzeug aus Plastik sein sollte. Bei dieser Autobahnbenutzungsgebühr gibt es zwei Varianten: Entweder man zahlt sie oder eben nicht.

Nein, entweder gibt es sie zeitabhängig als Vignette oder man wird sein Geld streckenabhängig an den Mautstellen los. Wer schon mal auf einer französischen Autobahn unterwegs war, kennt das. Wenn die Straße breiter wird, sind auch schon die Kassenhäuschen zu sehen.

Bei uns in Deutschland sind nur die LKW mautpflichtig, die Firma Toll Collect treibt diese tolle Kollekte ein. Die geht aber nicht an die Autobahnkirchen, sondern an den Heiligen Vater Staat. Autobahnkirchen sind bei uns übrigens nicht ganz unumstritten, aber letztendlich auch nur die größere Variante der Holzkreuze, die man in katholischen Gebieten an vielen normalen Straßen und sogar Feldwegen findet. Doch die Gotteshäuser an den Autobahnen haben schon ihren Sinn. Selbst der ungläubigste Heide hat auf der Autobahn bekanntlich nicht nur einmal gebetet.

Gebetsmühlenartig kommt auch in jedem Sommerloch wieder die Diskussion um die PKW-Maut in Deutschland auf. Langsam nimmt das keiner mehr ernst, bis es urplötzlich doch mal Ernst wird. Das Sommerloch wird jedoch auch für weitere „kreatiefe" Ideen in Sachen Straßenverkehr genutzt. Da wollen die Einen eine generelle LKW-Spur auf allen Autobahnen einrichten, das hätte dann den Effekt, dass die Sonntags-PKW-Fahrer auf der mittleren Spur vorwärts kriechen. Andere kamen auf die zündende Idee, auf reichlich einem Drittel unserer Autobahnen elektrische Oberleitungen bauen zu wollen, damit die LKW künftig umweltschonend dieselelektrisch fahren können. Die LKW-Hersteller waren mehr als skeptisch und vermuteten bei den führenden Köpfen dieser Initiative einen Leitungsschaden.

Wer das bezahlen soll, hat man vorsichtshalber erst gar nicht gefragt. Autobahnen sind auch so schon teuer genug. Ein einziger Kilometer Neubaustrecke kostet etwa 27 Millionen Euro, und dann hält diese Bahn auch nur eine gewisse Zeit.

Gerade in Mitteldeutschland hat man mit dem Betonkrebs zu kämpfen. Auf der A 14 zwischen Halle und Magdeburg ist die Sache besonders prekär, dort muss es sich um eine Art Darmkrebs handeln: „Vor wenigen Jahren erst gebaut und schon im A…"

Wer jetzt behauptet, dass dort Geld einfach verbrannt wurde, weiß gar nicht, wie Recht er damit hat.

Experten wollen herausgefunden haben, dass die erst in einem Stollen in Sachsen-Anhalt eingelagerten, nach der Wende nicht mehr so gefragten DDR-Geldscheine mit einem Nennwert von 100 Milliarden Ostmark aus Sicherheitsgründen verbrannt wurden. Die dabei zurückgebliebene Schlacke, immerhin mehre hundert Tonnen, wurde dann vermutlich als Material beim Bau von Straßen und eben dieser Autobahn eingesetzt. In Wirklichkeit ist also „Erichs letzte Rache" gar nicht der gleichnamige Kräuterlikör, sondern ein Stück Autobahn.

Aber repariert muss nun mal werden, und schon hat man die nächste Baustelle, an der es oft nur sehr langsam vorwärts geht. Die gefühlte Geschwindigkeit ist noch geringer, wenn man auf der Baustelle keinen einzigen Arbeiter sieht. Da hilft es auch nur wenig, wenn wie in Sachsen entlang der Baustelle Smileys aufgestellt werden. Die Einfahrt ist durch einen roten Smiley mit herunter gezogenen Mundwinkeln gekennzeichnet. Aller zwei Kilometer wird der Gesichtsausdruck freundlicher, bis am Ende der eingeengten Strecke ein grüner Smiley mit lachendem Gesicht verkündet: „Geschafft!" Wenn man auf der gesamten Strecke jedoch keinen einzigen Arbeiter sieht, wird das Lächeln des Smileys mehr als diabolisches Grinsen mit einem riesigen Anflug von Schadensfreude wahrgenommen.

Auf der anderen Seite der Medaille steht natürlich, dass Straßenarbeiter ein ziemlich gefährlicher Job ist, den man selbst nicht ausführen möchte, gerade an viel befahrenen Autobahnen. Vermutlich gibt es in Deutschland deshalb mehr Baustellen als Bauarbeiter. Die am meisten befahrene Autobahn hierzulande ist übrigens nicht die, die man selbst nutzen muss, sondern die A 100 in Berlin. Dort quälen sich pro Tag knapp 200.000 Fahrzeuge über den Asphalt. Wenn man nun noch weiß, dass eine vierspurige Autobahn für etwa 70.000 Fahrzeuge pro Tag ausgelegt ist, wird einem klar, dass es dort auch ohne Baustellen einfach zum Stau kommen muss.

Deshalb versucht man der Lage mit Intelligenz Herr zu werden, also durch Verkehrsleitanlagen und Geschwindigkeitsbegrenzungen den Verkehrsfluss möglichst optimal zu gestalten. Zwei Physiker, Kai Nagel und Michael Schreckenberg, haben sich intensiv damit beschäftigt, und das nach ihnen benannte Nagel-Schreckenberg-Modell entwickelt. Sie stellten eine Formel auf, nach der man die Verkehrsdichte vorhersagen kann. Gut, das probieren die Wetterfrösche seit vielen Jahren, aber viel mehr als die Meteorologen werden die zwei Physiker auch nicht daneben legen. Aber die beiden haben erstmals den Stau aus dem Nichts heraus als Folge von Überreaktionen beim Bremsen der vorausfahrenden Verkehrsteilnehmer erklärt. Wenn man jetzt also in so einem Stau steht, weiß man wenigstens warum. Aber in dem Moment hilft das auch nicht viel weiter.

Laut Experten wird der höchste Verkehrsfluss mit bis zu 2.600 Fahrzeugen pro Stunde und Fahrstreifen bei einer Geschwindigkeit von nur 85 km/h erreicht. Aber wer will schon so langsam fahren? 85 Stundenkilometer empfindet man in unserer auf Schnelligkeit ausgelegten Verkehrsgesellschaft mit ihrer Hektik schon als zähfließenden Verkehr, so dass man sich fragt, warum wir so viele Autobahnen haben, wenn es trotzdem nicht schnell genug vorwärts geht.

Unser deutsches Autobahnnetz liegt mit seinen knapp 13.000 Kilometern Länge weltweit auf dem dritten Platz. Nur die USA und China haben mit 75.000 bzw. 45.000 Kilometern von der Länge her mehr zu bieten. Das auf die Einwohnerzahl gerechnet dichteste Autobahnnetz hat interessanterweise jedoch die Insel Zypern. Dort gibt es pro 100.000 Einwohnern 38,6 Kilometer Autobahn. Die USA kommen nur auf 25, Deutschland auf etwa 13.

Auf Zypern, in den USA und den meisten Ländern der Welt existierten Tempolimits auf den Schnellstraßen. Nur in einigen exotischen Staaten wie Bhutan, Vanuatu und Hawaii, von denen man gar nicht weiß, ob sie überhaupt Autobahnen haben, gibt es keinerlei Geschwindigkeitsbegrenzungen – und natürlich bei uns in Deutschland. In Europa kann man sonst nur auf der britischen Isle of Man – und dort selbst auf den Nebenstraßen – so schnell fahren, wie man will. Dazu aber mehr in einem anderen Kapitel. Bei uns gibt es, wenn nichts anderes ausgepreist ist, nur eine Richtgeschwindigkeit von 130 km/h. Diese ist nach Ansicht von Juristen zwar mehr als eine Empfehlung, aber eben nicht verpflichtend. So ist das eben mit der Richterei – Jurastundenten erfahren schon in ihrer ersten Vorlesung, dass Recht haben und Recht bekommen zwei völlig verschiedene Sachen sind.

Doch zurück auf die Straße: Gesetz sind die offiziellen Verkehrszeichen, entweder in althergebrachter Weise neben der Autobahn oder in elektronischer Form über den Fahrbahnen, selbst wenn diese mal bei herrlichstem Wetter und klarster Sicht vor Nebel warnen und Tempo 40 vorschreiben. So geschah es vor einiger Zeit auf der A 2. Des Rätsels Lösung: Nicht die Elektronik hatte gesponnen, sondern echte Spinnen. Die Tiere haben ihre Netze direkt vor den Sensoren gewoben. Oft geht es aber noch langsamer oder gar nicht mehr vorwärts. Im Jahr 2011 gab es auf den deutschen Autobahnen Staus mit einer Gesamtlänge von 450.000 Kilometern und einer

Dauer von insgesamt 185.000 Stunden. Die Autos stauten sich also 21 Jahre lang elf Mal rund um die ganze Welt.

Den bisher längsten Einzelstau der Verkehrsgeschichte gab es jedoch 1980 in Frankreich. Dort ging damals auf der Strecke zwischen Paris und Lyon auf 176 km nichts mehr. Im Jahr 2009 stand im gesamten Verkehrsgebiet von Sao Paulo in Brasilien auf knapp 300 km Straßen alles still.

So weit sind wir hierzulande noch nicht, aber wir arbeiten daran. Bei unserer Autodichte wird das Fahreben ab und zu mal zum Stehzeug. Laut Experten steht der durchschnittliche Deutsche 58 Stunden pro Jahr im Stau. Gut, man kann versuchen, auf eine Raststätte zu kommen, aber viel besser scheint das auch nicht zu sein – vor allem ist es teuer. Bei einer Umfrage hielten zwei Drittel der Autofahrer die Preise an Raststätten für nicht angemessen. Aber was will man machen, wenn man genervt und auch noch hungrig ist? Genau dieser Hunger treibt die übeteuerte Nahrung dann rein, der Ekel peitscht sie runter … und der Geiz behält sie drin.

Dann schon lieber mit knurrendem Magen im Stau auf der Autobahn bleiben, man bekommt es dann automatisch dicke. Aber es geht bekanntlich nicht nur irgendwie immer weiter, sondern auch irgendwann. Also heißt es warten, man kann sich die Zeit vertreiben, indem man zum Beispiel Radio hört. Wir könnten da einen Sender empfehlen …

Vor allem darf man im Stau eines nicht: Durch-, bzw. umdrehen und zurück fahren. Das Wenden auf der Autobahn ist strengstens verboten – der Legende nach bis auf eine Ausnahme: Beim Schild „Herzlich willkommen in Mecklenburg-Vorpommern".

Nein, natürlich nicht. Aber egal, ob man nun mit mehr als 200 Sachen als Tiefflieger unterwegs ist oder sich mit 60 km/h in Kolonne durch eine wie ausgefegt erscheinende Baustelle quält: Hauptsache, es rollt.

BLECH MIT BUCHSTABEN

Ein Kfz-Kennzeichen ist für viele von uns nicht nur ein Stück Blech mit Buchstaben, Zahlen und der TÜV-Plakette, das nachdem die Frau eingeparkt hat, leicht verformt ist. Es ist mehr als das – und nicht nur bei uns. „Für uns Italiener muss ein Nummernschild ein Kunstwerk sein", erläuterte der Filmregisseur Franco Zefirelli einst seine Nominierung in eine Kommission, als das italienische Verkehrsministerium die sechs verschiedenen Nummerschild-Varianten im Land vereinheitlichen wollte und aus den zahlreichen Vorschlägen einen auswählen musste.

Aber wir sind nicht in Italien, sondern in Deutschland, und hier ist das Kfz-Kennzeichen weniger ein Kunstwerk, sondern mehr ein Stück Identifikation mit der Heimat. Manche sagen zwar: „Hauptsache, die TÜV-Plakette ist gültig, der Rest ist mir egal." Viele haben aber nach den offiziellen Buchstaben für den Landkreis oder die Stadt ihre eigenen Initialen am Auto, auch wenn das bei einem fiktiven Holger Ericksen aus Flöha ein FLÖ-HE oder bei einer ebenfalls frei erfundenen Carla Kohn-Ebert aus Zittau ein ZI-CKE ergeben hätte.

Auch die Zahlen haben oft eine Bedeutung. Sie können den Geburtstag, das Baujahr des Autos oder des Fahrers, aber auch eine ständige Erinnerung an das Hochzeitsdatum darstellen. Fußballfans können zum Beispiel mit einem C-FC ihre Verbundenheit mit dem Chemnitzer Club zeigen, die Dresdner sind mit dem DD eigentlich schon automatisch alle Dynamo-Fans. Gut, für manchen Nicht-Dresdner hat das DD eine andere Bedeutung, aber dazu kommen wir später.

Es gibt ja nun solche Nummernschilder und solche. Neben dem normalen Heimatkennzeichen mit schwarzer Schrift gibt es auch welche mit grüner und roter Schrift. Das hat jetzt nichts mit Öko-Sprit oder einer Pleite des Fahrzeughalters zu tun. Grün haben steuerbefreite Fahrzeuge der Forst- und Landwirtschaft oder gemeinnütziger Organisationen, wie zum Beispiel der Bundeswehr oder der Bundesregierung. Nein, die haben andere Kennzeichen. Die Kanzlerin lässt sich mit 0-2 durch das Land kutschieren, für den Bundespräsidenten ist die 0-1 reserviert. Wer dann das Schild mit den zwei Nullen hat, wollen wir hier lieber erst gar nicht fragen. Die Bundeswehr hetzt mit einem Y durch das Gelände, vermutlich wollte das kein Anderer haben.

Weiterhin gibt es Oldtimer-Kennzeichen mit einem H für „historisch" am Ende, und Saison- und Kurzzeit-Schilder, bei denen die Gültigkeitsdauer am rechten Rand vermerkt ist. Mit einem sogenannten Ausfuhr-Kennzeichen kann das Auto in sein Bestimmungsland überführt werden. Wer also einen Volvo nach Schweden, einen FIAT nach Italien oder einen Peugeot nach Frankreich bringen und dort sagen will: „Hier habt ihr es zurück", der braucht ein solches Schild mit einer roten Stempelplakette und einem ebenso roten Gültigkeitsfeld.

Apropos Rot: Es gibt auch rote Oldtimer-Kennzeichen, aber auch rote Schilder für das Gewerbe. Wer jetzt an das älteste Gewerbe der Welt denkt, ist auf dem Holzweg. Erstens benutzen die Bordsteinschwalben nie ihr eigenes Fahrzeug, wenn sie denn eines haben, und zweitens ist auf dem ganzen Schild kein einziger Strich zu sehen. Nein, diese roten Schildern sind für Kfz-Händler reserviert.

Seit Juli 2012 gibt es zudem das Wechselkennzeichen, mit dem man zwei Autos einer Klasse nutzen kann, Logischerweise darf immer nur eins davon in Betrieb sein. Manchmal wäre es zwar besser, zwei Kennzeichen für ein Auto zu haben, aber das steht auf einem anderen Blatt.

Kommen wir zu den Buchstaben des Gesetzes. An denen ist zu erkennen, wo das Fahrzeug zugelassen wurde, das ist in der Regel der Heimatkreis. Seit kurzem darf man bei Umzügen sein Kennzeichen zwar innerhalb Deutschlands mitnehmen, ummelden muss man das Fahrzeug aber trotzdem. Man erkennt also normalerweise an den ersten Buchstaben, woher der Fahrer oder wenigstens das Auto kommt.

Bei manchen sieht man es natürlich auch so. Wenn zum Beispiel ein älterer Herr in Lederhosen und Gamsbart am Hut aus einem BMW steigt, wird er kaum ein AUR für Aurich in Ostfriesland am Auto haben. Wenn doch, dann stimmt entweder mit dem Auto etwas nicht, oder mit dem Fahrer.

Diese Kennzeichnung war kurz vor dem Schreibens dieses Buches erneut in der Diskussion. Nachdem im Zuge der letzten Kreisreform im Freistaat einige Kennzeichen abgeschafft wurden, könnten diese demnächst wieder erlaubt werden. Es gibt eine entsprechende Initiative, nach der zum Beispiel die Bewohner von Böttchers Wohnort Döbeln wieder mit ihrem DL am Auto fahren können. Nach der Reform der Landkreise wollten sie das ihnen aufgedrückte FG für die mittelsächsische Kreisstadt Freiberg nicht akzeptieren und starteten das Projekt „Pro MSN" für ein einheitliches neues Kennzeichen für Mittelsachsen. Doch die Bewohner des Altkreises Freiberg konterten mit „Pro FG" und waren beim schließlich nötigen Bürgerentscheid in der Mehrzahl. Seitdem fahren viele Döbelner gezwungenermaßen mit FG und dem Zusatz „Kein Freiberger an Bord" durch ihre Stadt. Ob sie sich damit auch nach Freiberg trauen, fragen wir lieber nicht.

Aber das ist nun schon wieder Geschichte. Am 1. November 2012 trat die geänderte Fahrzeug-Zulassungsverordnung in Kraft, nach der zum Bespiel die Autofahrer aus Aue ihr altes AU zurück erhalten, dass 1995 durch ASZ ersetzt wurde, bevor die „asoziale Zone" 2008 zu ERZ für den Erzgebirgskreis wurde.

Wir möchten nun die einzelnen Kennzeichen etwas näher beleuchten, wobei wir uns aber auf die aktuell gültigen und die ehemaligen und wohl auch wieder zukünftigen Buchstaben-Kombinationen im Freistaat Sachsen beschränken. Alles andere würde den Rahmen dieses Buches sprengen.

AE stand für Auerbach, ehe es in ein V für Vogtland verwandelt wurde. Oft wurde AE mit „am Ende" verspottet, in Wirklichkeit heißt es natürlich „absolute Energie".

ANA, für Annaberg-Buchholz, wurde lange nach Adam Ries durch das ERZ abgelöst. ANA wurde von manchen als „Achtung Notaufnahme" gedeutet, aber es steht natürlich für „Achtung, neues Auto".

ASZ, also Aue und Schwarzenberg, entstand aus AU und SZB und wurde später ebenfalls zu ERZ. „Asoziale Zone" heißt das ASZ jedoch nicht, sondern „Absolut super zuverlässig".

AU, Aue allein, bedeutet nicht etwa „alter Uhu", es heißt „abgasuntersucht".

BED stand für Brand-Erbisdorf, und wurde 1994 dem Gebiet Freiberg, also FG, zugeschlagen. Manchmal als „blöde, elende Deppen" oder „bin ein Dussel" verunglimpft, standen die drei Buchstaben eindeutig für „begnadet, elegant, diplomatisch".

Das Kürzel BIW war das von Schiebock, offiziell Bischofswerda genannt. Es heißt einerseits „Bremst immer wieder", andererseits „bin immer wach".

BNA, also Borna, vor einigen Jahren mit dem L zu Leipzig gelangt, soll angeblich „blöder neuer Anfänger" oder „braucht neues Auto" bedeuten, steht aber ohne Zweifel für „Braunkohle nutzt allen".

Mit BZ wird nicht nur die Berliner Zeitung, sondern auch Bautzen abgekürzt. Für Pessimisten bedeutet BZ „Blöde Ziege", für Optimisten, die wir (fast) alle sind, jedoch „Bin zuverlässig".

C steht für Copyright, aber auch für Chemnitz, und für „Champion", jedoch nicht für „Chaoten".

DD, also die Landeshauptstadt Dresden, hat viele Deutungen. Negativ gesehen steht es für „doppelt doof", „dumme Dresdner", „dreht durch", positiv wird es mit „durchdacht designt", „dafür dankbar" und natürlich „Dynamo Dresden" beschrieben.

Wer DL für Döbeln als „Deutschlands Letzte" oder gar „Die Loser" übersetzt, bekommt vermutlich Probleme mit denen, für die es „Die Legende" ist, oder mit „Durchlaucht" geadelt wird.

DW steht für Dipps, ausgeschrieben heißt es Dippoldiswalde, Seit 2008 haben die Dippser zwar PIR für Pirna an ihren Autos, bezeichnen es aber nicht als „Deppenwagen", sondern als „doppelt weise".

DZ war man an den Kraftfahrzeugen aus Delitzsch zu sehen, ehe sie mit TDO (Torgau-Delitzsch-Oschatz) bedacht wurden. DZ steht nicht für „dämliche Ziege", sondern eindeutig für „Drängeln zwecklos".

EB, also Eilenburg, ist inzwischen auch zu TDO geworden, und heißt natürlich „Eigenbedarf" und nicht „Eigenbrötler" oder gar „Europas Blöde".

ERZ, das ist der Erzgebirgskreis. Wer dazu „ehemalige Russenzone" sagt, ist geschichtlich nicht ganz korrekt informiert, denn zuerst waren die Amerikaner da. Aber das ist ohne Bedeutung, denn in Wirklichkeit bedeutet ERZ „echt rasanter Zauber".

FG ist das Kennzeichen des Landkreises Mittelsachsen mit der Kreisstadt Freiberg. Wer mit FG unterwegs ist, dem wurde nicht der „Führerschein genommen", sondern er „fährt gut".

FLÖ, das seit 1994 zum FG-Gebiet zählt, steht für Flöha, manche meine zwar, da „fehlt laufend Öl", aber in Wirklichkeit wollen sie sagen: „Fährt lieber ökonomisch".

FTL, also Freital, ist nicht das Gegenteil von Freiberg, sondern wurde ebenfalls schon 1994 dem PIR zugeschlagen. FTL kann man mit „Fährt total lausig" übersetzen, muss man aber nicht. In Wirklichkeit sind die Freitaler „frei, tolerant, lebendig".

GC, die Glauchauer, fahren seit 2008 mit dem Z für Zwickau Auto, sind aber keine „großen Chaoten", sondern „geniale Chauffeure".

GHA, das klingt im ersten Moment wie Ghana, war aber Geithain zugeordnet, bis das L für Leipzig offiziell wurde. Trotzdem sind Kraftfahrzeuge mit GHA „genial hippe Autos". Das GHA für „gehört ausgemustert" steht, ist nur ein Gerücht.

Die Buchstaben GR bedeuten Görlitz und „gute Reise", aber keinesfalls „Gehirn rostet".

GRH hatten die Großenhainer an ihren Autos, bevor das MEI für Meißen kam. GRH wird nicht mit „großes rollendes Hindernis" übersetzt, sondern einfach mit „großes Hirn".

Grimma hatte mal das Kennzeichen GRM, bevor es auch vom L verschluckt wurde. Autos mit GRM sind aber nicht „grausam motorisiert", sondern „großartige Rennmaschinen".

HC, also die Hainichener, die seit Jahren mit einem FG fahren, sagen nicht „Hilfe, Chaos", sondern wohlüberlegt „honoris causa", auch wenn sie mal nicht an ihrem fahrbaren Untersatz herumdoktern.

HOT bedeutet Hohenstein-Ernstthal. Das hat weniger mit „hot cars" zu tun. HOT heißt aber nicht „Hornochsentreff", sondern „hat ordentlich Trieb".

Hoywoy, in der Langversion Hoyerswerda, wurde kfz-mäßig mit HY abgekürzt, bevor BZ aktuell wurde. HY ist aber auch die „himmlische Yacht", und eben nicht der „hässliche Yeti".

KM bedeutete Kamenz, bevor es ebenfalls vom BZ abgelöst wurde. Mit KM bezeichnet aber keinen „kümmerlichen Motor", sondern eine „Kraftmaschine".

Kommen wir zum schon viel zitierten L für die Messemetropole Leipzig. Für das L sind verschiedene Versionen wie „Lump", „Lümmel" und „Lackaffe" im Umlauf, die alle nicht wahr sind. In Wirklichkeit heißt das L am Auto nämlich „Lohnempfängerfahrgemeinschaftswechselnutzungseinsparmöglichkeitsvoraussetzung".

LÖB war das Kfz-Kennzeichen vom Löbau, bevor auch hier das GR gültig wurde. Autos mit einem LÖB kann man mit „laufend Ölbedarf" kennzeichnen, oder „lässt öfter bremsen".

Marienberg war durch das MAB gekennzeichnet, seit 95 ist man auch hier unter ERZ registriert. MAB bedeutet aber nicht „meistens außer Betrieb", sondern „mein aktueller Bolide".

Die Meißner Autos sind nicht mit zwei gekreuzten Schwertern ausgestattet, sondern mit dem Kürzel MEI, die „manchmal einen intus" heißen. Nein, die drei Buchstaben bedeuten „mächtig, elegant, innovativ".

Das MEK, das zeitweise für den Mittleren Erzgebirgskreis um Marienberg stand, assoziierte man auf den ersten Blick meist mit Mecklenburg, bedeutet aber „Motor edle Klasse", und eben nicht „meist eine Katastrophe".

Der Muldentalkreis um Grimma, inzwischen auch im L aufgegangen, wird mit seinem MTL für „Mutantenland" verspottet, war aber in Wirklichkeit das Kürzel für „Mut, Tatkraft, Leidenschaft".

Mittweida, inzwischen zu FG gehörig, hieß entweder „Märchenland", gelegentlich aber auch „meist wahnsinnig".

Der Niederschlesische Oberlausitzkreis um Niesky und Weißwasser gehört inzwischen auch zur GR-Region. Das NOL wird aber immer noch mit „netter, ordentlicher Lenker" beziehungsweise „Neid, Ohnmacht, Lethargie" übersetzt.

Wer ein NY am Auto spazieren fährt, hat sich den Wagen vor einigen Jahren in Niesky gekauft. NY klingt natürlich erst einmal nach New York, steht aber wahlweise für „noble Yacht", oder „nölender Youngster".

Das OVL für das Obervogtland, inzwischen zum V für das Vogtland herunterreglementiert, bedeutet keinesfalls „Ochsen vom Land", sondern „ordentlich volle Leistung".

Die Oschatzer hatten mal ihr OZ, bevor das TDO über sie kam. OZ hat nichts mit der Oktanzahl zu tun. Es steht auch nicht für „Ostzone", sondern für „ordentlich Zug".

Das PIR für Pirna erlaubt viele schöne Kombinationen wie PIR-OL oder PIR-AT. Spötter sagen zu PIR auch gern einmal „pennt in Ruhe", andere meinen, dass es „parkt immer richtig" bedeutet.

Für die Plauener, inzwischen auch zum V vereinnahmt, war ihr PL die Abkürzung für „Power-Leistung", und nicht für „Proleten-Limousine", oder gar für „pennt leider".

Das RC für Reichenbach, nun durch V abgelöst, heißt entweder „riesiges Chaos" oder „ruhiger Charakter".

RG stand mal für Riesa und Großenhain, bevor das MEI bindend wurde. RG kann sowohl „reduziertes Gehirn", als auch „richtig genial" bedeuten.

Riesa allein hatte vorher das RIE, das für „Rindvieh im Einsatz", oder wahlweise auch „richtig intelligent eingefahren" stand.

RL war das Kürzel für Rochlitz, ehe auch hier das FG gültig wurde. RL heißt natürlich nicht „Rotzlöffel", sondern „rasanter Lenker".

Dass die Sebnitzer neben ihrem SEB auch eine Kunstblume am Nummernschild hatten, bevor sie zu Pirna kamen, ist ein Gerücht – genauso wie die Deutung „sagenhafte Einbildung".

SEB bedeutet natürlich „Substanz, Eleganz, Brillanz".

Auch wenn die Stollberger inzwischen mit dem ERZ fahren, ihr STL war nicht mit „Sachsens trotzigster Landkreis" gleichzusetzen, sondern mit „sicher treue Leute".

Auch die Schwarzenberger haben längst das ERZ, früher war das SZB aber nicht die „Sowjet-Zentrale Bergbau", oder „Säufer, Zicken, Banausen", sondern „ständig zu beneiden".

TDO steht für Nordsachsen mit den Städten Torgau, Delitzsch und Oschatz und nicht, wie manche lästern, für „trottelige dumme Ossis". Eher stimmt die Erklärung „tiefgelegt, durchgetunt, optimiert", oder „tendenziell dynamisch organisiert".

Torgau allein hatte vorher das TG wie „tattrige Greise", oder „total genial", während das zwischenzeitliche TO für Torgau und Oschatz „tattriger Opa", „tiefer Osten" oder eben doch „toller Ofen" hieß.

Das Vogtland hat inzwischen geschlossen ein V am Blech, das sicher nicht für „Versager" steht, sondern ganz einfach für „Vorfahrt".

Die Werdauer fahren seit geraumer Zeit ziemlich zügig mit dem Z für Zwickau durch die Gegend, ihr vorheriges WDA klang zwar wie Wehrdienstausweis, bedeutet für ihnen nicht ganz wohl gesonnene Leute „wird demnächst ausgemustert", was die Werdauer aber mit „wichtiges Dienstauto" kontern.

Weißwasser, seit 1994 zu GR gehörig, hatte früher das WSW, das aber zu sehr nach „Winterschlussware" klang. Da half auch die Bedeutung „will ständig weiter" nichts mehr.

WUR, das war mal das Kürzel für Wurzen, ehe auch hier das L kam. WUR kann man mit „wird unten rostig" übersetzen, oder richtigerweise mit „weise und richtig".

Z, das ist natürlich Zwicke. Die Zwickauer werden fälschlicherweise mit „Zonis" oder „Zicken" gleichgesetzt, sie sind aber ganz einfach „zuverlässig".

Zum Schluss wäre da noch das ZP für die Motorradstadt Zschopau, das auch vom ERZ abgelöst wurde. ZP heißt heute noch nicht „Zum Protzen", sondern „zieht perfekt".

Für viele ist es jedoch VE, also „völlig egal", was ihnen da ans Auto gepappt wird, denn: Hauptsache, es fährt.

Andere Länder – andere Sitten

Wer im Ausland zu Gast ist, sollte sich auf die dortigen Gepflogenheiten einstellen, das gilt auch für den Straßenverkehr. In den USA und in Australien legt man sich besser nicht mit einem riesigen Truck an, aber auch in Europa ist nicht alles so, wie es die jeweiligen Straßenverkehrsordnungen vorschreiben. So stehen in den südlichen Ländern zwar auch Verkehrsschilder aller Art an den Straßenrändern, dienen nach Meinung mancher oder gelegentlich auch vieler Einheimischer nur zur optischen Verschönerung der Verkehrswege und werden bestenfalls als

Beratungsmuster angesehen. Wer einmal durch den römischen, neapolitanischen oder Marseiller Nachmittagsverkehr gefahren ist, weiß Bescheid. Auch das nördlicher gelegene Paris macht da keine Ausnahme. Am Triumphbogen geht es im wohl berühmtesten und berüchtigsten Kreisverkehr des Kontinents zu wie in einem Ameisenhaufen. Schon zu versuchen, den Platz über die Ampeln an den Zufahrtsstraßen per pedes zu umrunden, ist neben der Besteigung des Mount Everest, der Durchquerung der Antarktis auf Skiern und dem Fallschirmsprung aus 36 km Höhe eines der größten Abenteuer, denen sich ein Mensch stellen kann.

Frankreichs Straßen sind ohnehin für deutsche Autofahrer die gefährlichsten, zumindest wurden von dort die meisten Unfälle mit deutscher Beteiligung gemeldet. Aber nicht nur das Fahren auf den Straßen der Grande Nation ist mit Risiken verbunden, auch der seit dem vergangenen Jahr in Frankreich vorgeschriebene Alkohol-Schnelltester ist nicht ohne. Jeder Autofahrer muss dort ein Exemplar dabei haben, nur hat man festgestellt, dass das krebserregende Kaliumdichromat in den Geräten enthalten ist. Am besten solle der Tester, so die Empfehlung aus Paris, im Kofferraum liegen, auf keinen Fall darf er in Kinderhände gelangen. Also sollte der Franzose keine Kinder im Kofferraum transportieren, vor allem nicht, wenn er getrunken hat.

Nein, aber gerade im Kreisverkehr kommt man in Frankreich, aber auch in Österreich und Italien schnell mal ins Kreiseln. Dort hat – anders als bei uns – der einfahrende Verkehr Vorfahrt. Allerdings hat der ADAC festgestellt, dass in Italien häufig nicht auf diese Regel geachtet wird. Gut, Italien und Verkehrsregeln, das ist sowieso eine ganz besondere Beziehung. Bei Einheimischen drücken die Polizisten in Rom und Umgebung schon mal ein Auge zu. So schleppt man in der italienischen Hauptstadt nur noch teure Autos ab, weil die Besitzer von alten Karren diese oft nicht mehr abholen und die Stadt dann auf den Schrotthaufen sitzen bleibt.

Sitzen bleiben darf man als Deutscher dagegen in Österreich. Viele Tankstellen in der Nähe der Grenze haben wieder Tankwarte eingestellt. Sie sollen die Autos schneller abfertigen und lange Schlangen vermeiden. So sind die Österreicher eben: Wenn es um das Geld geht, führen sie sogar für uns Piefkes einen Extra-Service ein.

Dafür schlagen Österreicher und Italiener dem Vernehmen nach gnadenlos zu, wenn es um den „Autostrich" geht. Nein, hier ist nicht vom ältesten Gewerbe der Welt die Rede, es geht um den Trennstrich im Kfz-Kennzeichen, der in vielen deutschen Zulassungen aufgeführt ist, auf dem Nummernschild aus Platzgründen jedoch fehlt. Wegen dieses Unterschiedes sollten Touristen in beiden Ländern schon mehrere Hundert Euro Strafe zahlen.

Zahlen muss man in anderen Ländern ohnehin oft mehr als hier in Deutschland. Besonders in den nordischen Ländern kann man sehr kalt getroffen werden. Wer weiß denn schon, dass man in Schweden ein Auto im öffentlichen Verkehrsraum nicht länger als fünf Tage an ein und derselben Stelle parken darf, oder dass in Norwegen das Rauchen am Steuer generell verboten ist. Wer denn in oder um Oslo herum auch noch nur 20 km/h zu schnell fährt, ist schon knapp 500 Euro los – natürlich nur, wenn er erwischt wird.

Erwischen kann es einen auch, wenn man zu wenige Warnwesten im Auto hat. In einigen europäischen Staaten gilt die Vorschrift, dass für jeden Fahrzeuginsassen eine Weste vorhanden sein muss. Tragen muss sie man aber nach wie vor nur, wenn man das Auto bei einer Panne verlässt. Zugegeben, es gibt Fahrer, die sollten schon am Lenkrad eine Warnweste tragen, aber das ist überall so.

Noch nirgendwo gibt es dagegen nach der Größe der Autos gestaffelte Parkgebühren. Aber jetzt sind die Engländer auf den Dreh gekommen. Die Stadt Norwich will demnächst die Gebühren von den Ausmaßen der Fahrzeuge berechnen. Dann kann der Aufkleber „Meiner ist 18 m lang" zum Eigentor werden. In die gleiche Richtung geht auch die Idee, auf britischen Autobahnen eine Spur nur für Reiche einzurichten. Wer eine Extragebühr zahlt, hat dort dann freie Fahrt. Als arme Sau kann man dann vermutlich gleich im Straßengraben fahren, aber eben in dem Graben am linken Straßenrand.

Und damit sind wir schon beim größten Unterschied im Straßenverkehr – dem Rechts- und Linksverkehr. Als in der ehemaligen deutschen Kolonie Samoa im Jahr 2009 die Seiten gewechselt wurden, also von Rechts- auf Linksverkehr umgestellt wurde, gab es extra zwei freie Tage, damit sich die Autofahrer auf die neue Regelung einstellen und entspannt üben konnten. Vorsichtshalber wurde für fünf Tage auch jeglicher Verkauf von Alkohol im ganzen Land verboten. Trotzdem gab es Proteste, viele Einwohner von Samoa gingen dagegen auf die Straße – wir vermuten, dass es noch die rechte Fahrbahn war, die für die Demonstrationen genutzt wurde.

So ein Wechsel ist nicht einfach, gerade für uns Deutsche. Sicher mag es Leute geben, die sich von einem Moment zum anderen darauf einstellen können, doch die haben vermutlich vorher schon auf unseren Autobahnen das stetige Linksfahren trainiert.

Otto Normalfahrer aber wird in Großbritannien sicherlich erst einmal schlucken und tief durchatmen, wenn ihm nicht nur ständig Autos auf der „falschen" Seite entgegenkommen, sondern darin auch meist nur ein Beifahrer sitzt. Kompliziert wird die ganze Sache noch dadurch, dass in dem meisten Ländern mit Linksverkehr trotzdem die Regel „Rechts vor links" gilt.

Und es gibt eine Menge Staaten mit Linksverkehr. Zuerst ist für uns Europäer natürlich erst einmal Großbritannien zu nennen, außerdem sind Irland, Malta und Zypern linkslastig, wobei auf der Insel der Aphrodite die wenigstens Unfälle passieren. Weil kaum ein Rechtsfahrer mit dem eigenen Auto per Schiff nach Zypern reist, sondern fast alle mit dem Flugzeug auf die Insel kommen, nehmen sich die Touristen einen Mietwagen. Diese sind dort als einzige Fahrzeuge mit roten Nummernschildern ausgestattet, so dass jeder Einheimische sieht: „Achtung, ein Tourist!"

Den meisten Linksverkehr gibt es in Asien. In Indien, Japan, Indonesien, Thailand, Malaysia und einigen anderen Ländern geht es auf den Straßen englisch zu, nur in China nicht. Allerdings gilt in der ehemaligen britischen Kolonie Hongkong doch der Linksverkehr, so dass an den Stadtgrenzen 360-Grad-Schleifen oder Überwerfungsbauwerke stehen, damit der Verkehr auf die andere Straßenseite geleitet wird.

Kurz gesagt, von den reichlich 200 Staaten und Gebieten der Welt wird in 59 links gefahren, meist in den ehemaligen britischen Kolonien. Daran kann man heute noch sehen, wie groß Großbritannien einmal war.

Aber auch im Mutterland des Empire selbst gibt es Ausnahmen, zum Beispiel mitten in London. Dort führt eine Privatstraße zum Savoy Theater, und auf dieser gilt Rechtsfahrgebot, damit es vor dem daneben liegenden Savoy Hotel bei Vorstellungen im Theater keinen Rückstau gibt. Das wiederum erscheint logisch, da Savoy ein französischer Name ist, und der größte Franzose aller Zeiten, Napoleon Bonaparte, bei seinen Eroberungen in ganz Europa den Rechtsverkehr für Kutschen und Fuhrwerke aller Art einführte. Dabei hat der Mann alles mit links gemacht, da er die rechte Hand meist in seiner Jacke hatte. Nicht nur deshalb musste er sich später überall wieder zurückziehen, der Rechtsverkehr jedoch blieb.

Nur nach England kam Napoleon nie, sonst würde wohl auf der ganze Welt heute rechts gefahren. Aber egal, ob man nun rechts fährt und links überholt, oder anders herum – eines bleibt gleich: „Hauptsache, man fährt."

Von kar zu car

Das Auto heißt in vielen Sprache eben so, also Auto. Nur in Polen heißt es, wenn man nach dem Auto fragt, oft „weg". Nein, natürlich nicht.

Afrikaans: kar
Albanisch: makinë
Baskisch: auto
Bosnisch: auto, kola
Bulgarisch: Kola
Chinesisch: qìchē
Dänisch: bil, auto
Englisch: car
Esperanto: auto
Estnisch: auto
Färöisch: bilur
Finnisch: auto, autopaikka
Französisch: voiture

Griechisch: αυτοκίνητο
Irisch: carr
Isländisch: bill, bifreio
Italienisch: auto, macchina
Japanisch: jidōsha, kuruma
Katalanisch: cotxe
Koreanisch: cha
Kroatisch: auto, kola
Litauisch: automobilis
Malaisch: kereta
Niederländisch: auto
Norwegisch: bil
Polnisch: samochód
Portugiesisch: carro
Rumänisch: masina
Russisch: awtomobil
Schwedisch: bil
Serbisch: auto
Slowakisch: auto
Slowenisch: avto
Spanisch: auto, coche
Suaheli: gari
Tschechisch: auto
Türkisch: oto
Ungarisch: autó
Vietnamesisch: xe hoi, ôtô
Walisisch: car

Russische Legende

Einst wurde mal ein Lada.
Der wurde ausgestattet von Prada.
Er bekam was anzuziehen.
Da wollte der Lada schon fliehen.
Doch dann erhielt er noch Schuhe.
Der Lada gab dann Ruhe.
Denn in modischen Schuhen kann man schlecht laufen.
So fing der Lada aus Frust an zu saufen.
So erklärt sich es auch:
Russische Autos haben einen großen Verbrauch.

Der Stoff gibt Kraft

Ein Kraftstoff ist laut amtlicher Definition ein Brennstoff, dessen chemische Energie durch Verbrennen in Antriebskraft umgewandelt wird. Es gibt flüssige, gasförmige und feste Kraftstoffe. Aber wir lassen das Gas mal fest sein und konzentrieren uns auf das Flüssige. Am meisten im Fluss sind natürlich Benzin und Diesel.
Benzin ist bei manchen Fahrern, besonders Rennpiloten, auch ein Bestandteil des Blutes, aber für Otto Normalverbraucher, wenn er ein Fahrzeug mit Ottomotor hat, ist Benzin auch so etwas wie ein Lebenssaft. Wissenschaftlich gesehen ist Benzin ein Gemisch aus über 100 Kohlenwasserstoffen, dem noch verschiedene Ester und Alkohole, sowie Additive zuge-

mischt werden. Aber wen interessiert es hier wirklich, wie viele von diesen Oxidationsinhibitoren und Detergentien da drin ist? Wir wollen wissen, warum das ganze Gemisch so teuer ist.

Die Antwort weiß nicht allein der Wind, sondern der Staat. Der kassiert nämlich bei einem angenommen Benzinpreis von etwa 1,60 Euro pro Liter über 90 Cent an Steuern, also mehr als die Hälfte. Bei Diesel ist es nicht ganz so viel, aber an 50 Prozent kommt der Anteil auch hier heran.

Natürlich wollen auch die großen Mineralölkonzerne nicht von der Hand in den Mund leben, sondern vom Rüssel im Tank. Und das tun sie nicht schlecht, da kann der männliche Autofahrer nach dem Tanken die Zapfpistole sorgfältiger als alles andere abschütteln, wie er will. Gelegentlich kritisiert der Staat das Geschäftsgebaren der fünf großen Konzerne, die sich den Markt in Deutschland aufgeteilt haben. Aber die Bundeskartellbehörde kann dann nur feststellen, „dass sich BP/Aral, Jet, Esso, Shell und Total gegenseitig keinen wesentlichen Wettbewerb machen, und zwischen ihnen nicht einmal Preisabsprachen zwingend nötig sind, weil sie sich auch ohne Worte verstehen." So drückte es der Chef der Behörde mal aus. Sprach es, fuhr hinterher vermutlich tanken und ärgerte sich grün.

Grün, damit sind wir schon beim E10, der umgangssprachlichen „Öko-Plärre". Inzwischen sieht auch die Politik ein, dass das Zeug ein Flop ist, weil die meisten Autofahrer dazu eben nur „Nein, tanke" sagen. Die EU will nun die Nutzung von E10 nicht mehr fördern, weil nicht nur die dafür zu Ethanol verarbeiteten 150 Millionen Tonnen Getreide an anderer Stelle fehlen, sondern auch die Mehlpreise in die Höhe geschossen sind.

Mehl gehabt, sagen sich die Multis und drehen weiter an der Preisschraube. Und das tun sie vorwiegend morgens und am Mittag. Am Abend, kurz vor 20 Uhr, wenn in der ARD die Börsenberichte gesendet werden, ist Benzin etwas preiswerter ... manchmal. Natürlich haben auch die Wochenenden, die Feiertage und die Schulferien einen Einfluss. Montags kann man laut Statistik etwas günstiger tanken.

Diese Preisentwicklung hat dazu geführt, dass mehr als die Hälfte der Deutschen etwas weniger Auto fährt. Man muss ja auch nicht unbedingt am Sonnabend morgens mit der Familienkutsche oder dem überdimensionierten Geländewagen die 400 Meter bis zum Bäcker fahren, um dort frische Brötchen zu holen. Man kann auch mal die Ehefrau mit dem Zweitwagen schicken. Aber – nebenbei gesagt, auch die Brötchen kosten schon lange nicht mehr das, was man früher mal dafür verlangt hat.

Richtig angefressen ist man jedoch über die Spritpreise. Schließlich ist dieser Stoff, mit dem mehr oder weniger die Welt angetrieben wird, auch ein Spekulationsobjekt und eine Geldanlage – übrigens auch für Otto Normalverbraucher. Wer seinen alten Wagen volltankt, kann damit durchaus eine Verdoppelung des Wiederverkaufswertes erreichen, von den Reservekanistern mal ganz abgesehen. Diese soll man laut

Experten übrigens nicht lose im Auto transportieren. Klarer Fall: Am Ende öffnet sich noch die Heckklappe des Autos und die Dinger fallen während der Fahrt auf die Straße. Dann freut sich der Nachfolgende über das für ihn kostenlose Benzin.

Kostenlos Tanken, auch das hat zugenommen, immer mehr Leute vergessen das Bezahlen, sogar Politiker waren da schon dabei. Inzwischen soll es auch die ersten Tankstellenüberfälle gegeben haben, bei denen die Täter keine Tasche für die Einnahmen, sondern Eimer für das Benzin dabei hatten.

Aber der gesetzestreue Bürger kann die Kosten für Treibstoff nur reduzieren, wenn er gar nicht oder sehr sparsam fährt. Es gibt schon richtige Spritsparfüchse. Zwei davon heißen Helen und John Taylor. Das australische Paar will es geschafft haben, mit einem Passat TDI SE mit 70 Litern Diesel eine Strecke von 2.617 km zu fahren. Weil sie laut eigener Aussage dabei nicht geschummelt haben, waren darüber sogar die Ingenieure von VW überrascht. Unter normalen Bedingungen, so die Fachleute, wären nur knapp 1.300 km möglich gewesen. Wer weiß, vielleicht haben die beiden Australier doch etwas geschoben, und zwar das Auto.

Allerdings sind die Herstellerangaben über den Verbrauch auch nicht immer und in jedem Fall korrekt, um es mal vorsichtig auszudrücken. Die Deutsche Umwelthilfe vermutete vor einiger Zeit, dass die Werte geschönt wurden, und im realen Leben die Werte für Spritverbrauch und CO_2-Emmission zehn bis 25 Prozent höher liegen.

Aber man muss auch mal die Autohersteller verstehen. So ein Neuwagen wird für den Verkauf gewaschen, geföhnt, lackiert und poliert, damit er lockt. Dann kann man den Rest auch gleich noch frisieren.

Außerdem sind bei den Dauertests die Rollen, auf denen sich das Auto bewegt, eben doch nicht mit Bergstraßen oder zähfließendem Verkehr auf Autobahnen gleichzusetzen.

Schließlich haben britische Forscher festgestellt, dass auch langsames Fahren den Spritverbrauch ansteigen lässt. Laut dieser Studie liegt der Verbrauch in Tempo-30-Zonen um zehn Prozent höher als in Gebieten mit einer Geschwindigkeitsbegrenzung von 50 km/h. Am günstigsten wäre ein Tempolimit von 60 km/h heißt es dort noch. Das gilt zum Beispiel in geschlossenen Ortschaften in Russland. Aber zumindest hierzulande haben wir alle mal Russisch gelernt, also halten auch wir uns an diese Richtgeschwindigkeit – natürlich nur, um Sprit zu sparen, damit der Tank nicht zu schnell leer wird.

Wenn er das ist, und die Benzinuhr auf Null steht, soll man nicht in Panik verfallen, raten die Fachleute. Eine Reststrecke von 50 km sei mit der verbliebenen Neige immer noch drin, das reiche, um zur nächsten Tankstelle zu kommen. Nur dort verfällt man eben oft in Panik, wenn man die Säule mit den aktuellen Preisen erblickt.

Für das sparsame Fahren, damit man nicht nur so oft wie unbedingt nötig in Panik verfällt, gibt es tausend Tipps, auf die wir hier verzichten. Nur so viel: Aggressives Fahren, spätes Schalten und unnötiger

Ballast im Kofferraum – den Beifahrersitz nehmen wir ausdrücklich aus – gehören nicht dazu.

Aber so sparsam die Menschheit auch fahren mag, irgendwann wird das Erdöl dann doch alle sein. Deshalb führt an alternativen Kraftstoffen kein Weg vorbei. Man muss ja nicht das für die Ernährung gedachte Getreide nehmen.

So haben Wissenschaftler aus den USA versucht, Benzin aus Obst herzustellen. Es ist ihnen auch gelungen. Besonders der Treibstoff aus dem Granatapfel soll abgegangen sein wie eine Rakete. Nein, natürlich nicht. Ebensowenig haben die Experten statt dem Tiger nur Maden im Tank gehabt.

Kollegen dieser Forscher haben im südamerikanischen Urwald einen Pilz entdeckt, mit dem sich ein dieselähnlicher Treibstoff herstellen lässt. Der Pilz produziert aus Pflanzenresten ein Gemisch aus Kohlenwasserstoffen. Die Sache ist aber noch im Frühstadium, noch kann man nicht mit einem Korb unter dem Arm in den Wald zum Tanken gehen – es sei denn, man hat noch einen Wagen mit Holzvergaser, wie er in Finnland gelegentlich auf den Straßen zu sehen ist.

Völlig verrückt scheint dagegen die Idee einer Brauerei aus den USA zu sein, die Biosprit aus Bier herstellt. Gut, wer amerikanisches Bier kennt – warum nicht? Ehe man es nach dem ersten Schluck wegschüttet, kann man es auch in einen Tank füllen. Nur fragt sich, wer dann bei einer Polizeikontrolle blasen muss – der Fahrer oder das Auto? Nein, die Brauerei verarbeitet nach eigenen Angaben nur das, was nach dem Abfüllen in die Flaschen danebenging oder zum Trinken nicht gut genug sei – also nach unserem Verständnis von Bier wäre das dann doch die ganze Produktion. Ob die Belegschaft der Brauerei auf den üblichen Haustrunkes verzichtet und statt dessen einmal in der Woche kostenlos tanken darf, wissen wir nicht. Aber eines ist uns klar: Egal, ob man nun mit Super, Biodiesel, Heizöl, Erdgas oder Zweitaktgemisch unterwegs ist – nur eines zählt: Nie am frühen Morgen eines auf das Wochenende fallenden Feiertags am Anfang oder am Ende der Schulferien tanken!

AA – Autoabkürzungen

In Sachen Auto wird viel abgekürzt. Wir meinen jetzt nicht die Schleichwege, die von Einheimischen bei Umleitungen oft gefahren werden, sondern wirklich die Buchstabenkombinationen, die für oft sehr lange Wörter aus dem Bereich Verkehr, aber auch anderen, stehen.

Oft haben sie neben der eigentlichen Bedeutungen auch noch andere Inhalte dazu bekommen. Eines der unangenehmsten Beschreibungen war sicher der Sinneswandel bei NSU. NSU stand als Kürzel der Stadt Neckarsulm, in der die gleichnamigen Motorenwerke 1873 gegründet wurden und ab 1903 Motorräder sowie ab 1906 Autos produziert wurden. Leider wird NSU heute eher als Abkürzung für den „Nationalsozialistischen Untergrund" verwendet.

Dagegen ist Audi gar keine Abkürzung, wird aber gelegentlich mit „Auch unter Deppen indiskutabel" oder „Automobiler Unsinn deutscher Ingenieure" übersetzt.

Aber Audi ist damit nicht allein.

BWM
Bayerische Motorenwerke
Aber auch:
Bei Mercedes weggeworfen
Bayerischer Müllwagen
Bring mir Werkzeug
Bring mich Werkstatt
Auf polnisch heißt BMW angeblich: Bald mein Wagen.

DAF
Van Doorne's Automobiel Fabriek, ein niederländischer LWK-Hersteller
Deutsches Anleger-Fernsehen
Deutsch Amerikanische Freundschaft, eine Düsseldorfer Punkband
Aber auch:
Das Auto fährt

FIAT
Fabbrica Italiana Automobili Torino
Aber auch:
Fahren im Auftrag des Todes
Fauler Italiener aus Turin
Fehler in allen Teilen

Für Italiener ausreichend Technik
Ferrari in akuter Tarnung
Für Idioten allgemein tauglich

FORD
Ford ist keine Abkürzung, heißt aber trotzdem:
Für Ossis reicht der
Fahrzeug ohne richtige Dimensionen

FERRARI
Ebenso wie Ford ist auch Ferrari keine Abkürzung, wird aber gelegentlich so übersetzt:
Feurig edler rassiger roter absoluter riskanter Irrtum

GM
General Motors
Aber auch:
Geiler Motor
Großer Mist

GOLF
Auch Golf ist keine Abkürzung, sondern einer der windigen Namen von VW, heißt aber auch:
Ganz ohne Leistung fahren
Gerät ohne logische Funktion

HONDA
Ebenso wie Ford und Ferrari hat Honda seinen Namen vom Firmengründer, wird aber trotzdem gleichgestellt mit:

Heute ohne nennenswerte Defekte angekommen
Hält ohnehin nur drei Ampeln

LADA
Lada ist neben dem gleichnamigen Auto in der russischen Mythologie die Göttin der Liebe, heißt auf Deutsch aber:
Läuft durch Anschieben
Letzter auf der Autobahn

MAZDA
Der Name Mazda geht auf den Firmengründer Jujiro Matsuda zurück, volkstümlich sagt man aber:
Mein Auto zerstört deutsche Arbeitsplätze
Mein Auto zieht der Abschleppdienst

MINI
Auch Mini ist keine Abkürzung, sondern neben einer Mode auch ein Auto, wenn auch ein Kleines, deshalb wird es manchmal so übersetzt:
Motor ist nicht interessant
Mit Insassen nur indiskutabel

OPEL
Opel ist natürlich ebenfalls keine Abkürzung, sondern der Nachname des Firmengründers, der sich heute nicht mehr wehren kann, unter anderem gegen Folgendes:
Ordinärer Pfusch eines Lehrlings
Ohne Plan einfach losgebaut
Ohne Power ewig Letzter

Offensichtlich Prolet, eventuell Landwirt

RENAULT
Der Name – siehe Opel … Renault wird aber auch
so genannt:
Rennt erst nach acht Umbauten leidlich träge

SAAB
Eigentlich heißt SAAB Svenska Aeroplan Aktiebola-
get, wird aber auch so bezeichnet:
Ständig am Auto basteln
Saubere aber ahnungslose Badewanne

SEAT
Wem Sociedad Española de Automóviles de Turismo spanisch vorkommt, der sagt einfach:
Schauen, einsteigen, aussteigen, totlachen (oder
trampen)

SKODA
Der Name des zu VW gehörenden tschechischen
Autobauers geht auf den Ingenieur Emil von Škoda
zurück, bedeutet aber abseits der Ingenieurskunst:
So kennen Ossis das Auto

VW
Normalerweise heißt VW natürlich Volkswagen,
aber auch:
Völlig wertlos
Viel Werkstatt
Verrottetes Wrack

Vergammelter Wagen.
Allerdings spricht der Erfolg von VW, wie bei den meisten anderen Marken auch, eine andere Sprache.

Eine eigene Sprache findet man nicht nur in den Kleinanzeigen der Zeitungen oder in den Bedienungsanleitungen von PKW. Dort wimmelt es nur so von Abkürzungen, von denen wir hier einige vorstellen wollen.

ABS – Antiblockiersystem, aber auch: Auto bockt ständig, Auto braucht Super

ADAC – Allgemeiner Deutsche Automobil-Club, aber auch: Alle denken an Chaos

AFL – Adaptive Forward Lighting (Adaptives Kurvenlicht), aber auch: Auto fährt langsam

AHK – Anhängekupplung, aber auch: Auto humpelt katastrophal

ASD – Automatisches Sperrdifferential, aber auch: Auto spinnt dauernd

DKP – Drosselklappenpotentiometer, aber auch: Die Karre pennt

EFH – Elektrische Fensterheber, neben Einfamilienhaus auch: Es fährt hilflos

EZ – Erstzulassung, aber neben Einzahl auch: Es zieht. Oder: Ewig zahlen

HSP – Heckspoiler, aber auch: Hinterm-Steuer-Penner

LNG – Liquified Natural Gas (Verflüssigtes Erdgas), aber auch: Lange nicht gefahren

LPG – Liquified Petroleum Gas (Autogas), neben der aus DDR-Zeiten bekannten Landwirtschaftlichen Produktionsgenossenschaft auch: Lebenslang polierter Garagenwagen.

Natürlich gibt es auch andere Abkürzungen, die auf die Kfz-Branche angewendet werden können. So heißt DDR heute nicht mehr Deutsche Demokratische Republik, sondern in der Computertechnik Double Data Rate, in Sachen Auto wird der für die DDR so typische Trabant heute so bezeichnet, und zwar mit „Damals der Renner".

Wer jetzt noch Fragen hat, schreibt uns einen Brief und setzt das Kürzel „U.A.w.g." darunter, das bekanntlich „Um Antwort wird gebeten" heißt. Denkste: U.A.w.g. – Unterm Arsch weggerostet.

Aber egal, wie man die Sache auch abkürzt, nur eines zählt, und das ist HEF, also „Hauptsache, es fährt."

GEBRAUCHTE NEUWAGEN

Ein Gebrauchtwagen ist laut Experten ein PKW, der bereits mindestens einen Vorbesitzer hatte. Das sehen auch alle anderen so, bis auf das Finanzamt. Für die Steuereintreiber ist jedes Fahrzeug, das nicht mehr als 6.000 km auf dem Tacho hat und nicht älter als sechs Monate ist, noch ein Neuwagen. Das hat natürlich seine Vorteile – für das Finanzamt selbstverständlich.

Trotzdem war jedes Auto irgendwann einmal ein Neuwagen, selbst wenn es jahrelang auf Halde stand, weil keiner es kaufen wollte. Aber im Normalfall werden trotz aller Absatzschwierigkeiten die hergestellten Autos auch verkauft, auch wenn sie eine Zeit lang herumstehen und dann als Jahreswagen veräußert werden.

Im Gegensatz zum Unterricht in der Schule wird bei Autos in den ersten Jahren am meisten abgeschrieben, das Auto verliert also gleich nach der Auslieferung massiv an Wert. Genau das macht die Jahres- und Vorführwagen für viele Kunden interessant. Bei solchen Autos kann man am Preis sparen. Aber auch Neuwagen werden aufgrund der Absatzkrise in der Branche schon mit Rabatten – und dabei meinen wir nicht die Blumenbeete im Garten – angeboten, so dass die Hersteller – von Ausnahmen abgesehen – damit eigentlich keinen Blumentopf mehr gewinnen können. So kursierte vor einiger Zeit eine Zahl, die eigentlich unglaublich ist. Demnach soll Opel bei jedem verkauften Auto einen Verlust von 1.000 Euro machen. Andere deutsche Hersteller machen hingegen Gewinne, so wie es auch sein sollte. Spitze ist Porsche, der Sportwagenhersteller verdient an jedem verkauften Auto im Schnitt 16.000 Euro, allerdings kostet bei Porsche wohl auch der Name schon etwas. Logischerweise sind die meisten Autos in Deutschland Gebrauchtwagen. Jeder zweite Haushalt fährt hierzulande einen gebraucht gekauften PKW. Das ist auch nicht schlimm, schließlich wohnt man normalerweise auch in einem Haus oder einer Wohnung, in der vor einem auch schon andere Leute zu Hause waren. Und welcher Mann möchte schon eine Frau haben, die vorher von allen anderen Männern verschmäht worden ist???

Nicht nur bei Neuwagen, auch bei den Gebrauchten ist neben Sicherheit, Preis und Qualität auch die Umweltverträglichkeit inzwischen zu einem Kriterium geworden, sagen die Experten – und haben damit Recht. Es ist schon von gewisser Bedeutung, wie die Umwelt auf das neue gebrauchte Auto reagiert. Der Nachbar soll sich über das eigene Schnäppchen nur grün und blau ärgern, nicht aus Verzweiflung aus dem Fenster stürzen oder gar vor das Auto springen.

Nein, der könnte dann nur mit einem überteuerten Neuwagen kontern, bei dem ihm gleich noch ein an die Vertragswerkstatt gebundener Service-Vertrag mitverkauft wird. Allerdings wünschen sich laut einer Umfrage auch über 80 Prozent aller Neuwagenkäufer eine Art Flatrate, bei der alle Kosten, auch die für Versicherungen, Steuern, Reparaturen und für das Tanken enthalten sind. Nur die Knöllchen wollen sie anscheinend noch extra bezahlen.

Ein Neuwagen muss übrigens nicht immer ganz neu sein. So haben Gerichte schon entschieden, dass ein kleiner Lackschaden am niegelnagelneuen Auto kein Rückgabegrund ist, sondern eine Ausbesserung seitens des Verkäufers ausreiche. Wenn an einem Auto aber schon herumrepariert wurde, dürfte es eigentlich nicht mehr als Neuwagen durchgehen. Auch andere leichte Mängel sind durchaus statthaft. In Rheinland-Pfalz blitzte eine Frau vor Gericht ab, deren Neuwagen eine so gebogene Windschutzscheibe hatte, dass Verzerrungen auftraten. Sie hat keine Entschädigung erhalten und muss nun weiterhin ohne richtigen Durchblick fahren und hält jeden Smart für eine Stretchlimousine. Die Dame wird sich in Zukunft vielleicht nur noch Gebrauchtwagen kaufen.

Das tun übrigens pro Jahr etwa sieben Millionen Deutsche. Meist werden die Autos von privat an privat verkauft, und 90 Prozent davon über das Internet. Allerdings kann dabei auch schnell mal der Wurm drin sein. Deshalb raten Experten, beim Kauf eines gebrauchten PKW über das Netz in der Region zu bleiben, und das Fahrzeug vorher anzuschauen und auch Probe zu fahren. Denn ob die Kupplung schleift, das Lenkrad vibriert, die Spur stimmt und die Bremse anspricht, findet man anhand der hochglanzpolierten Bilder im Internet nicht heraus. Natürlich kann man trotzdem auf Betrügereien hereinfallen, deshalb sollte man beim Autokauf immer jemanden dabei haben, der sich damit auskennt. Getrickst wird bei Gebrauchten vor allem mit dem Kilometerstand. Die Polizei schätzt, dass pro Jahr bei etwa zwei Millionen verkauften Gebrauchtwagen der Tachostand manipuliert wurde, das wäre etwa ein Drittel aller veräußerten Autos.

Aber Gebrauchtwagen, vor allem von deutschen Herstellern, haben einen guten Ruf. Natürlich kommen mit dem Jahren einige Mängel, zuerst trifft es meist die Lichtanlage, dann folgen Achsgelenke und die Auspuffanlage. So ein Auto ist eben auch nur ein Mensch, der es mit den Jahren im Prinzip an den gleichen Stellen hat.

Deshalb sollte man beim Kauf eines Autos immer daran denken, dass die Vorsicht die Mutter der Porzellankiste ist, und im Zweifelsfall die Hände von der Sache zu lassen. Man könnte ja auch in Erwägung ziehen, dass es der eigene alte Wagen vielleicht doch noch ein, zwei Jahre macht. Das ist nicht zuletzt auch ein Akt von Solidarität, denn die Kfz-Werkstatt um die Ecke will schließlich auch überleben.

Apropos Überleben: Laut einer Studie würden viele Deutsche ihr eigenes altes Auto am liebsten nicht privat, sondern an einen Händler verkaufen. Klar: Der Händler fährt danach mit der Karre auch nicht.

Nein, egal, ob es nun ein Neu-, ein Vorführ-, ein Jahres-, oder ein richtiger Gebrauchtwagen ist, nur eines zählt: „Hauptsache, es fährt."

Normalerweise fährt man, falls man nicht von ihr abkommt, einem dieselbe nicht ausgeht und man mit voller Absicht von ihr abbiegt, mit einem Auto auf der Straße. So eine Straße ist, unabhängig davon, ob sie nun eine Staatsstraße, eine Autobahn oder eine Ortsverbindung letzten Grades ist, immer wie ein Staatsgebilde aufgebaut. Es gibt einen Unter- und einen Oberbau, manchmal ist die Straße sogar noch mit einem Überbau versehen. Unterbaut ist sie aber nie, höchstens mal unterspült. Eine Wasserstraße ist trotzdem etwas anderes, auch wenn unter Straßen fast immer Kanäle liegen. Gelegentlich sind auch oben auf der Straße Löcher, aber das soll uns hier an der Stelle nicht interessieren.

Zu einer Straße gehören, wie das amtlich festgestellt und festgeschrieben ist, aber auch der Untergrund und der Luftraum darüber – vermutlich damit sich abgehobene Leute oder durchgefallene Kraftfahrer nicht außerhalb des Gesetzes befinden. Sie können dann dafür belangt werden, wenn sie betrunken mit ihrem Auto Flugversuche machen oder können Schadensersatz erhalten, wenn sich während der Fahrt vor ihnen urplötzlich ein alter Bergwerksschacht oder eine U-Bahn-Baustelle öffnet.

Seitlich eingerahmt wird eine Straße, zu der übrigens auch der Gehweg gehört, von Randstreifen und den noch daneben liegenden Banketten. Auf diesen unbefestigten Rändern sind Verkehrsschilder und auch Schutzplanken errichtet, die somit auch zur Straße gehören. Wer des Nachts an ein Verkehrsschild pinkelt, könnte theoretisch wegen des Eingriffs in den Straßenverkehr bestraft werden.

Die Fahrbahn selbst besteht ganz unten aus Schotter, darüber liegt eine Frostschutzschicht, die leider nur gegen die Kälte von unten wirkt, wenn überhaupt … Daran schließt sich nach oben die Asphalttragschicht an, die von der Asphaltbinderschicht bedeckt ist, und die oberste Schicht, die Asphaltdecke, trägt. Bei Kopfsteinpflasterstraßen und Betonpisten ist es natürlich anders. Weil bei den Straßen – anders als beim Staat – die oberste Schicht angegriffen wird, muss sie im Schnitt aller zwei bis drei Jahre erneuert werden. An dieser Stelle kommt uns eine Idee … aber zurück zur Straße:

Normalerweise sind die Straßen hierzulande breit genug. Im Klartext: Wenn ein Auto zwei Meter breit ist und die Straße fünf, darf es auch beim Gegenverkehr theoretisch nicht knallen. Leider ist es in der Praxis anders, und dann heißt es, wie oben angeführt: „Mir ist die Straße ausgegangen."

Nun gibt es aber nicht nur Dorf-, Gemeinde-, Land-, Kreis- und Bundesstraßen, sondern auch langweilige, interessante, beliebte und gefürchtete Straßen. Man kann auf der Bier-, der Wein- und Salzstraßen fahren, in Sachsen auch auf der Silberstraße. Wer auf dieser Silberstraße einmal bei noch nasser Fahrbahn genau in Richtung Sonne gefahren ist, der weiß, warum man auf den Namen Silberstraße kam.

Es gibt Burgen- und Romantikstraßen, aber auch Bergstraßen. Gerade in Gebirgen zeigt es sich, dass es zwei weitere Unterscheidungsmöglichkeiten in Sachen Verkehrswege gibt, die Traum- und die Albtraumstraßen. Auf den ersten möchte man am liebsten ewig fahren, weil man das Panorama ewig genießen will, bei den zweiten kann es passieren, dass die der Startpunkt für die letzte Reise sind.

Zu den schönsten Routen hierzulande gehört die Deutsche Alleenstraße, die längste Ferienstraße im Land, die sich auf knapp 3.000 km Länge an Sehenswürdigkeiten und herrlicher Natur entlang schlängelt. Wenn die Sache nicht gegen einen der Bäume am Straßenrand geht, kann man Flusstäler, Weinberge, aber auch Hopfenplantagen und Burgen sehen. Auch eine Fahrt an der Küste entlang von Lübeck nach Usedom oder auch gern in der Gegenrichtung ist sehr schön, aber die herrlichsten Straßen gibt es natürlich hier in Sachsen.

Einer Umfrage zufolge ist die Atlantikstraße in Norwegen zwischen den Städten Kristiansund und Molde die schönste der Welt, auf den zweiten Platz kommt der Highway Nr.1, der von Los Angeles nach San Francisco führt. Am Zielort fährt man dann über eine der spektakulärsten Brücken der Welt, die Golden Gate Bridge. Allerdings ist dieses grandiose Bauwerk leider oft auch Endstation für Fußgänger. So wurden im Jahr 2012 zur 75-Jahr-Feier, dem sogenannten Brückentag, 1558 Paar Schuhe als Mahnmal für die Selbstmörder nebeneinander gestellt, die sich von der 70 Meter hohen Brücke ins Wasser stürzten.

Und damit sind wir auch schon bei den Horrorstraßen dieser Welt. Als erstes ist hier ein Highway in der kanadischen Provinz British Columbia zu nennen, der an sich gar nicht so gefährlich ist. Nur sind eben dort in den letzten 30 Jahren 43 Frauen spurlos verschwunden. Die Polizei fand nie eine Spur, man glaubt trotzdem, dass dort ein Irrer Jagd auf Frauen macht. Nur Beweise hat man eben nicht. Andere glauben, dass die Frauen sich verirrt hätten und keine Hilfe holen konnten, weil es dort an vielen Stellen kein Mobilfunknetz gibt. Nun hat man Warnschilder am „Highway of Tears", der Autobahn der Tränen, wie man jetzt dazu sagt, angebracht. Auf denen wird vor der Gefährlichkeit der Straße gewarnt.

Mit Warnschildern regelrecht zugepflastert müssten auch andere Straßen sein, so wie der unweit der schönsten Straße der Welt in Norwegen gelegene Trollstigen-Pass. Dort überwindet man, falls man es überhaupt schafft, in elf Haarnadelkurven auf zwölf Prozent Steigung eine Höhendifferenz von 400 Metern. Aber auch im flachen Land kann man ins Schwitzen kommen, wie auf dem Autobahnzubringer Gravelly Hill Interchange bei Birmingham, der auch als Spaghetti-Kreuzung bekannt ist. Dort wird der Verkehr über 18 verschiedenen Routen auf fünf übereinanderliegenden Straßenebenen verteilt, und das auch mit Linksverkehr. Für noch mehr Verwirrung können auch die beiden Eisenbahnlinien, die drei Kanäle und die zwei Flüsse sorgen, die dort auch noch entlang führen. Wer also dort verzweifelt, hat die Wahl, ob er sich vor einen LKW wirft, vor einen Zug oder ins Wasser geht.

Manche geben aber nicht so schnell auf. Es soll dort Kraftfahrer geben, die seit 15 Jahren Runde um Runde drehen und nach der richtigen Ausfahrt suchen.

Nein, aber Europa ist in Sachen gefährlicher Straßen nichts gegen Asien und Südamerika.

In Bolivien gibt es die Ansicht vieler Experten gefährlichste Straße der Welt, die North Jungas Road. Die einspurige und nicht geteerte Straße zwischen La Paz und Coroico ist über 50 km lang und hat keine Sicherheitsbarrieren. Man muss ständig Regen und Steinschlag befürchten. Da diese Befürchtungen gelegentlich auch eintreffen, kommen dort pro Jahr zwischen 200 und 300 Menschen ums Leben, u.a. deshalb, weil es dort so steil ist, dass sich vorsichtige Menschen schon anseilen würden, wenn sie zu Fuß unterwegs wären.

Nicht so steil, aber mit 2.500 km viel länger ist die Grand Drunk Road, die von Chittagong in Bangladesh ins indische Delhi führt. Die Trasse ist so gefährlich, weil es eine extrem hohe Verkehrsdichte gibt und die Fahrer sehr undiszipliniert sind. Im Klartext: Viele Inder fahren dort wie die Ochsen, und in Indien sind Rinder heilig. Was das werden soll, wenn Indien die Verkehrsdichte der europäischen Industriestaaten erreicht, wollen wir lieber nicht wissen.

Aber auch das größte Land der Welt hat eine der größten Horrorstraßen, und zwar den Kolyma-Highway, der ein Teil der Strecke zwischen Moskau und Jakutsk in Sibirien ist. Schon beim Bau der Straße kamen viele der dort eingesetzten Gulag-

Häftlinge ums Leben. Dem Vernehmen nach ist die Strecke im Winter bei minus 30 Grad Celsius am besten befahrbar, im Sommer bleiben normale Autos im Morast stecken. Da läuft es einem selbst in der größten Hitze kalt den Rücken herunter.

Eher Schulterzucken als Reaktion gibt es bei Straßen, die ins Nichts führen. Wir meinen hier nicht die zahlreichen Gassen, die nach der berühmten Opernsängerin Erna Sack benannt sind, sondern eher Autobahnen wie die von Dresden nach Prag. Die wollen einfach nicht fertig werden. Gerade die Verbindung von der sächsischen in die tschechische Hauptstadt hat auf tschechischer Seite noch viele Lücken.

Aber wir Sachsen sind eben auch nicht besser. Die A72 von Chemnitz nach Leipzig sollte schon zur Fußball-WM 2006 fertig sein. Geschafft hat man das bis heute noch nicht. Aber die nächste Weltmeisterschaft in Deutschland wird kommen.

Letzten Endes ist es jedoch so, egal auf welcher Straße man auch unterwegs ist: „Hauptsache, es fährt."

PLEITEN, PECH UND PANNEN

Vor Pleiten, Pech und Pannen im und mit dem Auto ist niemand gefeit, es sei denn, er hat gar keins. So ein Fahrzeug ist nun mal auch nur ein Mensch, der im Alter klappriger wird und zunehmend über Beschwerden klagt. Da geht eben mal etwas kaputt, meistens Verschleißteile. Die Menschen gehen zum

Arzt, das Auto kommt in die Werkstatt, oder man ruft die Pannenhilfe. Die Gelben Engel rücken statistisch aller acht Sekunden einmal aus, pro Jahr gibt es in Deutschland also etwa vier Millionen Pannen, und das allein nur im Straßenverkehr. Von anderen Branchen wie Politik, Finanzgewerbe und so weiter wollen wir hier gar nicht reden.

Gelegentlich sind im Kfz-Gewerbe aber auch schon ab Werk defekte oder unbrauchbare Teile eingebaut, dann kommt es zu den berühmt-berüchtigten Rückrufen. Davor ist kein Autobauer gefeit, es hat schon alle getroffen, selbst Nobelmarken wie Rolls Royce und Maserati. Die Doppel-R-Firma musste schon feststellen, dass sich ausgerechnet im „Ghost" wie von Geisterhand Risse im Gehäuse der Zusatzkühlmittelpumpe des Turboladers bilden. Das kann man vielleicht noch verschmerzen, aber dass bei einigen Maseratis die Rückleuchten ausfielen, war dann doch weniger gut für das Image. Gerade einen Maserati sieht man ja meist von hinten. Ob es in Holland festgestellt wurde, dass sich beim Sprinter vom Mercedes Bauteile von der Anhängekupplung lösten, wissen wir nicht, aber wahrscheinlich ist es schon. Ein Stück weiter, in Frankreich, hatte man bei PSA einen Verdacht und forderte die Käufer von einigen Peugeots und Citroëns auf, in die Werkstätten zu kommen und dort Lenkung und Bremsen überprüfen zu lassen. Die Kunden sind dann vermutlich ganz vorsichtig in die Betriebe gefahren, möglichst ohne zu bremsen und zu lenken. Auch bei Smart hat man festgestellt, dass eine Baureihe nicht mehr lenkbar sein könnte. Aber so einen Kleinwagen kann man im Notfall noch selbst anheben und in die neue Fahrtrichtung stellen.

Honda hatte mal Probleme mit der Benzinpumpe, die zu Motorstottern führte. Ins Stottern kam auch BMW in den USA, als man dort feststellte, dass sich bei Unfällen einige Airbags nicht öffneten. Gut, in Hollywood kann das andere Gründe haben. Wenn dort Starlets wie Paris Hilton und Co. einen Crash bauen, öffnet sich der Airbag nicht, weil auch so ein Bauteil seinen Stolz und eine gewisse Schmerzgrenze hat. Vielleicht liegt es auch daran, dass der Airbag beim Anblick der Silikonkissen der Fahrerin Minderwertigkeitskomplexe bekommt.

Trotzdem sind deutsche Autos nach den aktuellen Statistiken die sichersten Autos der Welt, auch wenn sie kürzlich bei Tests in den USA nicht besonders gut abschnitten. So wurde bemängelt, dass sich bei einem Smart nach einem Seitenaufprall die Fahrertür entriegelte und öffnete. Das war vermutlich Absicht, so wird immerhin der Fluchtweg automatisch frei. Bei einem anderen Crashtest in den Staaten wurde simuliert, dass ein Auto mit 64 km/h mit einem Teil der Frontpartie mit einem Brückenpfeiler oder Strommast kollidiert. Auch hierbei sollen die US-Autos besser abgeschnitten haben. Das liegt aber daran, dass in Deutschland keine halben Sachen gemacht werden. Entweder fährt man mit einem Auto aus Germany frontal gegen den Baum oder gar nicht.

Zudem sind deutsche Autobauer konsequent, sogar konsequenter als die Politik. Bei Mercedes hat man zum Beispiel festgestellt, dass ein von der EU gefordertes neues Kältemittel vielleicht umweltverträglicher ist als das alte, aber dafür bei einem Unfall Brände auslösen kann, zudem bildet sich dann auch hochgiftige Flusssäure. Deshalb wird man es nicht mehr verwenden. Wenn die EU auch so handeln würde, wären die neuen Energiesparleuchten mit dem hochgiftigen Quecksilber darin nie in den Handel gekommen.

Man sollte dem Fortschritt eben nicht blindlings vertrauen, auch wenn er grün angestrichen ist, genauso wenig wie den Navigationsgeräten. So ein Navi ist zwar eine gute Sache, aber den gesunden Menschenverstand sollte man immer noch im Hinterkopf haben. Sonst würde man nicht, wie es alles schon vorgekommen ist, in einen Fluss rollen, sich auf Rodelpisten führen lassen oder sich gar im Wald festfahren.

Gelegentlich passieren auch in der Verkehrsplanung Pleiten, Pech und Pannen. Selbst mit dem besten Navi hat es noch nie jemand in die vor fünf Jahren gebaute Tiefgarage unter einem Krankenhaus im Zentrum von Prag geschafft. Die Kelleretage hat nämlich keine Ein- und Ausfahrt, die wurde bei der Planung und beim Bau schlicht und einfach vergessen.

Hoch hinaus wollte man dagegen in Italien. Die Stadt Venedig plante eine neue Brücke auf das Festland, doch nachdem man schon viel Geld in die Planung gesteckt hatte, stellte man fest, dass das Bauwerk einfach zu schwer ist, und bei einem Bau das Stadtufer im Schlamm versinken würde.

Aber auch wir Deutschen reihen uns da ein. Vor Scham im Erdboden versunken wären zum Beispiel die Mitarbeiter der Bahn, die in Brandenburg einen Übergang über eine stillgelegte Bahnlinie abreißen sollten, aus Versehen aber die 30 Meter entfernte Brücke über eine Bundesstraße dem Erdboden gleich machten.

Verwechselt hat auch jener Autofahrer im bayrischen Hof etwas. Weil er einer neben ihm an einer Ampel haltenden hübschen Frau imponieren wollte, legte er einen Kavaliersstart hin und beschleunigten bis auf 100 Sachen. Die Dame folgte ihm, sogar als er auf einen Parkplatz fuhr. Leider entpuppte sie sich als Zivilpolizistin, die seinen Führerschein einkassierte, ohne ihm ihre private Telefonnummer zu geben. Ob er dagegen Widerspruch einlegte, wissen wir nicht, aber in Niedersachsen hat ein anderer Autofahrer bei Rot erst gar nicht an der Ampel gehalten. Er fuhr seelenruhig über die Kreuzung und erklärte den Polizisten, die das Ganze beobachteten, dass durch das Anhalten und folgende Anfahren unnötig viel Kohlendioxid in die Atmosphäre gelange. Eine Anzeige fing er sich von den damals noch in Grün gekleideten Polizisten trotzdem ein, vermutlich wegen Rotlicht-Vergehens.

Nur falsch geparkt hatte dagegen eine Frau in Shanghai. Als das Auto der resoluten Frau abgeschleppt wurde, setzte sie sich in ihren bereits am Haken hängenden leistungsstarken Wagen und fuhr dank des Allradantriebs mit dem Abschlepp-LWK im Schlepptau einfach davon. Ob sie dem Abschleppdienst dann noch einen Strafzettel geschrieben hat, entzieht sich unserer Kenntnis.

Geschrieben hat dagegen Porsche, und zwar Werbeplakate, die in Großbritannien den neuen „Boxter" anpreisen sollten. Nur gibt es einen keinen „Boxter", der Wagen heißt „Boxster". Wegen des fehlenden „S" mussten alle Plakate abgelöst und neue geklebt werden.

Geklebt hat auch der Fahrer eines polnischen Sattelzuges, der auf der A2 bei Braunschweig gestoppt wurde. Dessen Bremsen waren mit Tesa-Band geflickt. Hier hat es mit der Werbung besser geklappt, allerdings nur für Tesa.

Klebeband wird im Motorsport allerdings gern und oft verwendet. Das half der amerikanischen Rennfahrerin Danica Patrick aber auch nicht. Sie hätte dem Fan, der bei einem Nascar-Rennen in Montreal einen Sportschuh auf die Strecke warf, hinterher am liebsten eine geklebt. Dadurch beschädigte sie in Führung liegend, die Hinterachse ihres Autos und fiel dadurch noch bis auf Platz 27 zurück. Hinterher meinte sie: „Ich kann gar nicht glauben, wie viel Pech ich hatte."

Dabei kann sie noch von Glück reden, denn die Sache hätte ganz anders ausgehen können, auch für den Schuhwerfer. In Arabien wurde ein Journalist für so eine Aktion schon mal zu einer Gefängnisstrafe verurteilt. Allerdings hatte er seinen Schuh in Richtung des damaligen US-Präsidenten George W. Bush geworfen. Das ist allerdings eine ganz andere Geschichte, auch wenn Bushs Amtszeit von nicht wenigen Pleiten, Pech und Pannen begleitet war. In einem Auto ist ihm jedoch nie etwas passiert, er wurde allerdings auch immer gefahren. Das war auch besser so, denn der Mann hat sich nicht nur an einer Brezel verschluckt, sondern auch beim Radfahren schon mehr als genug lang gelegt.

Aber wie gesagt, niemand ist vor Pleiten, Pech und Pannen gefeit. Irgendwann und irgendwo ist immer etwas im Busch. Was es auch sei, am Ende ist man froh, wenn man hinterher noch sagen kann: „Hauptsache, es fährt".

Der Ford im Wasser

Es war einmal ein Ford.
Ohne Lord an Bord.
Der Ford fuhr nur nach Nord
An einen Küstenort
Dort trieb er einfach Sport
Und fuhr ins Wasser dort
Hinterher las man das Wort:
Es war ein Unfall und kein Mord.

PLATZ ZUM PARKEN

Zum Fahren eines Autos gehört auch das Parken. Generell ist es ja so, dass es auf unserem Planeten, zumindest in Mitteleuropa, zu wenig Parkplätze gibt. Ausnahmen bestätigen die Regel. Dabei haben wir Deutschen noch nicht mal die größte PKW-Dichte. Mit 666 Autos pro 1.000 Einwohner gibt es in Luxemburg die meisten, gefolgt von den Italienern mit 600. Dann kommt Deutschland mit 500, Frankreich und Spanien folgen dicht dahinter. Die Niederländer haben nur 450 Autos pro 1.000 Einwohnern, aber dort kommen vermutlich noch einmal genau so viele Wohnanhänger dazu.

Es herrscht also Parkplatznot. Wenn man einen Parkplatz sucht, findet man meistens keinen, und parkt ein Stück weiter weg. Kommt man dann zu Fuß an der Stelle vorbei, sind meist zwei oder drei Plätze frei. Gut, wirklich frei sind sie in den seltensten Fällen. Kostenlose Parkplätze sind eine Rarität geworden. Die Kommunen müssen eben auch auf diese Weise Geld verdienen. Deshalb schicken sie auch ihre Politessen los, um Falschparker abzustrafen.

Es geht aber auch anders, wie vor einiger Zeit in Litauen. Dem Bürgermeister der Hauptstadt Vilnius reichten die Knöllchen offenbar nicht mehr aus. Arturas Zuokas hat sich wohl dermaßen über falsch parkende Autos geärgert, dass er sich ans Steuer eines Panzers setzte und einige der im Parkverbot abgestellten Luxuskarossen überrollte. Hinterher meinte er, dass niemand über dem Gesetz stehe, vor allem die Besitzer solcher Nobelschlitten nicht.

Aber auch hierzulande stellt so mancher Mitbürger sein Fahrzeug ganz bewusst ins Parkverbot, oder vergisst absichtlich, ein Parkticket zu ziehen. Es ist eben keine Milchmädchenrechnung, wenn das Parken pro Stunde einen Euro kostet, und man selbst mit einem Knöllchen für 15 Euro noch günstiger über das Wochenende billiger wegkommt.

Wenn allerdings alle erreichbaren Parkplätze belegt und die Straßenränder ebenfalls schon besetzt sind, egal ob nun Parkverbot herrscht oder nicht, bleibt nur noch eins: Ab ins Parkhaus. Und hier kann es gefährlich werden. Zwar gibt es inzwischen schon regelrechte Paläste mit breiten Ein- und Ausfahrten, manchmal klemmt es aber auch an der Höhe, wie zum Beispiel vor einiger Zeit im mittelsächsischen Freiberg. Dort war eine Parkhauseinfahrt mit einer lichten Höhe von 2 Metern angegeben. Der Fahrer eines laut Papieren 1,99 m hohen Wagens schrammte sich trotzdem das Dach auf. Gut, man kann im Winter sehen, dass sich eine Schneedecke gebildet hat und die Einfahrt zudem schräg war. Auch sollte man amtlichen Messungen nicht unbedingt trauen. Die Sache ist inzwischen bereinigt worden, aber so etwas ist nicht die einzige Tücke in Parkhäusern.

Die breitesten und am besten beleuchteten Plätze sind schon traditionell der holden Weiblichkeit vorbehalten, auch wenn die Schilder mit der Aufschrift „Frauenparkplatz" trotzdem oft eingedellt oder verbeult sind.

Inzwischen gibt es auch die ersten „Männerparkplätze". In Triberg im Schwarzwald sind in einem Parkhaus die beidem am schlechtesten zu befahrenen Parkbuchten so ausgeschildert worden. Die sind zwar nicht schmaler als die anderen, aber nur rückwärts zu befahren. Aber zum Thema rückwärts Einparken an anderer Stelle mehr.

Inzwischen haben aber auch Männer oft Probleme, ihre Fahrzeuge auf einen normalen Stellplatz zu parken, weil die Autos immer breiter werden, die Parkbuchten jedoch nicht. Selbst Kleinwagen sind heute mit Spiegeln über zwei Meter breit, so dass sie laut Gesetz in Autobahnbaustellen nicht auf der linken Spur fahren dürfen. Auf einen laut Norm 2,30 breiten Stellplatz kann man das Gefährt zwar noch relativ problemlos rangieren, aber dann möchte man ja auch noch aussteigen. So lange sitzenzubleiben, bis die Gattin vom Schuhkauf in der Stadt zurück ist, kann sehr langweilig werden.

Da hilft dann auch das Einparksystem nicht mehr, bei dem der Fahrer vorher aussteigen und zusehen kann, wie das Auto selbständig in die Lücke fährt. In der Zeit, in der der Fahrer den Wagen verlässt, ist vielleicht ein anderer Fahrer auf herkömmliche Weise in die Lücke geschossen.

Aber egal, ob man ein Auto nun auf einen Parkplatz, in ein Parkhaus oder ins Parkverbot stellt, nur eines zählt: „Hauptsache, er steht."

WORAN SIE ERKENNEN, DASS SIE IN DER WEIHNACHTS-
ZEIT AUF EINEM AUTOHOF ODER EINER RASTSTÄTTE ZU
GAST SIND:

1) Die Weihnachtskerzen brennen mit 12 Volt in
drei Stufen: Stand-, Abblend- und Fernlicht.

2) Den Glühwein gibt es in drei Varianten: Normal,
Super und Super Plus ... und alkoholfrei als Biodiesel.

3) Das Feiertagsmenü hat sechs Gänge, fünf Vor-
wärts- und einen Rückwärtsgang.

4) Der Adventskranz steckt im Getriebe.

5) Die Weihnachtsente ist alt und zäh und kommt
von Citroen.

6) Der Weihnachtsmann hat keine warme Mütze,
sondern eine Kühlerhaube.

7) An der Futterkrippe stehen keine Schafe, sondern
der Löwe von Peugeot, der Gaul von Ferrari und der
Käfer von VW.

8) Der Weihnachtsmann hat keine Rute, sondern
eine Kelle mit der Aufschrift: „Halt! Polizei!"

9) Die Heiligen Drei Könige heißen Sebastian Vettel, Fernando Alonso und Lewis Hamilton.

10) Sie haben keinen Wunsch-, sondern einen Strafzettel.

AUTO-ALTERNATIVEN

Auf vier Rädern hat man, abgesehen vom Cabrio oder
Unfallwagen, ein Dach über dem Kopf, auf zwei Rädern das Gefühl von Freiheit und Weite. Die Tour auf
der Harley-Davidson über die Route 66 mit „Born to
be wild" von Steppenwolf ist mehr als ein Klischee.
Rockerbanden der Hells Angels oder Bandidos bringen die Biker-Szene zwar gelegentlich in Verruf, aber
daran sind die Motorräder wohl kaum schuld, und
die meisten Biker wollen einfach nur fahren und
die Fahrt genießen. Allerdings gibt es auch Motorräder, die wie ein Waffe aussehen, so wie ein Ein-
zelexemplar der Tuningschmiede Vilner für einen
russischen Geschäftsmann. Die Experten haben
eine BMW F800R zu einer aggressiv aussehenden
„Predator" gemacht, die optisch durchaus etwas von
dem gleichnamigen Alienmonster aus dem ebenso
heißenden Film hat.
Aber „Predator" ist nicht der einzige Kraftausdruck
für Motorräder, denen man gern mal Namen gibt,
die für sich sprechen. Honda hat zwar auch eine
„Varadero" im Programm, bei der man gern mal
an Sonne, Strand und Kuba-Rum denkt, aber eben
auch eine „Fireblade". Kawasaki setzte mit der
„Ninja" noch eines drauf. Dass man dieses Motorrad nur in schwarzer Kampfkleidung fahren darf,

ist nicht bekannt, aber dafür weiß man, dass es in Deutschland ein Motorrad namens „Neander" gibt. Die schon imposante Größe des Gefährts wird aber noch von einem Teil in den Schatten gestellt, dass in der „Harzer Bikerschmiede" entstand. Das Motorrad wiegt an die fünf Tonnen, ist 2,30 m hoch, 5,30 m lang und hat einen Panzermotor. Mit Seitenwagen ist es 2,30 m breit, und ohne würde es umfallen und liegenbleiben, bis der Arzt …, nein, der Kran kommt.

Etwas bescheidener als die Harzer war ein Ungar, der sich ein Motorrad fast komplett aus Holz baute, nur der Motor stammte aus einem alten Polski-Fiat. Damit ist das Antriebsaggregat nur unwesentlich älter als die meisten Biker, denn laut Statistik ist der durchschnittliche Motorradfahrer hierzulande im mittleren Alter und hat graue Haare. Noch in den 80er Jahren war er jung und abenteuerlustig. Logisch – inzwischen ist der Durchschnittsfahrer von damals auch dreißig Jahre älter geworden. Graue Haare bekommen heute aber auch schon junge Motorradfahrer, wenn sie den Preis ihres Traummotorrades erfahren. Für so ein Teil legt man schon eine schöne Stange Geld hin, aber warum soll es den Motorradfahrern auch besser als den Autofahrern gehen? Die Autos, ob und mit oder ohne Dach, sind auch teurer geworden.

Das ist übrigens nicht die einzige Gemeinsamkeit von Zwei- und Vierrad-Gefährten. Auch bei Motorrädern experimentiert man mit alternativen Antrieben und Kraftstoffen. So entwickelte

Triumph ein mit Bioethanol befeuertes Modell, der Treibstoff dafür wurde von Schülern im Chemieunterricht hergestellt, und zwar aus heruntergefallenen Äpfeln. Ob diese „Triumph Daytona 675" einen Rummelplatzboxermotor hat, weil sie nur Fallobst verarbeitet, ist eigentlich egal, aber nicht gleichgültig kann der Umwelt sein, dass es auch schon die ersten Erdgasmotorräder gibt – angeblich sogar schon in einer Enduro-Version für Selbstversorger. Die können dann damit quer durch das Gelände von Bohrturm zu Bohrturm fahren, um zu tanken.

Nein, dann müssten ja die Fahrer von Elektromotorrädern mit Strombügeln auf den Gleisen der Straßenbahn unterwegs sein. Aber egal, wie Motorräder angetrieben werden, ein Hingucker ist so ein schönes Bike immer. Das ist auch bei uns in Sachsen so, egal ob es nun die Dynamo-Harley in Dresden ist oder die vielen Hondas beim jährlichen Goldwing-Stammtisch im erzgebirgischen Holzhau.

Honda ist übrigens eine der Firmen, die sowohl Autos als auch Motorräder bauen, zu der Gruppe gehören auch noch die oben erwähnten Bayrischen Motorenwerke, als auch Suzuki, um mal die bekanntesten zu erwähnen.

Reine Motorradschmieden sind dagegen die Japaner von Kawasaki und Yamaha, die Italiener von MV Agusta und Ducati, obwohl Ducati inzwischen schon zu VW gehört, und die Schweden von Husqvarna, obwohl die auch Motorsägen bauen, aber die laufen bekanntlich auch mit Ketten.

Nicht mehr in diese Kategorie gehören die Österreicher von KTM. Im Jahr 2007 stellten die Erben von Hans Trunkenpolz aus Mattighofen, daher das Kürzel KTM, das erste selbst gebaute Auto, den X-Bow, vor, und das mit Erfolg.

Ein Erfolg, vor allem für die Umwelt, ist dagegen, dass immer mehr Leute nicht nur Radler trinken, sondern selbst zu einem solchen werden. In Deutschland gibt es 67 Millionen Fahrräder, die Zahl wird wohl nur noch von China übertroffen, noch. Die Chinesen haben bekanntlich in den letzten Jahren das Auto für sich entdeckt.

Aber nicht jeder Autofahrer mag die Radfahrer leiden, manche Pedalritter gebärden sich allerdings auch wie Fahrrad-Rambos, stellte nicht nur Verkehrsminister Peter Ramsauer vor einer Weile fest. Das ist die negative Seite der Sache, genauso wie die kriminellen Motorradgangs. Allerdings treten Radrambos nicht in Gruppen auf, nur manche Profirennställe sind in Sachen Doping so unterwegs.

Aber Radfahrer erfahren heutzutage immer mehr Unterstützung, und zwar durch Kraftmaschinen. Was früher das Fahrrad mit Hilfsmotor war, ist heute das E-Bike. Damit der Fahrer eines solchen Zweirades auch gehört und wahrgenommen wird, dafür reicht die gute alte Fahrradklingel nicht mehr aus. Deshalb hat ein britischer Hersteller ein Fahrrad namens „Hornster" auf den Markt gebracht, dass über Hupe mit einer Lautstärke von 178 Dezibel verfügt. Damit übertönt man sogar LKW-Geräusche, angeblich sei das Ding sogar lauter als eine startende Concorde. Aber das lässt sich nicht mehr überprüfen, die Concorde ist bekanntlich für immer gelandet. Das Fahrrad selbst ist allerdings unbequemer als selbst der letzte Notsitz in einem Flugzeug, weil am Rahmen neben den drei Lokomotivhörnern auch noch eine Pressluftflasche befestigt ist.

Weil wir gerade bei Druck sind: Druck auf die etablierten Fahrradhersteller machen inzwischen auch die Autofirmen. Fast jede Firma, die etwas auf sich hält, hat inzwischen auch Fahrräder im Programm. Porsche, Mercedes und BMW sind dabei, Audi und Smart bieten E-Bikes an. Auch Maserati lässt sich nicht lumpen, und bietet ein Fahrrad sportlicher Natur – was denn sonst – an, dass natürlich auch seinen Preis hat, und der liegt über 7.000 Euro. Fast drei Mal so viel kostet das Schweizer „BMC impec Lamborghini Edition". An dem Teil sind zwar Sattel und Lenker mit Wildleder, aber mit BMC und Lamborghini zahlt der Kunde gleich zwei bekannte Namen mit.

Trotzdem haben Radfahrer, besonders die weiblichen, durchaus die gleichen Probleme wie mancher Motorradfahrer. Nachdem in den USA ein Mann mit einem Motorrad eine zwei Stunden lange Fahrt hinter sich hatte, merkte er, dass nicht nur sein Motorrad einen Ständer hatte, sonder er selbst auch. Angeblich litt er danach unter einer Dauererektion, und als diese endlich abgeklungen war, konnte er laut eigener Aussage sexuell nicht mehr aktiv werden. Er klagte vor Gericht, ob der Prozess entschieden wurde, wissen wir nicht. Vielleicht hat ihn sein

Anwalt auch einfach hängen lassen. Und nun zu den Radlerinnen. Wissenschaftler aus den USA haben herausgefunden, dass das Radfahren das Sexualleben von Frauen beeinträchtigen kann, vor allem, wenn der Sattel nicht richtig eingestellt ist. Dann hilft es auch nicht mehr, dass die Damen danach vor Wut ihr Fahrrad entmannen, also kurzerhand den Ständer abtreten.

Treten muss man übrigens auch bei einem Ferrari der ganz besonderen Art. Der österreichische Künstler Hannes Langeder hat eine Art vierrädriges Fahrrad im Ferrari-Kleid gebaut, und damit für viel Aufsehen gesorgt. Vorher hatte er sich in gleicher Weise auch schon an einem Porsche vergangen. Was als Nächstes kommt, weiß man noch nicht.

Das echte Ferrari-Werk hat sich jetzt auch auf die Gleise gelegt, aber nicht um sich um die Ecke zu bringen, sondern um in den Fernverkehr mit Hochgeschwindigkeitszügen einzusteigen. Fernando Alonso könnte also, falls er in den nächsten Jahren in der Formel 1 immer hinter Sebastian Vettel WM-Zweiter wird, aus Frust Lokführer werden, ohne seinen Arbeitgeber wechseln zu müssen.

Wie die etablierten Bahngesellschaften zu diesem Vorstoß von Ferrari stehen, ist noch nicht bekannt, aber die französische Bahn, die SNCF, will vorsichtshalber schon mal in das Busgeschäft einsteigen und plant von Lille in Nordfrankreich aus Fernlinien nach Paris, Brüssel, Amsterdam und London. Ob sie dafür den vom deutschen Fraunhofer-Institut entwickelten längsten Bus der Welt einsetzt, ist noch nicht klar. Aber vorgeführt wurde das 30 Meter lange Gefährt für 256 Passagiere vor einiger Zeit, und zwar in Dresden. Der XXL-Bus hat vier Achsen, und zwei Gelenke. Der Fahrer kann in einer Kehre also theoretisch sehen, wer hinten drin sitzt, und das ohne sich umdrehen zu müssen. Über die Ausmaße des Wendeskreises war übrigens nichts zu erfahren, wahrscheinlich müssen die 256 Leute dann aussteigen, den Bus anheben und umdrehen.

Aber nicht überall ist dafür Platz, und so kam man an der französischen Atlantikküste auf die Idee, einen Doppelkopfbus zu entwickeln. Das hat jetzt nicht mit einem Betriebsausflug bayrischer Kartenspieler zu tun, der Doppelkopfbus kann sowohl von vorn als auch von hinten gefahren werden. Damit können jeweils 90 Passagiere vom dortigen Festland auf die Insel mit der weltberühmten Abtei Mont-Saint-Michel gebracht werden und danach rückwärts retour. Auf der Insel ist einfach kein Platz zum Wenden, nicht mal für Busse in Normalgröße. Man muss sich eben nur zu helfen wissen, aber das gilt für Räder aller Art sowieso.

Egal, ob man nun mit einem Auto, einem Motorrad, einem Fahrrad, einem Bus oder einfach auf einem Skateboard auf der Straße unterwegs ist – nur eines zählt: „Hauptsache, es fährt."

MPU, das klingt für Nichteingeweihte erst einmal wie ein ganz geheimer russischer Geheimdienst, ist aber die sogenannte Medizinisch-Psychologische Untersuchung, besser als „Idiotentest" bekannt und gefürchtet.

Theoretisch könnte es jeden treffen, außer Fußball-Lehrern. Givoanni Trappatoni, der ehemalige Bayern-Coach hat ja mal zu Protokoll gegeben: „Ein Trainer ist nicht ein Idiot."

Nein, die MPU hat die Aufgabe, Kraftfahrer zu beurteilen, denen meist wegen Alkohol am Steuer der Führerschein entzogen wurde. Andere Gründe für Einladung zur MPU sind Fahren unter Drogen, das Erreichen der Grenze in Flensburg, aber nicht der nach Dänemark, sondern die Punktegrenze oder auch anderweitige gesundheitliche Gründe – vorausgesetzt natürlich, der Kraftfahrer will wieder Kraftfahrer sein und seinen Führerschein wiederhaben bzw. neu erwerben.

Wir können das Thema allerdings nur theoretisch abhandeln, da wir noch nie zum Idiotentest mussten und das auch künftig nicht vorhaben. Erstens leiden wir beide seit unserer Schulzeit unter Prüfungsangst und zweitens weiß man ja nie, was am Ende herauskommt.

Eine MPU setzt sich aus drei Teilen zusammen, aus dem M, dem P und dem U. Nein, zuerst muss der Nicht-Idiot in spe drei Fragebögen zu seinem Lebenslauf, seiner allgemeinen und speziellen Gesundheit und zum Anlass des Führerscheinentzugs ausfüllen. Danach wissen die Tester vermutlich schon mehr über den Kandidaten als er selbst. Dann folgen Reaktionstests, ein Gespräch mit einem Arzt inklusive Gesundheitscheck, aber nicht des Mediziners, und als Abschluss bzw. Krönung des Ganzen ein etwa einstündiges Gespräch mit einem Psychologen.

Bei der medizinischen Untersuchung wird herausgefunden, ob der Delinquent wenigstens am Tag der MPU nüchtern und clean ist, während das Gespräch mit dem Psychologen der Hauptteil des Tests ist. Oft interessiert es den Experten weniger, was, als vielmehr wie der Kandidat antwortet. Er kann daraus mehr Schlussfolgerungen ziehen, als man freiwillig je zugeben würde.

Zum Beispiel soll die Geschwindigkeit, mit der man auf die Frage nach dem aktuellen Punktestand in Flensburg antwortet, ein Gradmesser dafür sein, wie intensiv man sich selbst mit der ganzen vermaledeiten Geschichte befasst hat.

Im Internet und anderen Medien kursieren viele Tipps und Ratgeber, wie man die MPU besteht. Wenn man sich darauf verlassen könnte, würde aber nicht die Hälfte aller Idiotentests negativ ausgehen. Deshalb sollte man sich schon gründlich auf diesen Tag vorbereiten. Der kann zumindest für das berufliche Leben wichtiger sein als der Hochzeitstag für das restliche Dasein.

Aber auch hier gibt es schwarze Schafe, die versuchen die MPU-Kandidaten abzuzocken, denn die befinden sich ja irgendwie schon in einer Notlage und sind für dubiose Angebote besonders empfänglich.

Aber auch beim Idiotentest soll es dem Vernehmen nach Fallstricke geben. So kann man schon zugeben, dass einem der Führerschein wichtig ist, dabei allerdings zu übertreiben, kann wiederum den Eindruck erwecken, dass man für dieses Stück Plastik alles tun würde, eben auch lügen.

Es ist eben wie bei einem „normalen" Verkehrsunfall. Wenn man dabei zu Protokoll gibt, dass man unter Zeitdruck war, kann daraus auch abgeleitet werden, dass man vorsätzlich zu schnell gefahren ist. Dann dauert es etwas länger ... und am Ende muss man vielleicht sogar zum Idiotentest.

Und dort fallen scheinbar zu viele Leute durch, deshalb hat der ADAC jetzt eine Reform der MPU gefordert. Wahrscheinlich ist selbst dem Autoclub der Idiotentest zu idiotisch geworden. Es kann aber auch sein, dass jemand aus der Führungsetage des Clubs bei der MPU durchgefallen ist. Das Bundesverkehrsministerium hat daraufhin angekündigt, die ganze Sache zu überarbeiten. Aber bis das geschieht und dann vielleicht sogar noch etwas geändert wird, das kann dauern, das kann lange dauern, das kann sehr lange dauern.

Also: Vorsicht ist die Mutter der Porzellankiste. Am besten fährt man mit der nötigen Vor-, Rück- und auch Übersicht, dann bleibt einem das ganze Thema erspart.

SCHNELLER, SCHNELLER, SCHNELLER

Alle Rekorde mit und rund um Autos können wir hier natürlich nicht erwähnen. So schreiben wir aus Platzgründen nicht, dass schon mal 22 Menschen in einen Audi A3 gepresst wurden, auch der absolute Geschwindigkeitsrekord von 1.227 km/h bleibt hier unerwähnt, weil das „Thrust SSC" genannte Geschoss des Briten Andy Green im Prinzip kein Auto ist, sondern eine Rakete mit unten angeschraubten Rädern. Außerdem arbeitet das Team an einem neuen Weltrekord, im nächsten Anlauf will man 1.600 km/h erreichen. Neuerdings haben sie sogar Konkurrenz, ein anderes britisches Team will es mit dem „Bloodhound SSC" auf knapp 1.700 km/h bringen.

Dagegen ist das Wohnmobil „Jules Verne" von Westfalia eine Schnecke, aber ein Profirennfahrer erreichte mit dem Wohnzimmer auf Rädern immerhin 222 km/h. Das Gefährt könnte theoretisch zumindest in Rom von der Polizei überholt werden, denn der Sportwagenhersteller Lamborghini hat den Ordnungshütern der italienischen Hauptstadt einen Gallardo LP 560-4 geschenkt. Das Fahrzeug dürfte mit einer Höchstgeschwindigkeit von 310 km/h das schnellste Polizeiauto der Welt sein – ein sogenannter „Kondensstreifenwagen". Die polnische Polizei hat keine so schnellen Dienstfahrzeuge, stoppte dafür aber einen Weltrekordler der anderen Art, und zwar einen Mann, der mit unglaublichen 10,0 Promille Alkohol im Blut noch Auto gefahren ist. Die Messung des Wertes wurde übrigens mehrfach wiederholt, weil man zuerst an einen Messfehler glaubte.

Auch kein Messfehler dürfte bei der Rekordbeschleunigung vorliegen, die ein Brite mit einem umgebauten Vauxhall erreichte. Er ersetzte den 104-PS-Serienmotor durch einen Chevy-Big-Block V8 mit zwei Turboladern und beschleunigte mit der Kraft der zwei Herzen, also den 3.300 PS, in 0,9 Sekunden von 0 auf 100 km/h.

Auf 110 km/h schaffte es ein Amerikaner, der ein Toilettenhäuschen auf Räder stellte und mit einem Antrieb versah. Der Clou an der Sache: Auch Männer setzen sich automatisch hin, wenn das Ding anfährt. Kaum noch sitzen, kann man im flachsten, für den Straßenverkehr zugelassenen Auto der Welt, dass der Brite Perry Watkins gebaut hat. Das Auto ist nur 48,26 cm noch, wurde aber inzwischen von einem japanischen Schul-Team untertroffen, dessen Elektrosportwagen „Mirai" nur 45,2 cm hoch bzw. niedrig ist. Kaufen kann man die Flunder aber nicht. Zu kaufen gibt es jedoch das flachste Serienfahrzeug der Welt, den Lotus Elise, mit einer Höhe von 1,12 m. Wie man in solche Autos einsteigt, möchten wir lieber nicht wissen, wie man wieder heraus kommt, noch weniger. Fast schon eine Leiter braucht man dagegen beim höchsten Fahrzeug, einem Landrover Defender, der es auf 2,06 m an der Dachkante bringt.

Der schwerste PKW der Welt kommt aus Kanada, dort baut die Firma Conquest den Knight XV, der es mit einer Rundumpanzerung auf fünf Tonnen Gewicht bringt. Das gewichtigste Serienauto ist allerdings der Maybach 62 S von Mercedes mit 2.855 kg, das leichteste Auto kommt aber immer noch von Matchbox.

Nein, aber fast schon Matchbox-Dimensionen hat der Smart Fortwo Coupe, der mit 2,70 m Länger das kürzeste Auto der Welt. Das schafft der Ford F-650 fast schon in der Quere, das Modell ist rekordverdächtige 2,24 m breit. Was der Ford verbraucht, wissen wir nicht, aber er wird auf alle Fälle vom Bugatti Veyron 16.4 übertroffen, der bei einer Geschwindigkeit von 400 km/h zum Einliterauto wird, allerdings auf jedem Kilometer. Nach 15 Minuten wäre bei der Geschwindigkeit der 100-Liter-Tank leer.

Den geringsten Verbrauch, abgesehen von extra dafür gebauten Spezialfahrzeugen der verschiedensten Spritspar-Wettbewerbe, legte der Schweizer Felix Egolf hin. Er kam mit einer Tankfüllung 1.852 km weit. Das schaffte er in einem serienmäßigen Mitsubishi-SUV vom Typ ASX. Er kam mit dem Diesel auf einen Durchschnittswert von 3,67 Liter auf 100 Kilometer, fuhr dabei zwei Drittel der Strecke auf Autobahnen und überwand dabei einen Höhenunterschied von 8.600 Metern – vermutlich meist bergab. Solche Zahlen sind, wie Verbrauchsangaben generell, immer mit Vorsicht zu genießen.

Weniger vorsichtig war dagegen ein Bäcker aus dem Harz, der einen ganz anderen Rekord hält. Der Mann hat 357 Punkte auf seinem Konto in Flensburg. Seit er 2010 seinen Führerschein abgeben musste, wurde er 51 Mal beim Fahren ohne diesen erwischt. Anfangs sei er noch mit dem Fahrrad zur Arbeit gefahren, gab der Mann an, aber dann wäre ihm das Rad geklaut worden.

Überflügelt wird er nur noch von einem Holländer, der 67 Jahre lang ohne Führerschein auf den Straßen unterwegs war, aber eben nur ein Mal erwischt wurde. Da war er schon 84 Jahre alt und ging der Polizei nur durch Zufall ins Netz. Dem Vernehmen nach will er nicht mehr fahren und sein Auto verschrotten.

Zu Schrott gefahren hat ein US-Geschäftsmann dagegen eines der teuersten Autos der Welt. Von dem 25 Millionen Euro teuren Ferrari 250 GTO existierten nur 39 Stück, danach waren es nur noch 38, was diese Sammlerstücke noch einmal teurer werden ließen. So erzielte ein mintgrünes Exemplar der „Roten" bei einer Auktion einen Preis von 28,6 Millionen Euro. Gefahren ist der Wagen angeblich nur ein Mal, ehe er in einer Garage verschwand. Bei Gebrauchtwagen kommt es eben immer auf die Laufleistung an.

Der Preis des Ferraris wird allerdings noch vom Schätzwert eines Mercedes-Benz 300 SLR 722 übertroffen, den der britische Rennfahrer Stirling Moss 1955 bei der Mille Miglia lenkte. Der Wagen soll 33 Millionen Euro wert sein, ist aber unverkäuflich. Nie verkauft hat auch der Amerikaner Irv Gordon seinen Volvo P1800. In mehr als 40 Jahren ist er mit dem alten Schweden mehr als vier Millionen Kilometer gefahren, und das mit dem Originalmotor – angeblich zumindest.

Auf immerhin schon eine Million Kilometer hat es, um mal wieder nach Sachsen zurück zu kommen, ein Reichenbacher Taxifahrer gebracht. Seit 15 Jahren kutschiert er mit einem Mercedes E 290 durch das Vogtland, und könnte es auf eine weitere Million Kilometer bringen. Allerdings schätzt der schon Über-70-Jährige realistisch ein, dass vielleicht das Auto das schafft, er aber nicht mehr.

Etwas jünger war dagegen die IAA-Besucherin Kamilla Kolodzej, die 2009 den Weltrekord im Autoknutschen brach. Sie küsste einen Chevrolet 32 Stunden lang und durfte den Cruze als Siegerprämie danach behalten.

Für immer behalten wollte ein indischer Bauer seinen alten Morris Minor, also ließ er sich zusammen mit dem Auto begraben. Ob alle ökologisch bedenklichen Stoffe vorher entfernt wurden, wissen wir nicht. Vielleicht wurde ein Liter Schmierstoff für die allerletzte Ölung im Auto belassen.

Damit belassen wir es bei dem Thema „Rekorde, bei denen ein Auto unerwähnt bleibt, weil es keine Rekorde zu verzeichnen hat" – und das ist ausgerechnet der Opel Rekord.

Potz Blitz

Es ist wirklich so passiert: In Koblenz informierte eine Autofahrerin die Polizei darüber, dass sie am Straßenrand etwas Ungewöhnliches bemerkt habe – und zwar einen geheimnisvollen roten Blitz. Sie habe extra noch mal gewendet und sei zurück gefahren, um das Phänomen noch mal zu sehen. Die Beamten erklärten der Dame daraufhin die Funktionsweise einer Radaranlage, und hatten vermutlich mal wieder Spaß an ihrem Job.

Das erste mobile Radargerät wurde in Deutschland übrigens 1959 eingesetzt, seitdem haben sich die Dinger unheimlich vermehrt. Bundesweit gibt es etwa 4.000 fest installierte „Starenkästen", und mehr als 10.000 mobile Geräte, die zusammen etwa drei Millionen Mal pro Jahr zuschlagen.

Selbstverständlich muss man vor so einer Überpopulation warnen, sie stört schließlich das natürliche Gleichgewicht im Straßenverkehr. Das tun wir im Radio täglich, wenn wir vor Adam und Eva, also dem Vater und der Mutter aller Blitzer auf der A72 bei Chemnitz und auf der B 169 in Arnsdorf, und den vielen Kindern und Enkeln der beiden auf unseren Straßen warnen. Es sind aber nicht nur die Radargeräte mit angeschlossener Kamera, die unschuldige Frauen erschrecken, ebenso sind Laserpistolen, digitale Einseitensensoren, sogenannte Optospeeds, Lichtschranken und Induktionsschleifen im Einsatz. Selbst das Messen mit der Stoppuhr ist theoretisch noch erlaubt, wird in der Praxis aber kaum noch angewandt.

Offiziell dienen die Geschwindigkeitskontrollen der Sicherheit im Straßenverkehr, allerdings sind sie inzwischen zu unverzichtbaren Einnahmequellen der stets klammen Gemeinden geworden. Die 65 sächsischen Städte mit mehr als 10.000 Einwohnern dürfen seit dem 1. Januar 2011 selbst blitzen und konnten in dem Jahr damit insgesamt 31,1 Millionen Euro einnehmen. Die Kritik an den Blitzereien wächst, inzwischen gibt es schon richtig Donnerwetter deswegen. Schon Juristen bezweifeln die Rechtmäßigkeit von Kontrollen, die beispielsweise nicht direkt vor Schulen, sondern erst 200 Meter danach erfolgen. Laut Gesetz dürfen Geschwindigkeitsüberprüfungen nur aus sachgerechten Gründen vorgenommen werden, die dann theoretisch auch auf dem Bußgeldbescheid aufgeführt sein müssten. Das kommt in der Praxis allerdings kaum vor, dafür wurden schon Überwachungsfahrzeuge im Einsatz fotografiert, die im Halteverbot, auf Fußwegen und in Bushaltestellen standen. Da müsste es doch auch mal blitzen …

Gelegentlich fotografieren die Geräte auch mal die Falschen. Gut, seitdem ein Raser auch noch Eheprobleme bekam, weil eben nicht die eigene Frau neben ihm auf dem Beweisfoto zu sehen war, werden die Beifahrer auf den Fotos unkenntlich gemacht. Aber darum geht es hier nicht. Gelegentlich spinnt die Elektronik in solchen Geräten einfach. So wurden in Köln schon mal Radfahrer mit angeblich 115 km/h aufgenommen. Solch ein Tempo hätte nicht mal Lance Armstrong unter Doping geschafft. In Australien schaffte es eine Kamera, eine ältere Dame auf der Autobahn mit mehr als 200 Sachen zu dokumentieren. Allerdings konnte die angebliche Raserin, auch mit Hilfe von Zeugen, beweisen, dass erstens ihr Auto diese Geschwindigkeit überhaupt nicht schafft, und dass sie zweitens zu dem Zeitpunkt im Stau stand.

Vor ordnungsgemäß funktionierenden Messgeräten kann man sich inzwischen warnen lassen, nicht nur über das Radio, sondern auch mit Hilfe elektronischer Geräte, den sogenannten „Radarwarnern". Allerdings ist deren Einsatz – aber nicht der Besitz – verboten. Nicht verboten sind dagegen permanent aktualisiere Internetseiten. Juristisch umstritten sind zur Zeit die Blitzer-Apps für das Smartphone. Zwar verbietet Paragraph 23 der StVO den Einsatz von Warngeräten, aber ein Smartphone hat nicht die vordergründige Aufgabe, vor Blitzern zu warnen, sondern ist für andere Nutzungen entwickelt worden.

Am besten ist es natürlich, sich von vornherein an die entsprechenden Geschwindigkeitsbegrenzungen zu halten. Dann muss man sich auch nicht wundern, wenn es am Straßenrand plötzlich geheimnisvoll rot blitzt.

Und wenn wir mal wieder melden sollten, dass in Poppenhausen einer steht, dann ist das auch nur eine Blitzermeldung – auch wenn die Dame aus Koblenz diese Meldung vermutlich der Polizei weitergegeben hätte.

Mein Auto ist weg!

Hier soll es nicht darum gehen, dass die „Gelben Engel" pro Jahr mehrere tausend Mal ausfliegen müssen, um die Schäden von Marderbissen an Autos zu reparieren, sondern um die zweibeinigen Automarder, die mitten unter uns leben, oder in den Nachbarländern.

Der gesetzestreue und ehrliche Bürger sagt sich gelegentlich: „Dieses Auto möchte ich haben." Dann kauft er es, oder schließt einen Leasingvertrag ab, selbst wenn er sich die Karre gar nicht leisten kann. Der Dieb sagt sich jedoch: „Dieses Auto muss ich haben." Und schon ist es seines. Gut, so ganz stimmt das nicht. Die Automafia ist heute so weit organisiert, dass die Bosse nicht mehr selber klauen, sondern auf Bestellung stehlen lassen. Auch so was nennt sich Anpassung an den Markt. Der Dieb sagt sich also: „Das Auto ist gefragt, das nehme ich einfach." Wer kein Geld hat, sollte wenigstens das entsprechende Werkzeug dabei haben.

In Deutschland werden die meisten Autos übrigens in Frankfurt/Oder geklaut. Klar, die Stadt liegt an der deutsch-polnischen Grenze. Es ist also nicht nur ein Klischee, dass man an Oder und Neiße, egal auf welcher Seite, besonders gut auf seinen fahrbaren Untersatz aufpassen sollte. Auf Platz zwei liegt übrigens Görlitz, das nur zur Bestätigung. Dafür kamen in letzter Zeit übrigens Meldungen aus Polen, nach denen dort Deutsche immer mehr Benzin klauen. Ob das Rache ist oder ausgleichende „Gerechtigkeit", bleibt aber unklar. Wo jeder jedem etwas klaut, kommt am Ende bekanntlich keinem etwas weg. Trotzdem hat die polnische Polizei im Sommer immer einen deutschsprachigen Touristennotruf eingerichtet. Und dort kommen beileibe nicht nur Beschwerden wie: „Mein Auto ist weg."

Nein, Experten haben festgestellt, dass das Risiko eines Autodiebstahls in Deutschland, besonders bei uns in den neuen Ländern, inzwischen größer ist als in unserem östlichen Nachbarland selbst. Vermutlich sagt sich ein polnischer Dieb, wenn er ein deutsches Auto bei sich zu Hause sieht: „Davon lasse ich lieber die Finger, der Wagen ist bestimmt schon geklaut."

In den Top Ten der am meisten vom Autoklau betroffenen Städte sind übrigens nur Städte in den neuen Ländern, auch Dresden ist mit aufgeführt. Nun sollen in Sachsen mobile Kontrollen helfen, mehr Autodiebe aufzuspüren, die Polizei setzt jetzt Kennzeichen-Lesegeräte ein. Diese Vorgehensweise ist allerdings juristisch umstritten, manche Richter sind dagegen. Aber das wird sich geben, wenn denen selbst mal der Wagen abhanden kommt. Gelegentlich wird auch einem Politiker mal das Auto geklaut, wie zum Beispiel Thomas de Maziere, als der noch nicht Verteidigungs-, sondern noch Innenminister war. Doch mit großem Aufwand wurde der Wagen schließlich aufgefunden und der Dieb gestellt, ausgerechnet an der Stelle, wo de Maziere kurz vorher noch an einem Einsatz gegen Autodiebe teilgenommen hatte. Gelegentlich geht so ein Autodiebstahl auch nach hinten los. Wir meinen jetzt nicht Rudi Völler, dem in seiner Zeit beim AS Rom auch mal der Wagen gestohlen wurde. Als der Dieb merkte, wem das Gefährt gehörte, stellte er es am nächsten Tag wieder vor Völlers Haus ab. Vorher hatte er es sogar noch gewaschen und poliert. Nur vollgetankt war es angeblich nicht.

Nein, eher geht es hier um jenen Polen, dem in der Schweiz ein Bugatti Veyron so gut gefiel, dass er nicht anders konnte, als mal auszuprobieren, wie schnell er damit in sein Heimatland kommt. Leider musste er dabei durch Bayern und dort wurde er geschnappt. Aber nicht nur das, er wurde nicht nur wegen Diebstahls angezeigt, sondern musste auch noch 350.000 Euro Steuern zahlen, weil er den Luxusschlitten nach Deutschland eingeführt hatte. Die Summe errechnete sich aus den Zollgebühren in Höhe von zehn Prozent und den 19 Prozent Einfuhrumsatzsteuer, ausgehend vom Wert des 1,2 Millionen teuren Bugatti. Wer den Schaden hat, braucht für den Spott nicht zu sorgen.

Am meisten werden in Deutschland übrigens Fahrzeuge von BMW gestohlen. Allein in den Top Ten der im Jahr 2011 am meisten gestohlenen Fahrzeuge belegen verschiedene Modelle des bayrischen Autobauers die Plätze 1, 2, 6, 7 und 9.

Eigentlich logisch, denn BMW heißt ja auch: „Bring mich weg!" Aber Ausnahmen bestätigen die Regel, so war in Dresden eine Zeit lang der Skoda Octavia Spitzenreiter dieser Hitliste der etwas anderen Art. Die Polizei setzte dabei sogar schon „Lock-Autos" ein, in denen Beamte saßen und darauf warteten, dass die Autoknacker zuschlagen.

Aber selbst Polizisten wurden schon entwendet, allerdings nur als Blechfigur. In Österreich heißen diese Figuren, die zur Abschreckung von Rasern an den Straßenrändern aufgestellt werden, „Vinzenz". Nur wurden Vinzenz und seine Klone immer öfter gestohlen oder beschädigt, so dass man die Blech-Polizisten fest in der Erde verankern musste. Immerhin konnte man hinterher konstatieren, dass die Polizei bodenständiger geworden war.

Immer mehr verschwinden auch Kfz-Kennzeichen. Einige lustige Buchstaben-Kombinationen wie zum Beispiel das Weimarer WE-G, das Forchheimer FO-RT oder das Dieburger DI-EB mögen von Souvenirjägern entwendet werden, aber meist werden die Schilder von Kriminellen gebraucht. Die werden ja kaum mit dem eigenen Kfz-Kennzeichen zu ihren Straftaten unterwegs sein. Im günstigsten Fall wird das Schild nur benutzt, um damit Benzin an der Tankstelle zu klauen, aber es geht für den eigentlichen Besitzer des Schildes nicht immer so glimpflich aus. Deshalb sollte man den Diebstahl seines Kfz-Kennzeichens sofort melden, um spätere Verdächtigungen oder Ermittlungen wegen Raubüberfalls oder Ähnlichem zu vermeiden.

Sogar Politiker sollen schon mal vergessen haben, nach dem Tanken das Benzin zu bezahlen. Nur hatte derjenige, dessen Namen wir hier nicht nennen, sein eigenes Kennzeichen am Auto und konnte so überführt werden. Aber selbst das ist nicht mehr so ganz ohne, wie jener Betreiber einer Zittauer Tankstelle merkte, der eine solche Tat mit der Überwachungskamera aufzeichnete und die Aufnahmen ins Netz stellte. Zwar konnte aufgrund der zahlreichen Hinweise die Täterin einen Tag später gefasst werden, aber der Tankstellenpächter bekam hinterher eine Ermahnung der Staatsanwaltschaft,

weil er das Persönlichkeitsrecht der Diebin miss-
achtet habe.

Recht haben und Recht bekommen, das sind
manchmal eben doch zwei verschiedene Sachen.
Noch skurriler ging es vor einiger Zeit in Hessen zu.
Dort beschwerte sich der Dieb eines Autos darüber,
dass die Karre nicht mehr anspringt, und zwar genau
bei dem Mann, dem er den Wagen entwendet hatte.
Der Bestohlene reagierte clever, vereinbarte mit dem
Dieb ein Treffen, zu dem er die Polizei mitbrachte.
Die Beamten konnten den Täter ganz leicht festneh-
men, flüchten konnte er ja nicht, weil das Auto immer noch nicht ansprang.

Oft werden auch nur Teile aus den Autos geklaut,
vorzugsweise Radios. Das kann dann für den Bestoh-
lenen schwerwiegende Folgen haben. Nicht nur, dass
man dann nicht mehr Radio hören kann, man wird
auch nicht mehr vor Blitzern oder Staus gewarnt.
Selbst berufliche Nachteile können die Folge sein,
wie der Fall eines hessischen Bestatters zeigt, dem das
Autoradio aus dem Leichenwagen gestohlen wurde.
Er konnte für einen Weile nicht mehr hören, wer in
der Zwischenzeit noch so alles gestorben war.

Noch größer aufgezogen sind Diebstähle, bei denen
nicht die fahrbaren Untersätze, sondern die Untergrün-
de verschwinden, wie zum Beispiel Eisen-Brücken, die
wegen das Materialwerts schon über Nacht abgebaut
und abtransportiert wurden. In Hamburg verschwand
über Nacht auch schon eine ganze Ampelanlage. Aufgefallen ist das angeblich erst in der Nacht darauf, als
in St. Pauli das Rotlicht fehlte. Nein, das ist ein Fall

von organisierter Kriminalität gewesen, nur konnte das keiner Ampelkoalition nachgewiesen werden.

Aber egal, ob nun Räder, Radios, die Kamera aus dem Handschuhfach, der Laptop aus dem Kofferraum oder das ganze Auto gestohlen wird: Es ist nie ein freudiges Ereignis, wenn man losfahren will und es fehlt etwas.

Dagegen kann man sich schützen, es gibt die verschiedensten Methoden und Sicherungen, angefangen von A wie Alarmanlagen bis Z wie Zusatzschalter, die nach wenigen Metern die Benzinzufuhr unterbrechen. Aber die Kriminellen sind leider auch nicht auf den Kopf gefallen. Da nützt es nicht einmal, die Schwiegermutter als Aufpasser im Auto sitzen zu lassen, selbst solche Diebstähle hat es schon gegeben. Der Schrecken wäre doppelt so groß, wenn das Auto weg und die Schwiegermutter noch da ist.

Nein, die sicherste Variante zur Verhinderung eines Autodiebstahls ist, sich erst gar keines anzuschaffen. Was man nicht hat, kann einem auch nicht geklaut werden. Aber selbst Busse und Züge sind schon gestohlen worden, von Fahrrädern ganz zu schweigen. Schließlich sagen sich auch die Diebe, vor allem auf der Flucht: „Hauptsache, es fährt.“

Alte Karre

Das Automobil ist nun schon über 100 Jahre alt. Von den ersten Exemplaren fahren heute nur noch sehr wenige über die Straßen, im Prinzip sind sie inzwischen viel zu wertvoll dafür geworden. Aber wir wollen hier erklären, woran man erkennt, dass das eigene Auto auch schon an die 100 Jahre alt ist:

1) Ihr Auto hat nur zwei Zylinder und einen davon tragen Sie auf dem Kopf.

2) Ihr Wagen muss ab und an chemisch behandelt werden und zwar gegen Holzwürmer.

3) Sie müssen nicht nur Öl im Motor, sondern auch in den Lampen nachfüllen.

4) Das Antiblockiersystem für die Räder besteht aus Rohrzange, Meißel und Vorschlaghammer.

5) Das Auto hat keine Abschleppstange, sondern eine Pferde-Deichsel.

6) Airbags gibt es in dem Wagen nicht. Mit dem einzigen Luftsack wird die Hupe bedient.

7) Der Kfz-Brief ist von Hand und in altdeutschen Buchstaben geschrieben.

8) Die Stoßstange verhält sich ihrem Alter entsprechend. Sie hängt vorn nur noch runter.

9) Das Getriebe hat schon die dritten Zähne.

10) Die Zündkerzen wurden noch von Robert Bosch persönlich eingeschraubt.

Vom Horch zum Phaeton

In Sachsen werden seit mehr als 100 Jahren Autos gebaut, und das wird hoffentlich auch noch weitere 100 Jahre so weitergehen. In der Frage kann man aber optimistisch sein. Wenn man sieht, was VW in Mosel und Dresden, sowie Porsche und BMW in Leipzig investiert haben – so viel Geld kann sich einfach nicht irren. Alles begann hierzulande im Jahr 1902, als August Horch zunächst nach Reichenbach im Vogtland kam, und dann 1904 seine „Horch & Cie. Motorwagen Werke" in Zwickau gründete. Als er Jahre später, wie das manchmal so vorkommt, mit dem Vorstand und dem Aufsichtsrat in Streit geriet, baute er einfach ein zweites Unternehmen auf, durfte aber aus rechtlichen Gründen seinen Namen nicht mehr dafür verwenden, also den Familiennamen. August wollte er seine Autos nicht nennen, also griff er in der große Latinum und nahm die lateinische Version von Horch – Audi. Wenn der August damals nicht Horch, sondern Guck geheißen hätte, wären die vier Ringe heute das Markenzeichen der Firma „Ecce".
Die Latinisierung von Namen hat in Sachsen Tradition, schon im 16. Jahrhundert machte sich der in Glauchau geborene Chemnitzer Naturforscher und Arzt Georg Bauer zu Georg Agricola.

In Chemnitz, wenn wir schon mal hier sind, bauten die Presto-Werke ab 1907 ebenfalls Autos. Kurz vorher, nämlich 1905, erweiterten die bis dahin auf Motorräder ausgerichteten Wanderer-Werke ihre Produktion ebenfalls um Autos, zunächst stellten sie in jenem Jahr einen Prototypen vor, der 1913 in Serie ging. Ebenfalls ab 1913 kamen auch aus den Elite-Werken in Brand-Erbisdorf die ersten vierrädrigen Fahrzeuge gerollt. Jetzt fehlt nur noch der Däne Jörgen Skafte Rasmussen mit seinen Zschopauer DKW-Werken, in den 20er Jahren der größte Motorradhersteller der Welt, der aber auch Autos in der Produktionspalette hatte. Er versuchte sich Anfang der 30er Jahre sogar an einem „Volksflugzeug". Auf dem Boden der Tatsachen stellte DKW damals sogar den ersten serienmäßigen PKW der Welt mit Frontantrieb vor. Aber nicht alle Vorstellungen gingen in jenen Jahren auf, so dass sich im Juni 1932 die Firmen Horch, Audi, DKW und Wanderer zur Auto-Union zusammenschlossen und als Logo die heute noch für Audi stehenden vier Ringe auswählten.

Nach dem Krieg ging viel den Bach runter, bzw. als Reparationsleistungen in Richtung Osten, so dass man, auch aufgrund von Materialmangel 1955 in Zwickau mit dem Trabant-Vorläufer P70 den ersten PKW mit Kunststoffkarosse baute. Zwei Jahre später folgte dann der erste Trabant, der Rest ist Automobilgeschichte. Bis 1991 wurden mehr als drei Millionen Stück produziert, bis dann die in DDR noch unbekannten Absatzschwierigkeiten dem „Ost-Volkswagen" ein Ende bereiteten. Da half auch der zum Schluss eingebaute VW-Motor nicht mehr.

Volkswagen investierte aber in Sachsen und baute in Mosel erfolgreich die Produktion ihrer Autos auf, ehe Ende der 90er Jahre erst Porsche und dann BWM die Messemetropole Leipzig für sich entdeckten. VW zog in Dresden zudem die „Gläserne Fabrik" hoch, in der die Nobel-Autos der Marke „Phaeton" sozusagen vor den Augen ihrer zahlungskräftigen Käufer entstehen. Und auch der Sportwagenbauer Melkus in Dresden wird hoffentlich die momentanen Schwierigkeiten überwinden.

Natürlich wurden und werden in Sachsen auch Nutzfahrzeuge gebaut. In Zittau setzte man Ende der 20er Jahre in den „Phänomen-Werken", dem späteren VEB Robur, schon auf luftgekühlte Motoren. In Frankenberg rollte der Framo und später der Barkas aus den Fertigungshallen, während in Plauen die Tradition des LKW- und Busbaus heute von Neoplan weitergeführt wird.

Zudem gibt es in Sachsen mehr als 500 Zulieferbetriebe für die Fahrzeugindustrie, mit etwa 70.000 Beschäftigen in der gesamten Branche, so dass man sagen kann: „Auch so viele Unternehmen können nicht irren."

Heute entstehen im Freistaat modernste Kraftfahrzeuge, aber der Tradition des Autobaus wird in einigen Museen gehuldigt, wie zum Beispiel dem Verkehrsmuseum in Dresden, dem Fahrzeugmuseum in Chemnitz, dem Nutzfahrzeugmuseum in Hartmannsdorf und dem Horchmuseum in Zwickau – um nur einige zu nennen.

Logischerweise gibt es unter den Sachsen viele Freunde und Liebhaber der alten Gefährte, die sich regelmäßig mit ihren rollenden Schätzen treffen und sie der Öffentlichkeit präsentieren. Die Vielzahl der Trabi- und allgemeinen Ostfahrzeugtreffen spricht Bände. Auch wir zwei waren 2012 begeistert, welchen Zuspruch wir auf unserer „Messe der alten Autos von gestern" in Chemnitz erhielten. Am meisten war natürlich der Trabant vertreten – an den denkt man auch als Erstes, wenn man über den Autobau in Sachsen schreibt.

Über die „Rennpappe" sind schon so viele Bücher veröffentlicht und auch so viele Witze erzählt worden, dass wir uns an dieser Stelle zurückhalten wollen. Die besten Witze sind ohnehin bekannt, weniger geläufig dürfte dagegen sein, dass Werner Lang, der Chefkonstrukteur des Trabants, das Ding eigentlich gar nicht bauen wollte. Er hing vielmehr am Horch P240, der damals für 27.000 Ostmark verkauft wurde, allerdings nur 1.328 Mal. Dann musste man kleinere Brötchen backen, und die hießen Trabant.

Immerhin ist der Trabi heute noch in einer Liste auf dem zweiten Platz, und zwar bei dem am meisten gestohlenen Fahrzeugen. So kann Statistik sein: Im vergangenen Jahr wurden zwar nur vier der Rennpappen geklaut, aber da bundesweit angeblich nur noch 2.800 Trabis kaskoversichert gewesen sein sollen, kam man rechnerisch auf eine Quote von 1.4 gestohlenen PKW pro 1.000 Stück. Das konnte nur noch von Porsche mit einer Quote von 1,6 übertroffen werden. Allerdings klaut man einen Trabant auch nicht, weil man im Allgemeinen gar nicht schnell genug vom Tatort wegkommt.

Allerdings wird der Plastebomber gelegentlich auch umgebaut, so hat ein Bastler aus dem Vogtland seinem Trabi einen Audi-Motor eingepflanzt und erreichte so eine Geschwindigkeit von 220 km/h.

Was aus dem Plan der Firma Indikar, den New Trabi, zu bauen, wird, bleibt abzuwarten. Eigentlich sollte der mit einem Elektromotor angetriebene Wagen 2012 in Serie gehen. Doch das Original wird wohl ewig zu sehen sein, nicht nur weil Plaste biologisch schwer abbaubar ist, sondern vor allem als Modell. Die Spielzeug-Trabis mit dem Nummernschild „1989" sind noch allgegenwärtig und erinnern an die friedliche Revolution, die eben wie viele Autos hier in Sachsen ins Rollen kam. Und das wird auch in 100 Jahren noch nicht vergessen sein.

TRABI MIT TITEL

Es war einmal ein Trabi.
Der hatte nicht mal Abi.
Zehn Jahre hat er gerade geschafft.
Da hat es ihn dahin gerafft.
Doch er wurde repariert.
Und hat danach sogar studiert.
Bald war er überall bekannt.
Und nannte sich Dr. aband.

Einer von uns beiden Moderatoren geht bekanntlich allzu gern und allzu oft in die Videothek. Dort hat er schon so manchem Film ausgeliehen, und auch wieder zurück gebracht, in dem Autos nicht nur eine Neben-, sondern eine tragende Rolle spielen, oder sogar den Hauptdarsteller geben.

Die Verbindung zwischen Film und Kraftfahrzeugen besteht nicht erst seit 1933, als in Camden in US-Bundesstaat New Jersey das erste Autokino der Welt eröffnet wurde. Schon vorher kamen Regisseure auf die Idee, Kamerawagen einzusetzen, auch wenn diese vorzugsweise auf Schienen unterwegs sind. Es kann sein, dass dabei mal einem Kameramann mitgeteilt wurde, dass er schon mal den Wagen vorfahre solle – aber in der Serie „Derrick" mit Horst Tappert und Fritz Wepper ist der Satz nie gesagt worden.

Oft wurden Rennsportveranstaltungen gefilmt, wie jener Streifen vom Sachsenring des Jahres 1927 beweist, der kürzlich wieder aufgefunden und aufgearbeitet wurde. Aber auch die Reihe der Spielfilme aus dem Rennsportmilieu mit zum Teil authentisch wirkenden Szenen ist lang. Da konnte sich Tom Cruise in „Tage des Donners" so viele Mühe geben, wie er wollte, an Steve McQueen in „Le Mans" kommt er nicht heran. Der Streifen über die legendäre Rundenhatz in Frankreich wurde allerdings auch während des echten Rennens gedreht.

Der gleiche Schauspieler war auch Hauptdarsteller in „Bullitt", dem 1968 herausgekommenen Streifen über einen Polizisten, der die bösen Jungs reihenweise im wahrsten Sinn des Wortes aus dem Verkehr zieht. Die zehn Minuten dauernde Verfolgungsjagd durch San Francisco ist immer noch genauso legendär wie McQueens Filmauto, ein Ford Mustang. Dem inzwischen leider verstorbenen Schauspieler haben die Macher des Animationsfilms „Cars" ein Denkmal gesetzt, indem sie ihre Hauptfigur „Lightning McQueen" nannten.

Etwas anders lief es bei der TV-Serie „Knight Rider", in der David Hasselhoff von einem Haufen Blech an die Wand gespielt wurde, und zwar von einem Pontiac Firebird namens K.I.T.T.

Andere filmische Hauptdarsteller waren die beiden Käfer „Herbie" und „Dudu", der De Lorean als Zeitmaschine von Michael J. Fox in „Zurück in die Zukunft" und insgesamt 17 Ferraris 308, die Tom Selleck während der Dreharbeiten zur Serie „Magnum" verbrauchte.

Noch mehr Schrott, und zwar nur für einen einzigen Film, haben Robert de Niro und Jean Reno im Action-Thriller „Ronin" produziert. Bei den Dreharbeiten in der zweiten Hälfte der 80er Jahre gingen ungefähr so viele Autos zu Bruch, wie das Jahrhundert bis dahin Jahre zählte.

Auch James Bond kann man sich ohne ein mit allen möglichen und unmöglichen Ausstattungen versehen Wagen nicht vorstellen. Batman kam auch nicht mit dem Fahrrad, sondern im Batmobil und „Manta, Manta" wäre allein mit der blonden Friseuse, also ohne den Opel, auch kein Erfolg gewesen.

Am Trabant haben sich in Sachen Film gleich zwei bekannte Deutsche versucht. Wolfgang Stumpf am Steuer von „Schorsch" auf dem Weg nach Italien war dabei erfolgreicher als Thomas Gottschalk in „Trabbi goes to Hollywood". Gottschalk erntete für sein Fiasko mit der Pappe nur Spott und Häme. Aber das ist er inzwischen schon fast gewohnt. Dass Trabi nur mit einem „b" geschrieben wird, war nur der geringste Kritikpunkt.

Mit etwas schnelleren Fahrzeugen war Mel Gibson als „Mad Max" unterwegs, ebenso wie Jason Statham in „Transporter" und „Death Race". In diesen Filmen gibt es wenigstens noch so etwas wie eine Handlung mit Spannungsbogen, während es bei „The Fast and the Furious" im Prinzip nur noch um Geschwindigkeit und Action geht.

Haben wir noch etwas vergessen? Ach ja – natürlich die „Blues Brothers". In dem Kultfilm sorgen John Belushi und Dan Aykroyd als Jake und Elmo Blues für den wohl größten Schrotthaufen an Polizeiautos in der gesamten Filmgeschichte. Aber der Film ist nicht nur wegen der kaputten Streifenwagen mehr als sehenswert.

Für Beklemmung sorgte auch heute noch Steven Spielbergs „Duell", in dem der Fahrer eines PKW gegen einen Mann am Steuer eines Tanklasters, der ihn umbringen will, um sein Leben kämpft. Interessant daran ist, dass das Gesicht des Truckers im ganzen Film nicht einmal zu sehen ist.

Viel zu sehen gibt es dagegen bei einer anderen Kategorie von Filmen. Dass nicht nur in der Realität, sondern auch im Kino schnelle Motoren und schöne Frauen zusammengehören, zeigen Streifen wie „Formel 1 und heiße Mädchen", oder auch „Flotte Bienen auf heißen Maschinen". Ideallinien haben eben auch abseits der Rennstrecken viel mit Kurven zu tun. Da kann man als Abschluss des Themas nur den Titel eines US-Films aus dem Jahr 1977 anführen: „Vollgas, bis die Fetzen fliegen".

PS.: (PS heißt hier ausnahmsweise mal nicht Postskriptum, sondern Perdestärke) Diese Art von Filmen nennt man heutzutage Roadmovie, und ausgerechnet eines der bekanntesten Roadmovies hat eben nichts mit Autos zu tun: Aber Peter Fonda und Denis Hopper mussten in „Easy Rider" ganz einfach auf Motorrädern sitzen.

Aufgeklebt

„Lassen Sie Ihr Auto das Benzingeld verdienen – durch Werbung auf Ihrem Wagen!" – So oder so ähnlich werben viele Anzeigen. Falls man das vorhat, sollte man über die Firma, für die man wirbt, vorher einige Informationen einziehen. Anders herum sollte sich auch die Firma das Auto vorher ansehen, auf dem die Werbung stehen soll. Ein Autoteile-Händler möchte sein Logo bestimmt nicht an einer Schrottkarre sehen, an dem schon verschiedene Teile fehlen und die noch vorhandenen mit Klebeband fixiert sind.

Übrigens sollte man auf solche Anzeigen nicht hereinfallen, im Normalfall wird man gegen die Zahlung einer Gebühr lediglich in eine Datenbank eingetragen, aus der sich eventuell etwas ergeben könnte. Aber nichts Genaues weiß man nicht.

Trotzdem haben nicht wenige Kraftfahrzeuge Werbung aufgeklebt. In manchen Landkreisen funktioniert das schon mit dem Kennzeichen. Die großen deutschen Laden-Ketten sind mit NOR-MA, AL-DI, RE-WE und auch O-BI fast schon komplett vertreten. Allerdings müssten Fahrzeuge mit solchen Nummernschildern mindestens 50 km/h fahren. Wenn sie langsamer sind, könnten sie wegen unerlaubter Schleichwerbung aus dem Verkehr gezogen werden. Nein, natürlich nicht, aber Sachsen ist davon ohnehin kaum betroffen – höchstens dass ein Vogtländer mit V-EB durch unsere postsozialistischen blühenden Landschaften fährt.

Aber illegale Parteienwerbung funktioniert durchaus, in Chemnitz mit C-DU und C-SU sogar doppelt, dazu kommt neuerdings auch noch das Pirnaer PIR-AT.

Doch die meiste Werbung klebt direkt an der Karosse oder auf der Heckscheibe. Die Frontscheibe ist durch die Parkscheibe, die Umweltplakette, den ADAC-Aufkleber und diverse Autobahn-Vignetten unserer Nachbarländer fast schon zugekleistert.

Oft wirbt man für die Firma, in der man arbeitet, oder die einem gar gehört. Zu Zeiten der Ich-AG haben sich ja viele Leute selbständig gemacht, von denen sich einige heute sogar ein Auto leisten können. Man kann aber auch seine Verbundenheit zu Unternehmen, wie zum Bespiel Radio-Unternehmen zum Ausdruck bringen. Wir sind mit unseren R.SA-Aufklebern auch vertreten. Oft wird auch für Volks-, Stadt- und Dorffeste geworben, und dann vergessen, die Werbung wieder zu entfernen oder wenigstens durch Ersetzen der Jahreszahl zu aktualisieren. Zum Glück gibt es nicht für jedes „Drei-B-Fest" (Bratwurst, Bier und Blasmusik) Aufkleber, sondern würde man noch denken, dass wir Sachsen vor lauter Feiern nicht mehr zum Arbeiten kommen.

Die Zeiten in denen man Namensschilder an die jeweilige Fensterseite klebt, sind langsam wieder vorbei. Vermutlich hat „Rainer" zwar seinen Platz am Lenkrad noch, aber die „Petra" auf dem Beifahrersitz inzwischen durch „Simone" ersetzt.

Beliebt sind aber die verschiedenen Baby-Aufkleber für die Heckscheibe, auf der man sehen kann, dass „Ronny-Marcel on Tour" ist. Der weiß in seinem Kindersitz zwar meist noch nicht einmal, wohin die Reise geht, wird aber später mal in seinem eigenen Auto vielleicht ein einfaches „Ich" an die Scheibe kleben, oder er fährt den Aufkleber „Kein Balg mit Scheißnamen an Bord" spazieren.

Oft sind auch Sinnsprüche zu sehen, die den Zustand des Autos beschreiben, wie „Alt, aber bezahlt". Das sieht man dem Auto meist auch an, aber in Zeiten der Finanzkrise kann man durchaus seinen Stolz auf die Unabhängigkeit von Banken zum Ausdruck bringen. Es gibt auch Treuebekenntnisse wie „Wir bleiben zusammen, bis der TÜV uns scheidet", aber in einigen Fällen hat die Bank das Auto wegen „unüberbrückbarer Differenzen" das Auto schon längst wieder einkassiert.

„Wer dieses Auto klaut, ist selber schuld", dass wir übrigens noch nie in der polnischen Übersetzung gesehen haben, zeugt von relativer Sicherheit. Nur sollte man den Wagen nicht vollgetankt stehen lassen, weil sich dadurch der Zeitwert verdoppelt.

Leute, die es ihrer eigenen Meinung nach geschafft haben, drücken ihre Zufriedenheit mit „Eure Armut kotzt mich an", oder „Man gönnt sich ja sonst nichts" aus. In Wahrheit ist das Auto dann jedoch oft „Sponsored by Oma". Viele schwören auch auf eine Automarke, wie bei „Opel fahr'n is wie wennze fliechst", nur sind vom Fliegen leider die Mitarbeiter bei Opel selbst bedroht.

Manche Fahrer leiden auch unter Überheblichkeitsanfällen: „Damen aufgepasst: Meiner ist 18 Meter lang" – ein beliebtes Schild an LKW, aber auch schon an PKW gesehen. Manche werden noch direkter und verkünden schriftlich: „Wenn du so bumst, wie du einparkst, bekommst du den nie rein." Ob solche Männer mit ihrem „Rein, raus – fertig" frustrierte Frauen haben, wollen wir lieber nicht wissen. Da sind uns liebevolle Verkehrsteilnehmer schon angenehmer, die zum Beispiel wissen lassen: „Ich bremse auch für Tiere". Gut, gelegentlich steht dann auch noch darunter: „Ich will doch sehen, ob ich das Vieh auch erwischt habe."

Es sind auch Menschen unterwegs, die sich um andere Fahrer sorgen, für andere mitdenken: „Wenn Sie das hier lesen können, sind Sie zu dicht aufgefahren", oder: „Überholen Sie ruhig, wir schneiden Sie dann raus – Ihre Feuerwehr". Vom Gegenteil sprechen solche Aufkleber wie „Born to be wild", oder die noch eindeutigere Aufforderung: „Nicht hupen, kämpfen!"

Von etwas weniger Selbstbewusstsein sprechen dagegen Hinweise wie: „Entschuldigen Sie, dass ich so dicht vor Ihnen herfahre", bzw.: „Folgen Sie mir nicht, ich habe mich auch verfahren." Von großer Freude über die eben geschlossene Ehe zeugt: „Just married", manche Nachwuchsfahrer sind auch über ihren Schulabschluss so froh, dass sie mitteilen: „Abi 2012". Pessimisten lassen darunter noch etwas Platz für: „Hartz IV 2013".

Es gibt jedoch auch Wege, wirtschaftlich erfolgreich zu sein, wie zum Beispiel durch den Finanztipp: „Legen Sie Ihr Geld in Alkohol an, wo sonst bekommen sie 30 Prozent?" Manche bieten auch nebenberufliche Dienstleistungen an, wie ein Aufkleber mit folgendem Inhalt beweist: „Brustvergrößerung durch Handauflegen – nur 1 Euro. Geld-zurück-Garantie – Infos beim Fahrer". Von gewissermaßen liebevoller Arbeit wurden auch Dachdecker-Firmen inspiriert, die unter ihrem Logo einfach noch stehen haben: „Wir besteigen alles".

Oft sieht man auch ziemlich eindeutige und tiefer gelegte Sprüche an Autos, wie das „ob-Team – In der Regel sind wir voll". Ob das nur tageweise am Auto klebt, entzieht sich unserer Kenntnis. Vermutlich ist es nicht so, wahrscheinlich kommt das nur ab, wenn das Auto die Wechseljahre erreicht hat.

Wir haben bei unseren vielen Fahrten durch das Land aber auch schon Aufkleber gesehen, deren Sinn sich erst bei näherem Hinsehen erschließt, wie zum Beispiel bei dem quer über einer Heckscheibe prangenden: „Grimmenalbolliseiaudo". Als wir noch überlegten, wer in aller Welt der Grimmenalb Olli ist, wären beinahe hinten drauf geknallt – auf dieses sächsische Kriminalpolizeiauto.

Kurz gesagt, die Welt der Autoaufkleber ist bunt – egal ob man nun ein „An dieser Beule zerschellte ein Mercedes" auf seinem FIAT 500 hat, oder ein „Testwagen – Nicht waschen" am Trabi, meist gilt nur eines: „Keine Werbung einwerfen", denn die steht oft draußen schon dran.

Übrigens hat man festgestellt, dass Autofahrer, die Aufkleber an ihrem Fahrzeug haben, eher zu einer aggressiven Fahrweise neigen, als solche, deren Auto nicht beklebt ist. Eigentlich ist das sogar logisch, denn die Aufkleber sollen ja gesehen werden, und wenn man so ein Exemplar an der Heckscheibe hat, muss man erst seinen Vordermann in der Kolonne überholen, damit der ihn auch in Augenschein nehmen kann.

Allerdings kann nun so ein Aufkleber auch dafür sorgen, dass sich andere Verkehrsteilnehmer strikt an die StVO halten, wie jener Fahrer berichtete, der seinen Opel einfach grün-weiß lackierte und den Schriftzug „Streifenwagen" darauf anbrachte. „Jetzt fahren vor mir alle genau Tempo 50", meinte er, „das nervt manchmal." Ob er selbst jetzt aggressiver als vorher fährt, wissen wir nicht. Aber auch er wird seinen Streifen- nicht zu einem Beulenwagen machen wollen. Kurz gesagt: „Es gibt in Sachen Aufkleber fast nichts, das es nicht gibt.

Trotzdem glauben wir, eine kleine Marktlücke entdeckt zu haben, denn einen Aufkleber haben wir noch nie entdecken können – einen, auf dem steht: „Hauptsache, es fährt".

AUTO MIT GEFÜHL

Gerüchten zufolge will ein großer Autobauer ein Fahrzeug entwickeln, das Gefühle zeigen kann. Das würde dann Daten wie Verkehrsfluss, Straßenzustand, Fahrweise, Bremsdruck etc. sammeln. Wenn ein bestimmtes Level erreicht ist, soll zum Beispiel die Motorhaube rot anlaufen und die Antenne sich steil nach oben richten.

Woran Sie erkennen, dass Ihr Auto Gefühle hat, teilen wir Ihnen hier mit:

1) Wenn Ihr Wagen einen anderen mit ausgefahrenen Airbags sieht, schwillt ihm die Stoßstange an.

2) In der Bedienungsanleitung ist keine Höchstgeschwindigkeit, sondern die Schmerzgrenze angegeben.

3) Statt einem Airbag hat Ihr Wagen einen Lachsack.

4) Die Kotflügel Ihres Wagens finden grundsätzlich alles Scheiße.

5) Bei Begegnungen mit Polizeifahrzeugen macht Ihr Auto den Scheibenwischer von selbst.

6) Die Klima-Anlage hat drei Stufen: Frust, Lust und „geht so"

7) Wenn das Getriebe Trieb hat, geht dem Motor der Zylinder hoch.

8) Bei Kälte bekommt der Lack eine Gänsehaut.

9) Wenn es geladen ist, hat Ihr Auto keine 12 Volt Spannung, sondern 380 kV.

10) Wenn eine Frau am Steuer sitzt, wird es bockig ...

DER TON MACHT DIE MUSIK

Das Ohr fährt immer mit, denn ein Auto macht nun mal Geräusche, und zwar von Natur aus meist solche, die es nicht unbedingt soll. Wir meinen jetzt nicht das Klirren von Glas, wenn das gute Stück von der besseren Hälfte beim Einparken beschädigt wird, oder das Schrammen von Blech auf dem Asphalt, wenn wieder mal ein Elchtest schief ging. Nein, hier geht es um die normalen Betriebsgeräusche des Fahrzeuges, wie – je nach Fabrikat – um das Sägen, Hämmern oder Röcheln des Motors, das Pfeifen des Fahrtwindes oder das Surren der Reifen auf der Straße.

Heutzutage gehört zum Image eines Produktes auch der entsprechende Sound. Wenn ein Rasierapparat für Männer in den höchsten Tönen schrillt, würde ihn wohl kaum jemand kaufen, ein Staubsauger muss leise vor sich hin brummen, sonst wäre er ebenso ein Ladenhüter. Selbst die Zischgeräusche, die beim Eingießen von Bier in ein Glas entstehen, werden durch eine entsprechende Form des Flaschenhalses hervorgerufen. Prost erst einmal!

Genauso ist es beim Auto. Experten, wir wollen sie mal Autoaudiologen nennen, obwohl es die nicht nur bei Audi gibt, haben selbst das Klicken der Blinker und die Geräusche beim Schließen der Türen optimiert. Schließlich klingt ein Scheppern billig, es muss schon ein niveauvolles und dunkles Klacken sein, bei Frauenautos kann es durchaus etwas heller klingen. Nur wenn der Finger beim Schließen der Tür noch zwischen derselben und dem Rahmen ist, könnte ein lautes „Au" erlaubt sein.

Logischerweise ist das Lauteste am Auto nun mal der Motor. Früher wurde für einen kernigen Sound schon mal an demselben herumfrisiert, oder am Auspuff gefeilt und gebohrt. Heute schaltet man einen Chip hinter das Radio, der sogar die jeweilige Motorendrehzahl empfangen und lautstärkemäßig umsetzen kann. Theoretisch könnte sogar ein alter Trabant wie ein Ferrari röhren, falls man dieses Elektroniksoundsystem auf sechs Volt umstellen kann.

Früher konnte man am Klang der Motoren noch erkennen, ob das nun ein Käfer, eine Ente oder gar ein Trabant ist, der sich da nähert. Heute weiß man oft nicht einmal, um welchen Typ es sich handelt, wenn das Auto nahe an einem vorüber fährt. Das liegt aber nicht nur daran, dass die Autos heute etwa sechs Mal so leise sind wie noch in den 80er Jahren. Doch genau das wird nun zum Problem. Selbst Verbrennungsmotoren können heute so leise laufen, dass sie kaum noch wahrgenommen werden. Die Elektroautos hört man von Haus aus gar nicht mehr – und genau deshalb werden sie zur Gefahr, nicht nur für sehbehinderte Fußgänger, sondern auch für alle anderen, wenn sie statt auf die Straße in die Luft, auf ihr Handy oder einer hübschen Frau hinterher schauen.

Deshalb werden für die e-Autos entsprechende Sounds komponiert, auch wenn die Fahrzeuge dabei mehr oder weniger zu Playback-Wagen werden. Schließlich kann der Fahrer drinnen nicht ständig Brummgeräusche machen, die dann über Lautsprecher nach außen transportiert werden, auch wenn der Legende nach die ostfriesischen Autos deshalb auch innen über Scheibenwischer verfügen.

Nein, die Elektrofahrzeuge haben heute sogar markentypische Geräusche. Audi hat dafür zum Beispiel den „e-Sound" entwickelt.

Nun gibt es aber auch Geräusche im Innenraum. Die nörgelnde Ehefrau auf dem Beifahrersitz muss man als Fahrer schon selbst ab- oder ausschalten, um den Rest haben sich Fachleute gekümmert. Für die Minderung solcher lästiger Töne wurden spezielle Fahrzeugdämmungen entwickelt, ebenso wurde mit Gegenschall gearbeitet. Der Fahrer muss aber trotzdem keine Brummgeräusche produzieren, damit der

Motor im Innenraum nicht mehr zu hören ist. Nun gibt es in modernen Autos aber auch schon so viele Warntöne, dass man gelegentlich schon überlegt, ob man es nicht selber ist, der da ständig einen Piep hat und in Alarmstimmung gerät.

Per Geräusch wird zum Beispiel auch auf überhöhte Geschwindigkeit hingewiesen, und das kann heutzutage auch der Straßenbelag erledigen. In Japan, Südkorea und den USA gibt es sogenannte „Melody Roads", auf denen der Asphalt so eingefräst ist, dass die Reifen ein Musikstück erzeugen, wenn man in der vorgeschriebenen Geschwindigkeit darüber fährt. Nur die Wiedergabe der Töne ist noch relativ gewöhnungsbedürftig, die Melodie selbst ist durchaus zu erkennen. Ob das bei Regen und Händels „Wassermusik" auch funktioniert, wurde allerdings noch nicht getestet.

Bessere Musikqualität kommt natürlich aus dem Autoradio. Es wäre ein Wunder, wenn Fachleute nicht schon nach der Verbindung zwischen der Automarke und dem für diese Fahrer typischen Musikgeschmack gesucht hätten. Sie haben auch etwas gefunden, und zwar das Folgende: Ein Audifahrer ist meist mit Mainstream-Musik unterwegs, der BMW-Pilot hört gerne Heavy Metal, während die Lenker von Mercedes und Opel angeblich beim Fahren besonders gern Volksmusik genießen. Eigentlich fehlen hier auch noch die Besitzer von Geländewagen, denn Stefanie Hertel hat bekanntlich davon gesungen, dass über jedes „Bach'l" auch ein „Brück'l" führt.

Trabantfahrer wurden in der Studie nicht erwähnt, bei den heute üblichen Geschwindigkeiten hört man im Trabi meist auch nur die Zweitakt-Musik des Motors.

Etwa 28 Prozent der deutschen Autofahrer singen unterwegs sogar selber, manche gut, andere wiederum so schlecht, dass der Motor – vermutlich wegen des Gegenschalls – aus Protest seine Arbeit einstellt und vor Schreck die Warnblinkanlage anspringt.

Natürlich haben die Autoaudiologen auch festgestellt, dass verschiedene Musikrichtungen das Fahrverhalten unterschiedlich beeinflussen. Dabei waren sich die Herren Experten am Ende nicht mal einig. Die eine Hälfte behauptet, dass klassische Musik als Hintergrund ungeeignet sei. Vermutlich haben sie sich in einem Selbstversuch bei einer Wagner-Oper mit beiden Händen die Ohren zugehalten und dann auch noch Gas und Bremse verwechselt. Die andere Hälfte ist sich sicher, dass klassische Stücke zu einer ruhigen und gesetzten Fahrweise führen können. Der Streit hatte sich entschieden, als sich 2012 Bundesverkehrsminister Peter Ramsauer höchstpersönlich an das Thema sozusagen herantastete und am Klavier einige Stücke von Mozart für die CD „Adagio im Auto" einspielte. Die Scheibe kann man im Handel erwerben, muss es aber nicht. Einigkeit herrscht dagegen bei der Auffassung, dass laute und aggressive Musik einen negativen Einfluss auf das Fahren hat. Nicht nur das, vermutlich fängt bei einem jungen Rap-Freak auch der Motor an zu stottern, während der ältere Rockfan mit „Speed King" von Deep Purple längst mit Höchstgeschwindigkeit über alle sieben Berge ist. Über die berühmten sieben Brücken darf man laut Karat ja nicht fahren, da muss man drüber laufen. Ob Franz Josef Strauß viel gelaufen oder marschiert ist, glauben wir nicht, aber Auto ist er ganz gern selbst gefahren, und dann vorzugsweise mit lauter Marschmusik aus den Lautsprechern. Davon konnte er zeitlebens den Hals nie voll genug bekommen, außerdem hatte er ja gar keinen.

Ob BMW gewartet hat, bis der Mann tot war, oder man wirklich erst nach seinem Ableben auf die Idee kam, ist eigentlich völlig egal, aber die Entwicklungsabteilung der Bayrischen Motorenwerke will jetzt ein Autoradio entwickeln, das nur die Lieblingsmusik des Fahrers spielt. Nun kann das aber gerade in Bayern sehr gefährlich werden. Wenn der süddeutsche Trachtenjodler dabei in Ekstase gerät und beim Fahren einen Schuhplattler probiert, muss das schiefgehen. Wir geben aber auch zu, dass im Erzgebirge mit dem schon traditionellen Aufstehen beim Holzmichel-Song der Randfichten die Autofahrt ebenfalls an einer solchen enden kann.

So viel für den Moment zur Musik im Auto. Es gab und gibt aber auch jede Menge Musiker, die sich dem Thema Auto genähert, es ein- und teilweise auch überholt haben.

Das beginnt schon beim alten Volkslied „Hoch auf dem gelben Wagen". Wenn man vorn beim Schwager sitzt, kann man weit nach vorn schauen. Wen sieht man dann? Harry Valentino ist es, der feststellt: „Im Wagen vor mir fährt ein junges Mädchen". Und wer mag das wieder sein? Sonja Schmidt mit ihrem „Himmelblauen Trabant" wird es nicht sein, Benny Quicks „Motorbiene" vermutlich auch nicht. Vielleicht ist es eine alte Freundin der Beatles, die Paul McCartney bei seinem gesungenen Fehler „Baby, you can drive my car" beim Wort genommen hat. Eventuell hat uns dann schon Markus mit der schnellen Neuen Deutschen Welle überholt, der mit seinem Maserati 210 fuhr. Er sang darin: „Kostet Benzin auch drei Mark zehn, scheißegal – es wird schon geh'n". Inzwischen wissen wir, dass es ging, aktuell sind wir bei umgerechneten 3,50 DM für einen Liter.

Manchmal geht ein Auto aber überhaupt nicht, wie im Kinderlied „Unser Auto will nicht fahren, es rührt sich nicht vom Fleck". Auch der bayerische Komiker Fredl Fesl hat schon festgestellt: „Ein Auto, das nicht fährt, das ist sein Geld nicht wert."

Dann hilft nur Umsteigen und es so wie Peter Petrel machen, der musikalisch gestand: „Ich fahr so gerne Rad", vermutlich ist ihm die Idee gekommen, nachdem sein Führerschein weg war. Nein, das wissen wir nicht, aber in dem Fall könnte man auch Peter Tschernig anrufen, der sang „Ich fahr das Taxi 408". Keinesfalls mit diesem Chemnitzer Sänger fahren will dagegen das Duo „De Arzgebirg'schen Bossen", bei denen es singt: „Gott schütze uns vor Eis und Schnee und 'nem Nummernschild mit C".

Sogar Lale Andersen hatte schon eine Alternative zum Auto zu bieten: „Ein Schiff wird kommen", und das vermutlich auf der Straße von Gibraltar, denn die ist nicht gepflastert, da gibt es ständig Aquaplaning. Vielleicht hat sie damit auch schon die amerikanischen Straßenkreuzer der 50er und 60er Jahre vorausgeahnt, also solche Heckflossenboote wie den „Pink Cadillac" von Diana Ross oder als Notlösung Dieter Bohlens „Geronimos Cadillac". Obwohl: Sein damaliger Kollege Thomas hat das wohl etwas anders gesehen, schließlich hieß und heißt er ja auch so.

Aber zurück zu den mehr oder weniger einheimischen Autos. Die Prinzen singen zwar: „Jeder Popel fährt 'nen Opel", aber die Toten Hosen mit ihrer „Opelgang" haben sie damit wohl nicht gemeint. Campino, der Frontmann der Düsseldorfer Punkrockband, ist bekennender Fußballfan, aber „Schiri, wir wissen, wo dein Auto steht", ist trotzdem von dem auch durch das „Rote Pferd" bekannten Markus Becker. Mike Krüger änderte das kurzerhand in „Schiri, ich weiß nicht, wo mein Auto steht". Vielleicht findet er es auf dem „Highway to hell" von AC/DC wieder, bei denen sich BAP-Sänger Wolfgang Niedecken, als er das Logo der australischen Rockband zum ersten Mal sah, wunderte: „Nanu, was ist denn mit dem ADAC passiert?"

Am meisten passiert ist, zum Glück nur musikalisch und textlich gesehen, aber bei MTS. Die DDR-Blödelgruppe, deren Namen gelegentlich mit „Mut, Tatendrang, Schönheit", aber auch mit „makaber, taktlos, sauber" übersetzt wurde, sang „Zehn böse Autofahrer", die am Ende alle tot waren.

Makaber ist dann wohl auch, dass von den drei laut einer Umfrage aus Nach-DDR-Zeiten beliebtesten Songs zum Autofahren zwei der Interpreten auch schon nicht mehr unter uns weilen. Auf Platz eins steht Queen mit Frontmann Freddy Mercury und der „Bohemian Rhapsody", Dritter ist Michael Jackson mit „Billie Jean", dazwischen liegt Lady Gaga.

Aber egal, was man beim Fahren auch hört, und egal, ob es nun aus einem antiken Autoradio oder einem High End Home Audio System mit Aktivsubwoofer, Centerspeaker, Mehrkanalverstärker und 16 Lautsprechern tönt – einen Hinweis der Experten sollte man beachten: In der Waschanlage ist es klüger, kein Radio zu hören, weil man besser die Antenne vorher einfährt, damit man sie hinterher noch dran hat. Allerdings hätte man gerade in einer Waschanlage einen besonders reinen und sauberen Empfang.

Kaum ihr Radio gehört hat dagegen die norddeutsche Käuferin eines Dacia Logan MCV. In ihrem Wagen sorgte die Servopumpe bei Betätigung der Lenkung regelmäßig für Pfeif- und Heulgeräusche. Sie klagte auf Beseitigung der Mängel – und verlor. Das Landgericht Kiel urteilte, dass laute Fahrgeräusche in einem Billig-Auto kein Mangel sind. Ob die Dame inzwischen die Servolenkung still gelegt hat, und jetzt beim Lenken selber pfeift und heult, wissen wir leider nicht. Aber auch hier kommt es nur auf eines an: „Hauptsache, es fährt."

So wie jeder Fußballklub oder jede Rockband Fans hat, verfügen auch die diversen Automarken über ihre Anhänger, also die Anhänger, die das Auto kaufen und hinter dem Steuer sitzen, nicht die, die hinten am Auto hängen.

Weil man bekanntlich gern unter Gleichgesinnten ist, sei es nun aus Stolz, Trotz oder gar Scham, trifft man sich regelmäßig oder gelegentlich zu Veranstaltungen, auf denen die entsprechende Marke hochgelobt und hochgehalten wird. Meistens geht es auch hoch her – nicht nur beim auf solchen Events weit verbreiteten Klettern auf Bierkästen, auch bei der abendlichen Erotik-Show.

Die – Entschuldigung – Latte der markeninternen Autotreffen ist lang, es gibt aber auch herstellerunabhängige Veranstaltungen, wie zum Beispiel die Wörthersee-Tour in Österreich. Diese ist zwar als VW-GTI-Treffen bekannt, aber die rund 200.000 Besucher können dort nicht nur alle Automarken, die von Wolfsburg aus gelenkt werden, sondern auch Fahrzeuge aus München, Stuttgart oder Japan bewundern. Nur Opel ist – aus welchen Gründen auch immer – ausgeschlossen. Allerdings sind die Leute von Opel auch nicht auf den Kopf gefallen, so ließen sie 2012 während der großen Party ein Werbeflugzeug über das Gelände fliegen, auf dessen Banner ein Opel Corsa zu sehen war, dahinter stand der Spruch „leider geil".

Der Flieger soll dann aber sicherheitshalber auf einem etwas entfernten Flugplatz gelandet sein.

Aber die Opel-Freaks haben auch eigene Treffen, wie zum Beispiel das „Blitz-Total" im sächsischen Liebenau, manche sind sogar auf einzelne Fahrzeugtypen spezialisiert, wie die Calibra-Treffen auf dem Nürburgring oder die Kadett-Treffen in Kaiserlautern, vom Manta ganz zu schweigen.

Aber das hat VW natürlich auch auf der Kante, oft mit der Tochter Audi zusammen. VW- und Audi-Treffen gibt es in fast jedem Bundesland, nicht ganz so zahlreich sind dagegen die Spezialveranstaltungen wie die Beetle-Tour in Schleswig-Holstein oder das Internationale Polo-Treffen in Hamburg. Auch in Sachsen hat sich VW in den Terminkalender eingetragen, wie das VW-Pfingsttreffen in Bautzen, das Käfer-Treffen in Böttchers Wohnort Döbeln und viele andere kleine Veranstaltungen beweisen.

Selbst die hierzulande nicht sehr bekannten legendären Autos von Borgward waren neulich beim Jahrestreffen der Besitzer solcher Fahrzeuge in Annaberg-Buchholz zu Gast. Gelegentlich hört man in Sachsen auch den Spruch „Unsera'ner fährt kein' Japaner", trotzdem fahren so manche Leute aus dem Freistaat zum sogenannten „Reisbrennen" in die Motorsport-Arena von Oschersleben. Dort sind nicht nur japanische, sondern auch koreanische Autos zu erleben, wenn sie beim Viertelmeilen-Rennen oder bei Driftshows beweisen, dass sie auch nicht schlechter als andere PKW sind.

Gut, eigentlich treffen sich auf all diesen Events nur die Fahrer, die Autos selbst werden mit etwas Abstand zueinander geparkt, damit sie von den Besuchern allseitig und ganzheitlich, wie das heute so schön heißt, bewundert werden können.

Natürlich haben auch die hier bisher nicht erwähnten Fabrikate ihre Fangruppen. So braucht man bei dem „smart times" im belgischen Antwerpen pro Auto sehr viel weniger Platz als bei den zahlreichen US-Car-Treffen, die es auch in Sachsen gibt.

Citroën glänzt mit Enten-Treffen, zum Beispiel dem auf dem Münchner Flughafen, genauer gesagt, davor. Auf die Startbahn dürfen die Enten nicht. Es gibt Porsche-Treffs zum Beispiel in Dinslaken oder den Mercedes-SLK-Stammtisch in Schleswig-Holstein.

Selbst der Trabant hat sozusagen treffenderweise die Welt erobert, sogar in der Schweiz gibt es einen Trabant-Club, der regelmäßig nach Aarau einlädt.

Aber die Heimat der für die DDR so typischen Autos ist nun mal Sachsen, deshalb gibt es hier auch die größten und die meisten Treffen. Klar, dann haben es die alten Fahrzeuge auch nicht mehr so weit. Oft sind es sogenannte Trabant- und IFA-Treffen, auf denen neben den Plastik-Autos auch die Blechkisten namens Wartburg, Robur, und Framo stehen.

Auch einige Importfahrzeuge unserer damaligen Freunde haben noch heute ihre Fans, wie bei Wolga- und Tschaika-Treffen nicht zu übersehen ist. Wir selbst waren schon einmal zum Saporoshjez-Treffen in Radeburg eingeladen, wo es angeblich heute noch Diskussionen darüber gibt, wer nun mehr auf die Ohren bekam, die Zappelfrosch-Freunde von uns oder wir von diesen einmalig klingenden Motoren.

Im Prinzip laufen all diese Treffen meist gleich ab. Erst reisen die Teilnehmer an, und wenn später die letzten Besucher wieder gegangen sind, fahren sie wieder nach Hause. Aber in der Zwischenzeit passiert so einiges. Da wird der Teilnehmer mit dem längsten Anfahrtsweg ermittelt, manche sollen deswegen schon umgezogen sein. Dann geht eine Jury durch die Autoreihen und bewertet die ausgestellten Fahrzeuge, meist in verschiedenen Kategorien. Abends ist dann die Siegerehrung, oft wird dann auch noch die hübscheste Teilnehmerin gesucht – aber nicht überall. So wird zum Beispiel ausgerechnet beim schon erwähnten Döbelner Käfertreffen wirklich nur der schönste Käfer auf vier Rädern ausgezeichnet, obwohl dort auch viele zweibeinige Exemplare zu sehen sind. Es wird gefachsimpelt, gefeiert und miteinander geredet. Schließlich hat man sich ein Jahr, sechs Monate oder auch nur eine ganze Woche lang nicht gesehen. Und in dieser Zeit kann viel passiert sein. Meist ist solchen Autotreffen auch noch ein Ersatzteilmarkt angeschlossen, oder es werden alte Autos, die im Ganzen nicht mehr zu retten sind, ausgeschlachtet und stückweise verkauft.

Aber wie dem auch sei – Autofans halten zusammen, auch markenunabhängig. wenn es sich nicht gerade um die Fangruppen von VW und Opel handelt. Aber auch hier gilt trotzdem ... Sie wissen schon, was jetzt kommt ... „Hauptsache, es fährt".

Nicht alle Messen gelesen

Eine Automesse hat weniger etwas mit der Messe in einer Kirche zu tun, obwohl es auch zwischen dem vielen Blech so etwas wie Rituale gibt, und so mancher Mitarbeiter wohl auch „Amen" sagt, wenn der Stress endlich vorbei ist.

Der Vatikan hat schließlich auch mehr als 500 Fahrzeuge in seinem Fuhrpark, und das sind nicht nur diese motorisierten Glaskästen für den Chef.

Automessen ziehen die Besucher in Massen an, der Großteil kommt logischerweise mit dem eigenen Auto an. Wenn man danach mit dem Auto wieder nach Hause fährt, hat man geschätzte 35 Hochglanzprospekte von etwa 15 verschiedenen Herstellern, acht bis elf Kugelschreiber und diversen anderen Schnickschnack – neudeutsch „Give-aways" – wie Schlüsselbänder oder Buttons in zwei oder drei Tragetaschen aus Pappe oder Plastik. Weil diese ganzen Sachen mit der Zeit ziemlich schwer werden, gibt es inzwischen sogar Rollkoffer aus Pappe, allerdings noch ohne integrierten Motorensound. Wäre doch mal eine Idee, oder?

Das Material, welches früher für die Trabant-Produktion gebraucht wurde, geht heute schon für die Werbung drauf.

In den Hallen und Freigeländen setzen die verschiedenen Autobauer ihre Erzeugnisse mit zum Teil recht aufwändigen Shows, in jedem Fall aber mit Scheinwerfern, Musik, Tüchern zum Nachpolieren und natürlich ausnehmend hübschen Hostessen ins rechte Licht.

Für die Besucher ist so eine Messe logischerweise die beste Gelegenheit, sich einen Überblick über das Angebot zu machen, wenn man sich einen neuen fahrbaren Untersatz zulegen möchte. Hier muss man nicht von Händler zu Händler fahren, auf einer Messe läuft man nur von Stand zu Stand. Direkte Probefahrten kann man im Prinzip zwar nicht machen, aber zumindest schon mal von außen in das Auto und von innen aus dem Auto schauen.

Gelegentlich sieht man auch Messebesucher aus Fernost, die auswählte Ausstellungsstücke trotz aller Plagiatsdiskussionen ohne Scheu vermessen. So ändern sich die Zeiten. Früher haben die Japaner noch heimlich fotografiert, heute gehen die Chinesen ganz offen mit dem Zollstock um. Das Ergebnis sehen die europäischen Hersteller dann ein Jahr später auf den Automessen in Shanghai oder Peking, wenn sie mit ihren Modellen ankommen und feststellen müssen, dass sie eigentlich schon da sind.

Aber lassen wir jetzt China einfach mal China sein, obwohl gerade China und Indien für die Autoindustrie riesige Absatzmärkte sind. Allerdings: Wenn diese beiden Staaten den gleichen Motorisierungsgrad wie unsere westliche Welt erreicht haben, gibt es drei Tage später vermutlich kein Erdöl mehr auf der Welt.

Aber noch ist die Welt des Autos bunt, ebenso wie die Messen, die es rund um die Welt gibt. Für uns in Sachsen ist natürlich die AMICOM in Leipzig das Wichtigste, aber die IAA in Frankfurt ist auch nicht ohne, und selbst in Mecklenburg-Vorpommern stehen auf der „Auto Trend" in Rostock eben keine Leiter-, Hand- oder Erntewagen.

Die gigantischsten Show-Messen gibt es natürlich in den USA, die zwar entgegen ihrer eigenen Behauptung nicht „Gottes eigenes Land", aber vielleicht doch „Gottes eigene Parkplätze" sind.

In Europa hat fast jede Großstadt eine Automesse, einige der bedeutendsten finden in Genf und Brüssel statt. Nicht zu vergessen ist der Pariser Salon, auf dem es wirklich auch nur um Autos geht.

Die BLECH Russia ist dagegen keine Automesse, aber auch der russische Absatzmarkt wird für die großen Konzerne immer bedeutender. So werden in Moskau an der Moskwa nicht nur Moskwitschs gezeigt.

Oft werden auf diesen Ausstellungen auch neue Trends präsentiert, wie zum Beispiel im schweizerischen Genf, als man feststellte, dass sich viele Autohersteller Anregungen beim Schiffbau geholt hatten. Autos mit Segel-, Ruder- oder gar Außenbordmotor gab es allerdings nicht zu sehen.

Ebenso gibt es Spezialmessen rund um das Auto, wie die Crash-Test-Expo in Stuttgart, eine Schau für Test- und Prüfverfahren. Dass dort unter den Besuchern besonders viele Dummys waren, kann man aber nicht behaupten. Auf der Messe „Parken" in Wiesbaden muss man, wie woanders auch, auf dem Parkplatz vor der Messe natürlich auch seinen Obolus zahlen. Auf dieser Schau geht es um Dinge wie Beleuchtungen und Bodenbeläge in Parkhäusern, um Leitvorrichtungen und natürlich auch Zähl- und Kassensysteme.

Auf Tuningmessen zeigen die Experten, wie sie Walter Ulbrichts legendären Satz, nachdem „aus unseren Betrieben noch viel mehr herauszuholen sei", verinnerlicht haben. Die wichtigste und auch verrückteste Tuningmesse findet alljährlich im Spieler-Paradies Las Vegas statt, die SEMA.

Aber auch die Liebhaber von Autos aus Ulbricht- und Vor-Ulbricht-Zeiten kommen auf diversen Messen zu ihrem Recht. Dafür stehen unter anderem die Bremen Classic Motorshow und die Retro Classics in Stuttgart.

Auch wird haben im Rahmen unserer Möglichkeiten, also im Radio und dann im September 2012 in Chemnitz, eine „Messe der Autos von gestern" initiiert, bei der wir so manches Kleinod aus vergangenen Zeiten entdeckt haben.

Eines ist aber klar: Es gibt im Prinzip kein Auto, für das alle Messen gelesen sind.

DIE GROSSEN IM SWINGER-CLUB

Sergio Marchionne, seines Zeichens Chef von FIAT und Präsident des europäischen Autohersteller-Verbandes Acea, hat eingeschätzt, dass sich in Zukunft sechs Autokonzerne den Markt teilen würden. Zwei kämen aus den USA, einer aus Deutschland, dazu noch eine französisch-japanische Firma, ein reines japanisches und ein chinesisches Unternehmen. Dazu könne eventuell noch ein weiterer Autobauer aus Europa überleben. Wir nehmen an, dass er bei der Aussage beinahe seine eigene Firma vergessen hätte. Die Kurve hat er gerade noch bekommen, aber es hat schon mächtig gequietscht.

Ungeachtet dieser noch nicht mal komponierten Zukunftsmusik gibt es weltweit nach wie vor tausende von Autoherstellern, von denen viele aber nur kleine Firmen sind, die nur ein paar Wagen pro Jahr von Hand zusammenbauen. Wirklich große Konzerne existieren nur eine Hand voll. Gut, mehr als fünf sind es schon. Allerdings geht es in der Branche zu wie in einem Swinger-Club. Dass Renault und Nissan ein Paar sind, ist vielleicht noch bekannt, aber wer weiß denn zum Beispiel, dass Ford mal der größte Einzelaktionär von Mazda war, dass FIAT nach der Scheidung von Daimler und Chrysler mit den Amerikanern inzwischen macht, was es will. Das dürfen die Italiener sogar, denn sie haben die amerikanische Traditionsfirma nicht nur vernascht, sondern geschluckt. Gerade jetzt in den Zeiten der unsicheren Wirtschaftsentwicklung arbeiten viele Konzerne an gemeinsamen Entwicklungen. Da bauen die Franzosen von PSA, also Peugeot und Citroën, mit Mitsubishi ein Elektroauto, mit FIAT kleine Lieferwagen und wollen nun eine strategische Allianz mit General Motors eingehen. Daimler baut gemeinsam mit Renault/Nissan Benzinmotoren mit Direkteinspritzung, Toyota und Subaru haben zusammen einen Sportwagen im Angebot, bei Toyota heißt er GT-86, bei Subaru BRZ. Der Opel Combo ist das Schwestermodell des FIAT Doblo, gebaut werden beide in einem Werk in der Türkei.

Kurz gesagt, bei all diesen Verflechtungen der internationalen Konzerne kann es durchaus sein, dass das Ganze schon jetzt nur ein einziger weltweiter Trust ist, es bisher nur noch keiner gemerkt hat. Warum auch nicht? Bei den großen Mineralölfirmen läuft es schließlich auch so. Das Bundeskartellamt hat in einer Untersuchung festgestellt, dass zwischen den fünf großen Tankstellenbetreibern in Deutschland im Prinzip kein Wettbewerb mehr herrscht. Allerdings ist es für die Behörden schwierig, verbotene Preisabsprachen nachzuweisen, denn BP/Aral, Jet, Esso, Shell und Total verstehen sich inzwischen auch ohne Worte.

Doch zurück zu Toyota, VW, Renault-Nissan und Co. Damit hätten wir schon mal die drei größten Konzerne genannt. Dazu kommen, ohne jetzt die genaue Reihenfolge zu beachten, Daimler, BMW, General Motors, Ford, FIAT mit Chrysler, PSA und das japanische Quartett aus Honda, Suzuki, Mazda und Mitsubishi. Nicht zu vergessen sind die Koreaner von Hyundai und die Inder von Tata, denen inzwischen sogar schon die britische Nobelmarke Jaguar gehört. Diverse chinesische Autokopierer gibt es natürlich ebenfalls. Doch Eines nach dem Anderen.

Beginnen wir gleich mit den chinesischen Firmen wie BYD (Build Your Dreams), Brilliance oder Geely. Diese Unternehmen wollen sich den eigenen riesigen Markt natürlich nicht von anderen wegnehmen lassen. Angeblich haben diese Autobauer sogar so etwas Ähnliches wie eigene Entwicklungen auf die Räder gestellt, ansonsten sind die Modelle „made in China" aber doch mehr oder weniger von anderen Firmen abgekupfert. Allerdings sind die einheimischen Firmen in China auf der sicheren Seite, seit die Regierung in Peking beschloss, dass alle Amtsträger nur noch Autos eigener Produktion als Dienstwagen haben dürfen. Gut, optisch wird sich nicht viel ändern, aber darauf kommt es den Chinesen ja auch am wenigsten an.

Wenn Indiens Regierung etwas Derartiges beschließen würde, wäre wohl die Firma Tata auf einen Schlag der größte Autoproduzent der Welt. Das indische Unternehmen wurde 1945 gegründet, das erste Produkt war übrigens eine Straßenwalze. Seitdem baut man alles, was sich auf Räder stellen lässt, angefangen vom mit 1.700 Euro billigsten Personenkraftwagen der Welt, dem Tata Nano, bis zur Militärlastwagen, Bussen und Baumaschinen. Aber dass es von Tata auch ein Polizeiauto gibt, dass Tatü Tata heißt, ist nur ein Gerücht.

Kein Gerücht ist es, dass laut den neuesten Zahlen Toyota wieder der größte Autohersteller der Welt ist. Nach einigen Problemen mit Rückrufen und der Tsunami-Katastrophe haben sich die Japaner wieder erholt und tüchtig rangeklotzt. Aber das haben Japaner schon immer gemacht. Nach eigenen Angaben hat Toyota seit der Gründung in den 30er Jahren des vergangenen Jahrhunderts bis heute etwa 200 Millionen Fahrzeuge gebaut, darunter allein fast 40 Millionen Corollas. Toyota ist zudem eine der führenden Kräfte bei der Entwicklung von Hybrid-Autos. Für das Jahr 2013 ist die Markteinführung eines Modells namens „IQ" angekündigt. Ob dahinter noch eine Zahl folgt, wissen wir nicht – aber wenn, dann sollte sie aus Imagegründen wohl deutlich über 100 liegen. Bleiben wir gleich im Land der aufgehenden Sonne. Suzuki klingt erst einmal wie der Name einer griechischen Speise, ist aber der 1909 gegründete Konzern, der nach Honda auf Platz zwei der weltweiten Motorradproduktion steht, aber eben nicht auch nicht gerade weniger Autos herstellt. Dabei begann Firmengründer Michio Suzuki einst mit dem Bau von Webstühlen, ehe er 1936 einen Austin aus England kaufte, in seinen Einzelteile zerlegte und dachte: „Das kann ich auch." So wurde 1937 der erste eigene Wagen gebaut. Heute stellt Suzuki seine Autos aber längst nicht mehr im japanischen Hamatsu – was eher nach einer nordafrikanischen Speise klingt – her, sondern auch in Indien und Europa. Aber das machen fast alle Autobauer, wie auch Mazda.

Eigentlich müsste Mazda Matsuda heißen, aber weil nicht nur Herbert Grönemeyer, sondern auch der eine oder andere Japaner nuschelt, klang der Name des Firmengründers Jujiro Matsuda eben wie Mazda. Anderen Quellen zufolge geht der Firmenname aber auf die Gottheit Ahura Mazda zurück. Ganz sicher ist aber, dass das Unternehmen 1920 zunächst als Korkverarbeiter startete. Später wagte man sich an schwerere Aufgaben und entwickelte unter anderem auch einen PKW mit Wankelmotor.

Ob der Kork für Mazda früher mit einem von Mitsubishi gebauten Schiff nach Japan transportiert wurde, liegt heute im Dunkeln der Geschichte, aber Mitsubishi begann im Jahr 1870 wirklich als Werft. Inzwischen ist das Unternehmen ein großer Misch-konzern, zum dem mehr als 200 Einzelfirmen ge-hören, die nicht nur Autos bauen, sondern auch in der Chemie, der Schwerindustrie, der Papierherstellung, im Bergbau und im Finanzwesen aktiv sind. Sogar eine Brauerei gehört dazu. Weil die Namen der beiden Urväter Iwasaki und Yamamouchi sogar für japanische Verhältnisse zu lang waren, einigte man sich auf die Firmenbezeichnung Mitsubishi. Das heißt nichts anderes als „drei Rauten", und so sieht das Logo auch aus.

Ein anderes Firmenlogo hat Honda. Das Unternehmen wurde 1948 gegründet und ist wie Mitsubishi auch auf dem Wasser aktiv, zwar nicht mit Schiffen, aber mit Außenbordmotoren. Mit Motoren hat es Honda sowieso, die Japaner sind mit einer Jahresproduktion von 22 Millionen Stück der größte Motorenproduzent der Welt. Aber Honda baut eben auch selbst etwas um die Antriebsaggregate herum, wie man an Motorrädern, Flugzeugen und natürlich auch den Autos sehen kann. Auch hier geht die Firmenbezeichnung auf den Gründer zurück, und der wurde im Gegensatz zu Toyota (Kiichiro Toyoda) sogar richtig geschrieben.

Jetzt fehlt in der Liste der japanischen Autohersteller, abgesehen von Subaru, eigentlich nur noch Nissan, da Kawasaki bekanntlich nur Motorräder baut. Nissan geht auf Datsun zurück, jenen Namen, den Nissan jetzt als Marke wieder aus der Versenkung holen will. Datsun setzte sich aus den Anfangsbuchstaben der Gründer Den, Aoyama und Takeuchi sowie dem englischen Wort für Sonne zusammen. Ursprünglich wollte man Datson sagen, also das Wort für Sohn nehmen, aber „son" bedeutet im Japanischen auch Verderben, und dahin wollte man mit dem ersten Auto nun wirklich nicht. Im Jahr 1928 entstand die Firmenholding „Nihon Sangyo", die zu Nissan verkürzt wurde. Trotzdem baute man bis 1981 auch unter dem Namen Datsun weiter. Nissan ist 1999 ein Bündnis mit Renault eingegangen, das inzwischen nicht nur das verflixte siebente, sondern auch schon das dreizehnte Jahr hinter sich gebracht hat. Diese Allianz aus Nissan und Renault ist übrigens eine GmbH nach niederländischem Recht. So viel zur Globalität.

Renault selbst wurde 1899 von den drei Brüdern Louis, Fernand und Marcel Renault gegründet. Das erste Auto wurde allerdings schon am Weihnachtsabend 1898 vorgeführt, und schon bei dieser Ausfahrt erhielten die Brüder zwölf Aufträge zum Nachbau des hölzernen Mobils. Auch Renault reitet auf der in der Branche gerade angesagten Retrowelle. Gut, Retro und Renault, das klingt ja auch zum Verwechseln ähnlich. Die Franzosen wollen ihre legendäre Marke Alpine wiederbeleben. Der französisch-japanische Konzern ist weltweit aktiv, hält unter anderem ein Viertel der Anteile am russischen Unternehmen Avtovaz. Dort will man demnächst den Lada Largus bauen, der aber nur der Logan von Renaults rumänischer Tochter Dacia für den russischen Markt ist. Dass dieser Lada Largus ein sogenanntes „La-La-Auto" wird, wollen wir mal nicht behaupten. Aber mit dem französischen weiblichen Artikel „la" haben es die Renault-Werke anscheinend, wie man an den Renaults Laguna und Latitude sieht. Der oder unseretwegen auch die Latitude wird übrigens weder in Frankreich, noch in Japan oder in Russland gebaut, sondern in Südkorea produziert.

Damit sind wir auch schon bei Hyundai, zu deutsch auch „Fortschritt". Gut, im VEB Fortschritt wurden in der DDR früher Traktoren und Mähdrescher gebaut, aber eine weitere Verbindung zur DDR wären die Logos von Hyundai und der ehemaligen Staatspartei SED. Die Idee mit den zwei Händen hatten 1967 auch die Koreaner, eigentlich ist das Logo zwar nur ein „H", soll aber symbolisch darstellen, wie sich Hersteller und Käufer die Hände reichen. Bei beiden Symbolen kann man auch schlussfolgern, dass eine Hand die andere wäscht. Hyundai, zudem inzwischen auch Kia gehört, ist ebenso wie Mitsubishi ein Mischkonzern, der nicht nur Autos, sondern auch Schiffe und anderes mehr baut.

An einem Boot hat sich auch Mercedes-Benz versucht, aber was heißt hier „Boot"? Die Autosparte der Daimler AG präsentierte 2012 in Monaco den Entwurf einer Luxusyacht. Etwas anderes hätte man von den sonst ach so sparsamen Schwaben auch nicht erwartet. Immerhin können sie für sich reklamieren, die Autos zu bauen, in denen die zufriedensten Fahrer sitzen. Es gibt bekanntlich den Spruch:

„Wer einen Mercedes fährt, der hat es geschafft." Nur kann sich jeder, der ein Auto mit dem Stern fährt, das auch wirklich leisten, und damit sind jetzt nicht die Taxikutscher gemeint. Angefangen hat die ganze Sache mit dem Stern 1886 mit der Benz&Cie. Rheinischen Gasmotorenfabrik, die 1926 mit der Daimler-Motorengesellschaft zur Daimler-Benz AG fusionierte.

Der Name Mercedes geht auf den Rennfahrer und Daimler-Mitarbeiter Emil Jellinek zurück, dem das 1901er Modell so gut gefiel, dass er ihm den Namen seiner Tochter gab. Der Rest ist Automobilgeschichte, zu der auch Wilhelm Maybach gehört. Maybach verließ Daimler 1907 und stellte 1921 sein erstes eigenes Luxusauto vor. Die Marke Maybach wurde 2001 wieder aus der Mottenkiste geholt, inzwischen wurde aber der Deckel schon wieder drauf gemacht. Es klappt eben auch bei Deutschlands Vorzeigemarke Nummer 1 nicht alles, wie auch die zwischenzeitliche Fusion mit Chrysler zeigte.

Chrysler, 1925 von Walter P. Chrysler gegründet, ging gleich in den Anfangsjahren auf das Ganze. Nicht nur, dass das erste Auto gleich die Nummer sechs erhielt (Chrysler Six), schon 1928 schluckte man den Konkurrenten Dodge, der vier Mal so groß wie die eigene Firma war. Später geriet das Walters Bude, immerhin nach Ford und GM der drittgrößte Autobauer der USA, in Schwierigkeiten, aber daran war der Gründer nicht mehr schuld. Nach der missglückten Ehe mit Daimler hat nun FIAT das Sagen, die 60 Prozent der Chrysler-Anteile in Turin horten.

Aber diese Allianz ist inzwischen auch für die Italiener ein Glücksfall, denn mit dem Autogeschäft steht es in Europa zur Zeit nicht zum Besten. Chrysler ist eine gute Tochter, die die Mama jetzt stützt. Zu Chrysler gehören neben Dodge auch die Marken Ram, Jeep, zu FIAT selbst Lancia und Ferrari.

FIAT heißt, ins Deutsche übertragen, „Italienische Automobilfabrik Turin". Gegründet wurde das Unternehmen von acht Männern. Ein Glück, dass es nicht drei mehr waren, sonst wäre dabei wohl eine Fußballmannschaft herausgekommen. FIAT ist ein Unternehmen, das für Italien eine enorme Bedeutung hat. So sorgte 2012 die Ankündigung, auf Milliardeninvestitionen in der Heimat zu verzichten, für einen Aufschrei der Empörung. Inzwischen sind die Wogen aber geglättet. Es wird in Italien investiert. Trotzdem ist FIAT, wie die anderen Großen der Branche auch, weltweit aktiv. So wird zum Beispiel der Lancia Thema unter dem Dach von Chrysler in Kanada gebaut, mit Mazda will man einen gemeinsamen Roadster entwickeln, und nicht zuletzt waren die Italiener mit dem Polski-Fiat auch schon auf den DDR-Straßen präsent.

Eher selten zu sehen waren hierzulande früher Autos von Ford. Der olle Henry, der Gründer des Unternehmens, ist Erfinder der Fließband-Produktion, die er 1913, zehn Jahre nach dem Start der Firma, einführte. Aber auch Ford ging es zwischenzeitlich nicht immer gut, so mussten Henrys Erben Fabriken, Modelle und sogar das Firmenlogo verpfänden. Inzwischen läuft die Sache aber wieder, die Firma hat die Zeichen der Zeit erkannt, indem sie sich verstärkt auf ältere Kunden konzentriert. Das führt dann zum Beispiel dazu, dass in die Autositze nicht nur Heizungen, sondern bald auch EKG-Messgeräte eingebaut werden sollen. Dann können die Senioren im Fiesta auch eine solche feiern.

Eher nicht zum Feiern ist es dagegen General Motors (GM) mit der Tochter Opel zumute. GM, 1908 gegründet und zwischendurch auch schon mal pleite gegangen, firmiert heute als „New GM", steht wieder solide da, hat aber einige Problemkinder, in Europa vor allem Opel und die britische Schwestermarke Vauxhall. Opel ist hierzulande fast ständig in den Schlagzeilen, und das sind in letzter Zeit leider keine guten. Beim Blitz herrscht ziemlich viel Donnerwetter. Kurzarbeit, Produktionsverlagerungen ins Ausland und Absatzschwierigkeiten lassen die Opelaner nicht zur Ruhe kommen. Die Misere liegt aber nun wirklich nicht darin begründet, dass Firmengründer Adam Opel Nähmaschinen baute und eigentlich niemals ein Auto herstellen wollte. Auch die Erkenntnis, dass Opel im Gegensatz zu Audi nur einen Ring hat, und der auch noch durchgestrichen ist, hilft nicht weiter. Ob verstärkte Werbung, zum Beispiel das Sponsoring bei allein fünf Fußball-Bundesligisten, und die bis 2014 angekündigten 30 neuen Modelle eine Wende zum Guten bringen, kann man nur hoffen. Der Opel Adam, ein Kleinwagen, ist schon angelaufen. Ob der nur für Männer gedacht ist, wird man wissen, wenn der Opel Eva für die Frauen kommt. Nein, Adam ist eine Ehrung für den Urvater Adam Opel, der das Unternehmen 1863 gründete. Erst nach seinem Tod 1895 begannen seine Söhne neben den Nähmaschinen auch Fahrräder herzustellen, und danach Autos, und zwar erfolgreich. Schon der Opel 4/8 PS aus dem Jahre 1909 wurde als „Doktorwagen" zur Legende, genauso wie sein Nachfolgemodell „Laubfrosch". Adams Enkel Fritz, inzwischen schon „von Opel", fuhr 1928 mit dem betriebseigenen Raketenauto RAK2 auf der Berliner Avus ein Rekordtempo von 238 km/h. Die Modelle Olympia und Kadett wurden nach dem Krieg zum Markenzeichen des deutschen Wirtschaftswunders, die Oberklassen-Flaggschiffe Kapitän, Admiral und Diplomat verkauften sich bestens, und der Manta ist heute noch eine Legende. Warum Opel zur Zeit in solchen Schwierigkeiten ist, soll hier nicht das Thema sein. Aber das Unternehmen kämpft unter anderem mit Entwicklungen wie die für die gesamte Produktpalette angekündigten ergonomisch optimierten Sitze. Gehässig könnte man sagen, dass sich Opel um jeden A… kümmert, aber Gehässigkeit ist hier fehl am Platze. Es wäre schade, wenn die Firma am Ende im A… sein sollte. Man sucht in letzter Zeit fast schon verzweifelt nach Einsparmöglichkeiten. Das „P" aus Opel zu streichen, hilft aber auch nicht weiter. Dann würde Opel zwar nur noch „Oel" heißen, aber deswegen trotzdem nicht mehr Autos verkaufen.

Vielleicht klappt es noch, indem man auf internationale Zusammenarbeit setzt und die Marke auf diese Weise erhält. Irgendwie hängen die Großen ja alle zusammen, auch Opel-Mutter GM, die zum Beispiel mit sieben Prozent an den Franzosen von PSA beteiligt ist.

PSA, dahinter verbergen sich Peugeot und Citroën. Die beiden Firmen schlossen sich schon 1976 zusammen. Offenbar waren sich die Erben von Armand Peugeot und Andre Citroën einig, dass der Rubel bzw. Franc gemeinsam besser rollt. Dabei war und ist Citroën ein reiner Fahrzeugbauer, während Peugeot auch Heimwerkermaschinen, Gewürzmühlen und seit kurzem sogar einen Konzertflügel im Programm hat. Ja, wirklich: Peugeot stellte 2012 das vorwiegend aus Kohlefasern gefertigte und futuristisch aussehende Musikinstrument vor. Ob es nur schwarze Tasten hat, wissen wir nicht, aber Pedale sind unten dran.

Oben dran ist PSA aber auf dem Automarkt, der Konzern ist nach VW zweitgrößter Autohersteller in Europa. Nicht schlecht für den seit 1858 als Logo dienenden Löwen und den Doppelwinkel, der die Verzahnung zweier Zahnräder darstellen soll.

Kommen wir nun zum Branchenführer auf unserem alten Kontinent, dem Volkswagen-Konzern. Was 1937 als Gründung der Nazi-Organisation „Kraft durch Freude" zur Produktion des KdF-Wagens unter Leitung von Ferdinand Porsche begann, hat sich heute neben der Stammmarke VW zum Dach von Audi, SEAT, Skoda, Bentley, Bugatti, Lamborghini, Scania, Ducati und Porsche gemausert. Dabei sind allein die VW-Modelle Käfer und Golf, dessen siebente Generation im Vorjahr auf den Markt kam,

Legende genug. Clever sind die Wolfsburger auch, nachdem die Übernahme durch die scheinbar größenwahnsinnig gewordenen Porsche-Manager abgewehrt wurde, schluckte VW den Sportwagenhersteller selbst – und das dem Vernehmen nach sogar, ohne dafür auch nur einen Cent an Steuern bezahlen zu müssen.

VW will nach eigenem Bekunden der größte Autobauer der Welt werden, und ist auch wirklich auf dem Weg dahin. Die meisten Mitarbeiter haben sie jetzt schon, nicht nur in Deutschland arbeiten fast eine halbe Million Menschen für VW, davon nicht wenige in Indien und China, vom Brasilien und Mexiko ganz zu schweigen. Aber auch bei VW ist nicht alles Gold, was glänzt. So ging eine strategisch angelegte Allianz mit Suzuki vor den Baum. Aber – ohne jetzt nationalistisch und deswegen in die falsche Ecke gestellt zu werden – allein die Verkaufszahlen zeigen, dass es eine Eiche nicht stört, wenn neben ihr ein Bonsaibäumchen umfällt.

Fehlt noch BMW, die laut einem Ranking wertvollste Automarke der Welt, und das mit den unter den großen Autokonzernen mit Abstand wenigsten Mitarbeitern. Dieser Spitzenplatz ist auch kein Wunder, schließlich liegen die Wurzeln der BMW-Autos in Sachsen, genauer gesagt, in der ehemaligen Chemnitzer Firma Schneeweis, aus der sich durch verschiedene Fusionen die Rapp Motorenwerke in München entwickelten. Das Unternehmen tat sich später mit einer Flugmaschinenfabrik zu den Bayrischen Flugzeugwerken zusammen, ehe man sich ab 1917 Bayerische Motorenwerke nannte. Die Autoproduktion von BMW begann erst elf Jahre später, und zwar in Eisenach. Die Münchener übernahmen damals den Hersteller des Kleinwagens „Dixi". Der „Dixi" selbst war allerdings ein Lizenzbau des britischen Austin Seven, auf dieser Grundlage stellte BMW dann das erste eigene Auto her, den 3/15, auch DA2 genannt. Nach dem Krieg waren die Münchener Produktionsstätten zerstört, deshalb bauten die Eisenacher in der Sowjetischen Besatzungszone einfach als BMW weiterhin Autos. Das konnte man sich in Bayern aber nicht bieten lassen, im Ergebnis dieses ganz speziellen Ost-West-Konfliktes hießen die Autos aus dem Thüringer Eisenach danach EMW. BMW stellte ab 1948 nach Motorrädern, Bremsen und auch Kochgeschirr auch eigene Autos her. In den späten 50er Jahren konnte es auch die „Isetta" nicht verhindern, dass die Firma ins Trudeln geriet und beinahe von der Daimler-Benz AG übernommen worden wäre. Aber die Bayern schafften es wieder, übernahmen später den britischen Hersteller Rover, verschluckten sich daran fast und stießen die Rechtslenker im Jahr 2000 wieder ab. Inzwischen gehört die Nobelmarke Rolls Royce zu BMW, deren Konzernspitze im „Vierzylinder" genannten Hochhaus in München residiert.

Ob Sergio Marchionne dort jemals zu Gast war, entzieht sich unserer Kenntnis, aber wahrscheinlich ist das schon. Schließlich wollten FIAT und BMW vor einiger Zeit über ihre Töchter Mini und Alfa Romeo kooperieren. Daraus wurde aber nichts – vorerst nichts. Was die Zukunft in Sachen Autobauer wirklich bringt, so recht weiß das niemand. Aber alle Konzerne sind sich einig: „Hauptsache, es rollt."

Von der Autobiographie zur Autopsie und weiter

Autobiographie
Eine Autobiographie ist ein aufgeschriebener Lebenslauf, aber nicht der eines Autos vom Fließband bis zum Schrottplatz, sondern der eines Menschen. Theoretisch wäre die Aufzählung aller Autos, die ein Mensch im Laufe seines Lebens gefahren ist, auch eine Art Autobiographie. Es ist aber mehr. Im Allgemeinen hat man im Laufe seines Lebens auch mehr erlebt als ein Auto, selbst wenn man Berufskraftfahrer, Chauffeur oder ein Autodieb ist. Oft fühlen sich Menschen bemüßigt, eine Autobiographie zu schreiben, die es besser gelassen oder wenigstens so lange gewartet hätten, bis sie 30 geworden sind und wirklich etwas zu erzählen haben. Diese Autobiographien sind oft Bildbände, in denen die spärlichen Texte auch noch von Co-Autoren kommen.

Autochrom
Dabei handelt es sich um nicht um verchromte Teile eines Autos. Autochrom ist ganz einfach ein veraltetes Verfahren der Farbfotografie durch mehrfar-

biges Überdrucken. Auf den Bildern könnten dann allerdings durchaus verchromte Teile eines Autos zu sehen sein.

autochton

Auch das Adjektiv autochton hat nichts mit dem Auto zu tun, das Wort bedeutet „alteingessen" oder „bodenständig". Aber das kann ein Auto schließlich auch sein, wenn der Sitz vor Altersschwäche quietscht und die ganze Karre so tief hängt, dass sie auf dem Boden schleift.

Autodafé

So bezeichnete man die früheren Verbrennungen von Ketzern, die manchmal mit einem Karren zum Scheiterhaufen gefahren wurden. Aber meist mussten sie laufen. Heutzutage werden bei Protesten gelegentlich Autos angezündet, aber das hat mit Autodafé auch nichts zu tun.

Autodidakt

Ein Autodidakt ist jemand, der sich selbst gebildet oder sich zumindest selbst etwas beigebracht hat, zum Beispiel das Autofahren. „Learning by doing" heißt das neudeutsch, aber viel zu oft gilt noch die alte Erkenntnis: „Manche lernen es nie."

Autoerotik

Ein Auto kann durchaus erotisch daher kommen, mit einem „geilen" Fahrgestell, großen Hupen oder sonst noch was. Aber Autoerotik ist trotzdem ganz einfach die Lust am eigenen Ich, also sozusagen Handanlegen an sich selbst. Gut, man kann auch andere Hilfsmittel nutzen, aber dabei kann es dann zu Unfällen kommen, übrigens nicht nur bei Frauen. In den früheren 70er Jahren hat ein Urologe eine Dissertation über ganz spezielle autoerotischen Unfälle geschrieben. Damals kamen einige Männer in die Klinik, weil sich bei der Masturbation mit Staubsaugern Verletzungen an ihrem besten Stück zuzogen. Die Patienten hatten ihren Penis in den Ansaugstutzen eines des Staubsaugers „Kobold" eines bekannten Herstellers gesteckt, um sich durch den Luftstrom stimulieren zu lassen. Leider kamen sie dabei mit dem rotierenden Ventilator in Berührung. Den Rest kann man sich denken. Die Staubsaugerfirma modifizierte daraufhin ihr Gerät so, dass den Männern an ihren Geräten nichts mehr passieren kann. Unter Medizinern erlangte diese Art von Verletzung trotzdem den inoffiziellen Namen „Morbus Kobold".

Autofriedhof
Ein Autofriedhof ist die letzte Ruhestätte ausgedienter Fahrzeuge, die nicht mal mehr nach Osteuropa oder Afrika verkauft werden konnten. Auf dem Autofriedhof werden sie natürlich nicht beerdigt, sondern erst einmal ausgeschlachtet. Diese Art der Leichenfledderei hat schon manchen Liebhaber von Oldtimern zu einem lang gesuchten Ersatzteil verholfen. Was noch verwertbar ist, verkaufen die Ludolfs dieser Welt, der Rest wird zusammengepresst und als Altmetall wieder verwertet. So gesehen

könnte ein Auto zumindest in Teilen mehrere Leben haben.

Autogas
Damit ist nicht das Gaspedal gemeint, sondern der Brennstoff, der anstelle des Benzins so ein umgerüstetes Fahrzeug vorwärts treibt. Autogas gibt es an LPG-Tankstellen, wobei das LPG nicht mehr „Landwirtschaftliche Produktionsgenossenschaft", sondern „Liquid Petroleum Gas" heißt. So ändern sich die Zeiten, aber DDR bedeutet inzwischen Double Data Rate, SED ist eine japanische Fernsehtechnologie und hinter FDJ verbirgt sich ein Profiradrennstall aus Frankreich.

autogen
Auch wenn der Begriff „gen" enthalten ist, autogen bedeutet ursprünglich genau das, nämlich „ursprünglich" oder „selbständig". Man kann autogen schweißen und autogen trainieren. Allerdings ist das autogene Schweißen eben nicht durch autogenes Training zu erlernen. Autogenes Training, also die Methode der konzentrativen Selbstentspannung kann im Straßenverkehr bei Stresssituationen helfen. Dann sagt man sich ganz ruhig: „Alles wird gut, der Stau wird sich schon auflösen", oder eben: „Alles wird gut, die Frau wird heute schon in die Parklücke kommen."

Autogiro
Das weder das große italienische Radrundrennen in seiner motorisierten Form, noch eine besondere

Form des Kreditkontos für den Kauf eines Fahrzeuges. Autogiro ist ganz einfach die Bezeichnung für einen Tragschrauber, den Vorläufer des Hubschraubers.

Autogramm

Dabei handelt es sich, wie wir alle wissen, um einen handschriftlichen Namenszug, aber nur von Menschen, da Autos bekanntlich selbst nicht schreiben können, auch LKW mit Fahrtenschreiber nicht. Deshalb sammeln Autogrammjäger Unterschriften von mehr oder weniger prominenten Personen. Wer zum Beispiel ein Autogramm von uns beiden hat, der kann es eintauschen, gegen zehn Unterschriften von Madonna, Roman Abramowitsch oder Barack Obama – aber dann nur im Block.

Autograph

Autograph ist nicht weit vom Autogramm entfernt. Ein Autograph ist ein eigenhändig verfasstes Schriftstück einer bedeutenden Persönlichkeit. Demzufolge dürfte es kein Einziges vom ehemaligen Verteidigungsminister Carl-Theodor zu Guttenberg geben.

Autographie

Die Autographie wiederum ist nicht weit von zu Guttenberg entfernt, oder besser von Gutenberg, denn das Wort steht für ein altertümliches Vervielfältigungsverfahren durch Umdruck.

Autohämotherapie

Die Autohämotherapie hat, wie man schon vermuten mag, nichts mit dem Auto zu tun, sondern ist eine eher blutige Sache. Dahinter verbirgt sich ganz einfach die Eigenblutbehandlung. Deshalb ist sie weniger bei Auto-, sondern mehr bei Radfahrern verbreitet, die ohne solche leistungsfördernden Praktikern keinen Berg mehr hinauf kommen.

Autoinfektion

Ein Auto mag im Laufe seines Lebens einige Krankheiten haben, wie Durchfall, Burnout, also permanente Antriebslosigkeit oder ganz einfach Husten – aber hier geht es um Menschen, die sich an Erregern anstecken, die bereits in ihrem Körper existieren. Das Autofieber hat damit nichts zu tun, ebenso wie die bekannte Diagnose „Benzin im Blut".

Autointoxikation

Hierbei handelt es sich um den nächsten medizinischen Begriff, hinter dem sich nichts anderes als eine Selbstvergiftung verbirgt, wie sie zum Beispiel Dieter Bohlen bekommt, wenn er sich als Juror bei „Deutschland sucht den Superstar" aus Versehen mal auf die Zunge beißt.

Autokinese

Die Autokinese ist eben nicht die bayerische Aussprache eines „Auto-Chinesen", sondern die scheinbare Bewegung eines feststehenden Gegenstandes aufgrund der eigenen Augenbewegung. Das klingt kompliziert, ist es aber gar nicht. Jeder, der schon mal einen über den Durst getrunken hat, kennt das Phänomen, wenn man sich wie der Mittelpunkt der Welt fühlt, weil sich alles um einen herum dreht.

Autoknacker
Was das Wort Autoknacker auf polnisch heißt, wissen wir nicht, aber ein Autoknacker ist überall jemand, der sich spontan oder gezielt in ein Auto verliebt, das ihm zwar nicht gehört, er aber trotzdem haben möchte. Wenn man so einen Autoknacker erwischt, wird er meist verknackt.

Autokorso
Bei einem Autokorso handelt sich um eine Demonstrationsfahrt mehrerer in Kolonne angeordneter Autos, zumeist aus politischen oder sportlichen Gründen. Aus politischen Gründen werden heutzutage die Autos aber eher angezündet, deshalb bleibt nur der Sport, zum Beispiel beim Gewinn eines Titels im Fußball. In Deutschland gab es international gesehen, seit 1996 keinen großen Titel für die Nationalmannschaft mehr, deshalb veranstalten viele Fans schon bei einem Vorrundensieg einen solchen Autokorso. Als Unbeteiligter steht man dann im Stau und wundert sich: „So viele Autos, solch ein Jubel – so gut haben die doch gar nicht gespielt."

Autokrankheit
Die Autokrankheit ist im Prinzip die Seekrankheit an Land und tritt in letzter Zeit wieder verstärkt auf,

seit unsere Straßen zum Teil wieder so marode sind, dass es beim Fahren gewaltig schaukelt.

Autokrat
Ein Autokrat ist ein Alleinherrscher, der egal ob ihm die Bevölkerung nun zustimmt oder nicht, selbstherrlich in seinem Herrschaftsgebiet regiert. Autokraten können Könige, Kaiser, Zaren, aber auch ursprünglich demokratisch gewählte Chefs, und nicht zuletzt auch Wirtschaftsbosse sein, wie zum Beispiel Henry Ford oder Wendelin Wiedeking. Manchmal klappt es mit der Autokratie, manchmal nicht.

Automat
Das ist ein Apparat, der gegen den Einwurf von Geld bestimmte Waren oder Dienstleistungen herausgibt bzw. erfüllt, oder eben nicht. Im weiteren Sinne sind Automaten scheinbar selbständig arbeitende Maschinen, die aber trotzdem von Menschen gesteuert, programmiert oder mit Informationen gefüttert werden müssen. Sollte sich das einmal ändern, sieht es für die Menschen nicht mehr allzu gut aus.

Automatik
Die Automatik ist eigentlich die Lehre von der Selbständigkeit, bzw. der Vorgang der Selbststeuerung. Der Mensch hingegen ist kein Automat, weil er zu oft nur fremdgesteuert ist. Natürlich gibt es die Automatik auch im Auto, deswegen heißen die Fahrzeuge mit ohne Kupplungspedal eben Automatikau-

to. Manche schwören darauf, andere wollen auf das Schalten nicht verzichten.

Automatismus

Dahinter verbergen sich nicht willentlich gesteuerte Bewegungsabläufe. Automatismen bilden sich meist durch viel Routine. So bremst man beim Autofahren irgendwann automatisch, wenn sich vor einem ein Hindernis wie zum Beispiel rotes Licht zeigt. Gut, einige halten dann nicht nur an, sondern steigen aus und machen sich einen vergnüglichen Abend, aber das soll uns hier nicht weiter interessieren.

Autonomie

Die Autonomie ist die Unabhängigkeit, also das Recht, sich selbst zu verwalten und eigene Gesetze aufzustellen. Wem diese dann nicht passen, der muss woanders hinziehen. Vielleicht ist Deutschland deshalb so als Einwanderungsland beliebt, weil man auf den Autobahnen hierzulande so schnell fahren kann wie man will. Aber richtig Autonome stören auch die einheimischen Gesetze nicht.

Autonummer

Eine Autonummer ist die offizielle Kennzeichnung eines Kraftfahrzeuges. Wer bei Autonummer an eine andere Art von Verkehr auf der Rückbank oder der Motorhaube eines Autos denkt, der muss das eben tun.

autonym

Wer autonym ist, verrät seinen wahren Namen. Autonym ist also das Gegenstück zu anonym, nüchtern betrachtet, ist Autonymität bei Alkoholikern nicht sehr verbreitet.

Autophilie

Mit Autophilie bezeichnet man die Selbstliebe. Wenn ein Mann auf die Aussage seiner Frau: „Ich liebe Dich", mit „Ich mich auch", antwortet, hat er autophilistisch reagiert.

Autopilot

Der Autopilot ist die Automatik im Flugzeug, die dafür sorgt, dass der Flieger auch dann Richtung und Höhe behält, wenn sowohl Flugkapitän als auch Co-Pilot anderweitig beschäftigt sind, zum Beispiel mit den Stewardessen.

Autopsie

Autopsie steht im eigentlich Sinn für Selbstbeobachtung, wird aber in unserer kriminalistisch angehauchten Gesellschaft meist mit Leichenöffnung gleichgesetzt. Mit Verkehr hat das im Prinzip nichts zu tun, allerdings fahren auf unseren Straßen einige so alte Autos herum, dass deren TÜV-Untersuchungen einer Autopsie schon sehr nahe kommen.

Autorisation

Das ist eine Ermächtigung oder Genehmigung, etwas zu tun, dass man ohne diese Autorisation nicht tun dürfte, es aber trotzdem oft macht. Schon die Beatles griffen dieses Thema auf, und zwar in dem Song: „Baby, you can drive my car".

Autostrich
Der Auto- bzw. Straßenstrich ist jenes gewissermaßen verkehrstechnisch besonders erschlossene Gebiet, in dem sich entgegen der Bezeichnung Strich meist ihre Kurven betonenden und auch zeigenden Frauen anbieten, dem männlichen Autofahrer eine kurze entspannende Pause zu besorgen, um es mal so auszudrücken.

Autotomie
Die Autotomie ist etwas völlig aus der Art Geschlagenes, nämlich die Selbstverstümmelung. Nur den sprichwörtlichen „Splint im Knie" zu haben, reicht dafür nicht aus. Der 2007 bei einem Hubschrauberunfall ums Leben gekommene Rallye-Fahrer Colin McRae hatte mal solche autotomischen Anwandlungen, als er sich den kleinen Finger seiner linken Hand gebrochen hatte. Weil ihn der Spezialverband beim Schalten im Auto störte, wollte er den Finger gleich ganz amputieren lassen. Seine Frau war jedoch strikt dagegen, so dass er die Sache sein ließ. Vermutlich hätte sie ihm sonst ihren Mittelfinger gezeigt.

Autotrophie
Die Autotrophie ist die Fähigkeit grüner Pflanzen, sich von anorganischen Stoffen zu ernähren. Welche das genau sind, wissen wir nicht, vielleicht so etwas

wie der Eisenhut. Mit Autos hat die Autotrophie nichts zu tun, schließlich ernähren sich Kraftfahrzeuge von kohlenstoffhaltigem, also organischem Futter.

Autozoom

Autozoom ist eigentlich die Schärfeeinstellung von Kameras. Aber es soll auch Kraftfahrer geben, die nehmen einen weit voraus fahrenden Wagen ins Visier und tun alles, um diesen bis zur nächsten Ortschaft oder Kreuzung zu überholen. Dass der japanische Autobauer Mazda mit „Zoom-Zoom" für seine Produkte wirbt, ist dabei völlig unerheblich.

LIED VOM AUTOFAHREN

1.
Ich sitze erstens im Auto und zweitens im Stau,
ich bin auf der Piste, ich will zu einer Frau.
Die Bahn ist voll, ich nehm eine Ausfahrt,
jetzt geht's aber los, ich knüppel ganz hart.
Vor mir ein Kriecher mit Benz, Weib und Hut.
Die Straße wird kurvig, mich packt die Wut.
Jetzt bremst er voll ab und bleibt auch noch stehen,
wahrscheinlich um die Kurve erstmal zu Fuß abzugehen.

Refrain:
Autofahren macht Riesenspaß.
Die Nerven gespannt und kurz vorm Zerreißen,
man könnte direkt ins Lenkrad reinbeißen.

Autofahren macht Riesenspaß.

2.
Nun geht es weiter, ich komme vorbei.
Jetzt gebe ich Gas, die Straße ist frei.
Nach kurzer Zeit werde ich wieder gestört.
Die Tankleuchte leuchtet, das ist unerhört.
Ran an die Tanke, doch ich leide Qualen.
Mein Gott, diese Tafel! Was sind das für Zahlen?
Die Tafel kracht plötzlich um, ich denk: Moment!
Wahrscheinlich hat sie sich zu Tode geschämt.

Refrain:
Autofahren macht Riesenspaß.
Die Nerven gespannt und kurz vorm Zerreißen,
man könnte direkt ins Lenkrad reinbeißen.
Autofahren macht Riesenspaß.

3.
Vor mir ist einer, der fährt ersten Gang.
Ich hab Gegenverkehr, die Straße ist lang.
Heute ist Montag, ich strecke die Waffen,
wenn es Sonntagsfahrer nach Haus nicht mehr
schaffen.
Der Mann ist am Ziel, er biegt jetzt rechts ab.
Ich gebe nun Stoff, und das nicht zu knapp.
Doch schon bin ich wieder schön angeschmiert,
ich werde samt Auto vom Blitz fotografiert.

Refrain:
Autofahren macht Riesenspaß.

Die Nerven gespannt und kurz vorm Zerreißen,
man könnte direkt ins Lenkrad reinbeißen.
Autofahren macht Riesenspaß.

4.
Ich hab es geschafft, ich bin nun am Ziel.
Ich freue mich schon, doch das war zu viel.
Nun such ich 'nen Parkplatz und fahre im Kreis.
Alles besetzt, ich werde zum Greis.
Also drehe ich um und fahre ein Stück,
finde 'nen Parkplatz und laufe zurück.
Als ich nun per pedes an die Stelle komm,
sind zehn Buchten frei, ich falle bald um.

Refrain:
Autofahren macht Riesenspaß.
Die Nerven gespannt und kurz vorm Zerreißen,
man könnte direkt ins Lenkrad reinbeißen.
Autofahren macht Riesenspaß.

5.
Ich finde das Haus, wo die Frau wohnt,
und hoffe nur, dass sich der Aufwand auch lohnt.
Ich klingle und klingle und klopfe dann laut.
Es rührt sich nichts, mir ist nicht wohl in der Haut.
Ich wart eine Weile und gebe dann auf.
Ich bin angefressen und gar nicht gut drauf.
Ich laufe zurück und zerreiße enthemmt,
den Zettel, der am Wischerblatt klemmt.

Refrain:
Autofahren macht Riesenspaß.
Die Nerven gespannt und kurz vorm Zerreißen,
man könnte direkt ins Lenkrad reinbeißen.
Autofahren macht Riesenspaß.

6.
Und nun noch die Moral der Geschicht:
EineFahrt zu 'ner Frau, die lohnt eben nicht.

Refrain:
Autofahren macht Riesenspaß.
Die Nerven gespannt und kurz vorm Zerreißen,
man könnte direkt ins Lenkrad reinbeißen.
Autofahren macht Riesenspaß.

DES DEUTSCHEN LIEBSTES KIND

Auto, das ist nach Mama und Papa, vom „a-a" mal
abgesehen, das dritte Wort, welches Kinder hierzulande aussprechen können. So mancher der kleinen
Männer von einst spricht, wenn er groß ist, von
seinem Auto als seinem Baby, und für viele ist der
PKW so etwas wie ein fast vollwertiges Familien-
mitglied mit einem eigenen Namen. Warum auch
nicht, schließlich ist so ein Auto wie ein Kind, es
wird im Laufe des Lebens immer größer.
Nicht zuletzt haben Autos für so manche Mitmen-
schen nicht nur vom Aussehen her menschliche
Züge, man spricht von Augen, Nase und Mund und

vom eigentlich ganz beliebten „bösen Blick", dem Auto werden auch bestimmte Charaktereigenschaften zugeschrieben.

Ob ein Auto wirklich Charakter hat, müssen die Philosophen klären, aber ganz unmöglich scheint es nicht, denn so mancher Mitbürger hat auch Eigenschaften eines Autos. Nicht dass er viel säuft, klappert oder mal zum TÜV muss – nein, jeder kennt mindestens einen, der mit Servolenkung durchs Leben geht, also leicht fremdzusteuern ist.

Langsam entdecken die Autobauer auch die inneren Werte eines Fahrzeuges und setzen nicht nur auf eine formschöne Karosse, sondern auch auf Ambiente im Innenraum. Beim Menschen kommt es bekanntlich auch auf die inneren Werte an, und dabei meinen wir nicht Blutdruck, Herzfrequenz und die letzten Leberwerte.

Es sind schon Autos auf dem Markt, bei denen sich je nach Stimmungslage des Fahrers die Beleuchtung und auch die Düfte ändern lassen. Dass es nach Fäkalien riecht, wenn der Fahrer mal „Sch…" ruft, ist nicht zu erwarten, aber beim Anblick der Preistafel einer Tankstelle könnten die Elektronik durchaus etwas Lachgas in den Innenraum leiten, damit die Tränen des Fahrers schneller trocknen.

Ein Auto vermittelt auch Werte. Angeblich kann man von der Automarke auf das Image des Fahrers schließen. So gilt FIAT in Deutschland zum Beispiel als Frauenauto. In so einem Italiener sitzen laut den letzten Marktforschungsergebnissen vor allem junge Frauen mit geringem Gehalt, die keinen Hochschulabschluss haben und auch nicht sonderlich attraktiv sind – also im Prinzip genau das, was früher auf dem Beifahrersitz eines Opel Manta herumlümmelte.

Manchmal geht eben auch bei der Marktforschung etwas daneben, genauso wie beim Autofahren. Jeder zehnte Mann in Deutschland freut sich angeblich darüber, wenn am Neufahrzeug des Nachbarn ein Kratzer oder eine Delle ist. Schadenfreude ist zwar nicht die schönste, aber die wohl am meisten verbreitete Freude. Frauen sind da etwas anders gestrickt, bei ihnen freut sich nur jede 14. über Kratzer auf Nachbars Auto. Dass sich aber der zehnte Mann umdreht und zu seiner Frau sagt: „Gut gemacht, Schatz", das ist nur ein Gerücht.

Egal, ob es das eigene oder das Auto vom Nachbarn ist, es soll natürlich – wie ein Kind eben- heil bleiben und möglichst lange leben.

Aus diesem Grund sollte man, so Experten, „Hilferufe" des Wagens ernst nehmen. Ungewöhnliche Geräusche haben fast immer eine Ursache und weisen auf Mängel am Fahrzeug hin. Einfach das Radio lauter zu drehen, hilft nicht. Dass man tanken fahren sollte, wenn das Auto ruft, dass es Durst hat, ist dabei noch das geringste Problem.

Viele Menschen sparen, und das nicht immer ganz freiwillig, an Wartungs- und Reparaturkosten. So kommt es eben dazu, dass im ersten Halbjahr 2012 jedes fünfte Auto bei der Hauptuntersuchung durchgefallen ist. Dann kann es allerdings richtig teuer werden.

Inzwischen ist aber auch der Kraftstoff schon so preisintensiv, dass immer mehr Leute auf unnütze

Fahrten, besonders auf Kurzstrecken, verzichten und dann doch mal zu Fuß zum Bäcker um die Ecke gehen. „Ich laufe nicht weiter als mein Auto lang ist", dieser Satz ist längst überholt. Inzwischen gibt es in einigen Städten sogar wieder die von früher bekannten „Autofreien Sonntage". Allerdings würde es vielen, uns eingeschlossen, schon reichen, wenn am Wochenende wenigstens die Sonntagsfahrer mal zu Hause bleiben würden, und ihr Baby nur putzen und nicht bewegen.

Aber egal, ob man nun in seinem Traumauto, seinem „Baby" oder in seinem beim nächsten TÜV-Termin akut von Durchfall bedrohtes alten Auto sitzt, nur eines zählt: „Hauptsache, es fährt."

Vom Anlasser bis zum Zylinder

Anlasser

Ein Auto ist bekanntlich wie ein Mensch, besonders der Motor. Zum selbständigen Laufen braucht er am Anfang Unterstützung, und das ist der Anlasser. Das Teil, auch Starter genannt, sorgt nicht nur dafür, dass der Motor in seine meist vier Takte kommt, sondern gibt manchmal auch Anlass zur Sorge. Wer schon mal einen alten Wartburg hatte, weiß, dass auch der Anlasser wie ein Mensch ist. Gelegentlich braucht er einen kleinen Schlag auf den Hinterkopf, damit er in die Gänge kommt.

Batterie

Ohne Batterie läuft nicht viel im Leben, weder bei der Fernbedienung, beim Vibrator, im Kofferradio oder eben im Auto. Im Fahrzeug versorgt die Batterie das Bordnetz mit Spannung. An diesem hängen aber inzwischen so viele Verbraucher, wie ABS, ESP, Klimaanlage und die von manchen respektlos Eierwärmer genannte Sitzheizung, dass die Leistung der Lichtmaschine dafür nicht mehr ausreicht und sich deswegen die Batterie bei der Fahrt nicht mehr auflädt. Dann hilft wohl nur noch eine leistungsstärkere Batterie, die im Winter sowieso von Vorteil ist. Gerade in der kalten Zeit verabschieden sich an der Batterie oft nicht nur einzelne Zellen, sondern gleich der ganze Kasten. Das ist dann mehr als Burnout, das ist der plötzliche Batterietod. Auch eine letzte Ölung hat dann keinen Zweck mehr. Vielleicht hätte man vorher besser mal destilliertes Wasser nachgefüllt.

CD-Wechsler

Wechseln muss man gelegentlich nicht nur die Batterie, sondern auch die CD im Radio, sofern man ein solches hat. Das kann entweder per Hand oder automatisch passieren, also über den CD-Wechsler. Gerade im Erzgebirge wird beim Auto fahren gern CD gehört, weil der Radioempfang hinter jedem Berg erst mal weg ist. Welche CD eingeschoben oder gewechselt wird, hängt vom Fahrer ab oder von der Beifahrerin. Wenn sie dann ihre Lieblingsmusik hört, hält sie selbst die Klappe.

Drosselklappe

Diese Klappe hat nichts mit dem Mundwerk einer oft dem hochprozentigen Alkohol zugetanen weiblichen Person, der sogenannten Schnapsdrossel, zu tun. Die Drosselklappe hat die Aufgabe, die Luft- und damit die Gemischzufuhr für den Motor zu regulieren. Auch der braucht Sauerstoff zum Atmen, er ist ja bekanntlich auch nur ein Mensch. Nur sehen kann ein Motor nicht, aber der Fahrer sollte es können.

Eiskratzer

Damit man in der kalten Jahreszeit, wenn wieder einmal Mitte Dezember amtlicherseits ein plötzlicher Wintereinbruch gemeldet wird, ausreichend Sicht beim Fahren hat, hat die Zubehörindustrie den Eiskratzer auf den Markt gebracht. Das auch Eisschaber genannte Teil hat an der Klinge meist eine gezackte und eine glatte Seite. Mit den Zacken wird zackig vorgekratzt und mit der glatten Seite nachgearbeitet, und zwar so lange, bis alle Scheiben vom Eis befreit sind. Nur ein kleines Guckloch zu schaben, ist nicht mal Geheimagenten oder polizeilich bekannten Spannern erlaubt. Der Eiskratzer gehört in jedes Fahrzeug. Dass die Scheiben von Luxusautos von ihren Besitzern mit einer goldenen Kreditkarte freigekratzt werden, ist nur ein Gerücht. Die lassen eher andere schaben. Am besten kratzt es sich übrigens mit dem Rezitieren von klassischen Gedichten, wie zum Goethes „Osterspaziergang": „Vom Eise befreit sind nun Fenster und Scheiben,

durch des Kratzers kalten, befreienden Kick …"
Gut, da hat uns jetzt die Phantasie die Feder geführt.

Federung

Die Federung ist Teil des Fahrwerks und sorgt dafür, dass die Räder bei Unebenheiten der Straße folgen, also am Boden bleiben, ohne dass sich das Fahrzeug selbst auf und ab bewegt. Soweit die Theorie, aber in der Praxis gibt es auf unseren Straßen Löcher, für die das Wort Unebenheit eben nicht mehr zutrifft, und dann wird aus dem Feder- eher ein Schlagwerk. Die ersten Fahrzeuge hatten noch die von den Pferdekutschen übernommenen Blattfedern, inzwischen haben sich die Schraubenfedern durchgesetzt. Zwar gibt es auch schon die Bose-Federung, bei der ein Elektromotor das Rad in der Höhe reguliert. Damit könnte das Auto theoretisch sogar über Hindernisse springen, aber Sprungfedern sind dann doch etwas anderes, ein Sprung in der Feder ebenfalls. Die Federn müssen egal, ob sie nun geschraubt oder geblättert sind, das ganze Gewicht des Fahrzeuges tragen, inklusive der Insassen und des Gepäcks, das besonders bei Urlaubsreisen größere Dimensionen annehmen kann.

Gepäckträger

Es soll zwar noch Leute geben, die fahren wie von früher gewohnt, nur mit einem Handtuch und einer Zahnbürste in den Urlaub, aber im Normalfall hat man heute mehrere Koffer und Taschen dabei. Auf der Rückfahrt ist der Umfang des Gepäcks meist noch größer geworden, weil noch einige Andenken und Urlaubsmitbringsel dazu kommen. Diese Sachen müssen auch transportiert werden, ehe sie zu Hause nach maximal dreimaligen Betrachten und Vorzeigen für immer irgendwo im Keller oder auf dem Dachboden verschwinden. Weil deswegen der Platz im Kofferraum oft nicht mehr ausreicht, wurde der Gepäckträger erfunden. Damit ist nicht die menschliche Version auf Bahnhöfen oder in Hotels gemeint, sondern die Vorrichtung, mit der sperrige Stücke wie Koffer, Taschen, aber vor allem Skier, Fahrräder oder gar Boote auf dem Dach oder am Heck befestigt werden können. Die Heckgepäckträger verursachen den geringsten Luftwiderstand und treiben den Verbrauch nicht allzu sehr in die Höhe. Nur sollte man nicht allzu viel am A…, Entschuldigung, am Heck haben, sonst kann es dazu kommen, dass die vorderen Räder bei den Unebenheiten der Straße in die Luft gehen. Das wäre gerade bei frontangetriebenen Autos kontraproduktiv. Dann hilft auch das Hupen nicht mehr.

Hupe
Die Hupe, das Horn bzw. die Fanfare ist für jedes Fahrzeug vorgeschrieben, nicht nur im Straßen-, sondern auch im Schienenverkehr. Wahrscheinlich heißt es deswegen auch Fanfarenzug.
Nein, aber besonders auf der Straße wird gern mal gehupt, nicht nur beim Anblick einer Frau mit großen Hu…, Entschuldigung, mit etwas Holz vor der Hütten. Manchmal nervt das Gehupe – deswegen

erlauben wir hiermit jedem Leser, der im Winter hinter einem die Straße blockierenden, querstehenden LKW im Stau steht, zu seinem hupenden Hintermann zu gehen und ihm zu sagen: „Kumpel, fahr du doch schnell mal den Laster da vorn weg, ich hupe solange für dich weiter." Um den Hintermann in dessen Auto überhaupt erst einmal sehen zu können, dafür wurde der Innenspiegel erfunden.

Innenspiegel
Der Innenspiegel ist entgegen der Annahme mancher Autofahrerin kein Schminkspiegel, besonders nicht während der Fahrt, sondern laut amtlichen Beipackzettel eine reflektierende Fläche, die das Beobachten des rückwärtigen Verkehrsgeschehens erleichtern soll. Sicher kann man damit auch sehen, was auf der Rückbank des eigenen Autos alles abgeht, aber das ist nicht der eigentliche Sinn der Sache.
Ein Innenspiegel macht natürlich nur Sinn, wenn ein Durchblick nach hinten überhaupt möglich ist. Inzwischen gibt es auch PKW, die keine Heckscheibe mehr haben, wie zum Beispiel einige Modelle von Audi. Dafür hat man einen elektronischen Innenspiegel entwickelt, also ein Display, auf dem die Bilder der rückwärts gerichteten Kamera am Heck zu sehen sind. Manchmal will man aber nicht mal sehen, was im eigenen Auto los ist, deswegen gibt es Abtrennungen aus verschiedenen Materialien.

Jalousie

Die Jalousie oder Scheibengardine ist aus Pietätsgründen in jedem Leichenwagen zu finden, aber auch in Dienstwagen. Dort sollen die den Herren Politiker oder Vorstandsvorsitzenden vom gemeinen Fahrer abtrennen. So ist es auch kein Wunder, wenn so manchem Chauffeur die Jalousien mal hoch gehen. Eigentlich heißt das französische Wort Jalousie „Eifersucht", und wurde in Paris und Umgebung für Fenstergitter verwendet, die den Blick von innen nach außen ermöglichten, umgekehrt aber nicht. Diese Funktion erfüllen heute im Auto noch die Sonnenschutz-Jalousien. In einen durch die Sonne aufgeheizten Backofen steigt schließlich niemand gern ein, außerdem besteht in einem überhitzten Innenraum Explosionsgefahr für so manches Produkt der modernen Zivilisation, wie zum Beispiel Spraydosen, Bierbüchsen oder Silikonkissen. Für die Temperatur im Auto ist vor allem jedoch die Klimaanlage zuständig.

Klimaanlage

Die erste Klimaanlage für ein Fahrzeug soll 1911 erfunden worden sein, eingebaut wurden die ersten Exemplare aber erst 1938, und zwar im Land der Klimaanlagen, den USA. Im Prinzip funktioniert die Klimaanlage wie ein Kühlschrank. Ständig ist er leergefressen – nein, in einem Wärmetauscher wird die Luft durch Verdunstung abgekühlt. Dadurch wird der Luft auch Feuchtigkeit entzogen, deswegen trocknen im Winter von innen beschlagene Scheiben schneller.

Die Klimaanlage ist also nicht nur für den Sommer gedacht, man sollte sie generell ab und zu mal anschalten, egal ob nun draußen die Sonne brennt oder der Winterdienst streut. Im Sonnenschein ist es hell, wenn sie nicht scheint, weil sie gerade auf der anderen Weltkugelhälfte im Einsatz ist, sollte man beim Fahren das Licht einschalten.

Licht
Es gibt Länder, in denen man auch am Tag mit Licht fahren muss, dafür wurden spezielle Tagfahrleuchten entwickelt. Normalerweise muss ein Auto aber nur zwei nach vorn gerichtete Scheinwerfer mit Fern-, Abblend- und Standlicht haben, und am Heck zwei Schlussleuchten, zwei bzw. seit 1998 bei Neufahrzeugen drei Bremsleuchten. Dazu kommen noch Nebelschlussleuchte und Rückfahrscheinwerfer. Und all diese Lampen sollten auch funktionieren. Zwar ist der Einäugige der König unter den Blinden, aber auf der Straße hat er nichts zu suchen. Es geht bei der Beleuchtung nicht nur um das Sehen, sondern auch um das Gesehenwerden.
Experten raten übrigens, Scheinwerfer immer paarweise zu erneuern, sie sagen, dass bei einer defekt gewordenen Birne die andere auch bald ihr Leben aushaucht. Es sei denn, die Ehefrau fährt immer nur einen Scheinwerfer kaputt.
Lampe ist natürlich nicht gleich Lampe. Inzwischen gibt es die vielfältigsten Lichtsysteme, die Xenonscheinwerfer sind nur eine davon. Heutzutage passen sich adaptive Scheinwerfer der jeweiligen

Verkehrssituation an, sie wechseln zwischen Stadt-, Landstraßen-, Kreuzungs- und Autobahnlicht. Weitere Varianten sind Spielstraßen-, statisches Abbiege, mitlenkendes Kurven- und Schlechtwetterlicht. Die Scheinwerfer mit so genanntem intelligenten Licht sind alles andere als Armleuchter, sondern passen sich nicht nur dem Gegenverkehr oder dem Wetter, sondern auch dem jeweiligen Streckenprofil an. Aber wir hatten schon erwähnt, dass es auf unseren Strecken Unebenheiten gibt, bei denen man fast schon eine Grubenlampe am Auto braucht. Was mit der Entwicklung des Lichts in Zukunft passiert, wird man im wahrsten Sinn des Wortes sehen. Der im Moment neueste Clou ist eine amerikanische Erfindung. In Pittsburgh arbeiten Forscher an einem System, bei dem die Lichtquelle den Weg der Regentropfen oder Schneeflocken vorausberechnet, das Licht gewissermaßen um sie herum leitet und so ein Blenden des Fahrers verhindert wird. Der alte Albert Einstein hätte über dieses System aus Hochgeschwindigkeitskameras und komplizierter Software mit der Zunge geschnalzt, statt sie uns allen herauszustrecken.

Aber die Realität sieht eben noch anders aus. In Deutschland sind lauf offiziellen Zahlen etwa 15 Millionen Kraftfahrzeuge mit defekter Beleuchtung unterwegs. Dabei ist so eine Birne schnell gewechselt – wenn man mit Einstein sagt, dass alles relativ ist. Je nach Autotyp brauchten Tester zwischen knapp zwei Minuten und fast einer halben Stunde, um eine Birne auszuwechseln. Bei einem Auto schafften sie es übrigens gar nicht, aber den Namen des Herstellers verschweigen wir. Beim Namen nennen wollen wir dagegen den Umstand, dass ein Auto wie die Weltwirtschaft ist. Bei beiden muss ständig geschmiert werden.

Motoröl

Wenn man angesichts des kaputten Motors feststellt, dass es nicht am Öl gelegen haben kann, weil keines drin war, ist es zu spät. Man sollte vorher wissen, dass das Antriebsaggregat nur richtig geschmiert läuft wie frisch geölt.

Motoröl muss aber nicht nur die Reibung zwischen den beweglichen Teilen reduzieren, sondern auch kühlen, reinigen, abdichten und vor Korrosion schützen. Deshalb ist modernes Motorenöl nicht nur Öl, sondern ein Gemisch aus Basisöl, Fließverbesserern, waschaktiven Substanzen, Dispersanten für die Schwebefähigkeit von Schmutzteilen und Verschleißschutzstoffen. Kein Wunder, dass das Zeug nicht gerade billig ist. Billig sind aber manche Hilfsmittel.

Navigationsgerät

Egal, ob sie nun teuer oder preiswert sind, alle Navis funktionieren mit dem GPS-System, solange das europäische System noch im Aufbau ist. Diese satellitengestützte Standortbestimmung funktioniert mit Hilfe des im Navi gespeicherten elektronischen Kartenmaterials, zumindest sollte es das. Aus diesem Grund raten Experten, beim Kauf eines solchen Geräts auf das vorinstallierte Kartenmaterial zu achten. Wenn also auf der Karte Deutschland noch als eine Ansammlung von Kleinstaaten erscheint und Österreich und Ungarn noch ein Land sind, lässt man besser die Finger davon. Aber auch bei aktuellen Karten sollte man dem Navi nicht blind vertrauen. Die Zeitungen bringen regelmäßig Berichte über Kraftfahrer, die in Flüsse, U-Bahn-Schächte und dergleichen gefahren sind, weil ihnen das eine Stimme einflüsterte. Die Navis werden zwar regelmäßig getestet, schneiden eben aber nicht immer zu aller Zufriedenheit ab. Konkret erhielt bei einem Test das ADAC kein einziges der zwölf überprüften Navis die Note „sehr gut". Aber dass eines der zwölf Geräte sogar verschwunden sein soll und die anderen elf es auch nicht finden konnten, stimmt natürlich nicht.

Eines sollte den Benutzern aber klar sein: Das Navigationsgerät ist immer nur ein Hilfsmittel zur Orientierung und nicht der über die Fahrtroute entscheidende Faktor. Das sollte der Fahrer selbst sein. Zur Not kann man immer noch in den Autoatlas schauen oder Passanten nach dem rechten Weg fragen. Dabei soll es übrigens Unterschiede zwischen den Geschlechtern geben. Ein Mann irrt angeblich erst einmal zwei Stunden hilflos durch die Gegend, ehe er entschließen kann, jemanden zu fragen. Bei einer Frau soll es anders herum sein. Sie fragt gleich nach dem Weg und irrt dann zwei Stunden lang herum. Irritierend ist für so manches weibliche Wesen, deren bevorzugte Haarfarbe wir hier nicht erwähnen, auch die Funktion eines weiteren Teiles am Auto.

Ölwanne

Diese ist eben nicht Teil einer Schönheitskur auf einer Beautyfarm, sondern der am tiefsten Punkt des Motors befestigte Behälter für das Motorenöl. Die Ölwanne hat ein Fassungsvermögen von zwei bis acht Litern. Überlaufen kann sie nicht, trotzdem sollte man den maximalen Ölstand im Motor nicht überschreiten. Überschritten werden aber gelegentlich Fristen, zum Beispiel amtlich festgelegte Zeiträume.

Plakette

Zu allererst denkt man dabei natürlich an die Plakette für die Hauptuntersuchung, aber es gibt auch andere Exemplare, wie zum Beispiel das „Pickerl" für die Autobahnmaut in Österreich. Wer dort keine gültige Plakette vorweisen kann, zahlt genauso Strafe wie hierzulande bei abgelaufener TÜV-Plakette, wenn nicht sogar mehr.
Überprüft wird bei der Hauptuntersuchung, so heißt der nicht nur vom TÜV, sondern auch von der DEKRA durchgeführte Test, auch die Lenkung. Ein Teil davon ist jetzt an der Reihe.

Querlenker

Quer-, Längs- und Schräglenker sind die Streben, die am Fahrgestell befestigt sind und die Radaufhängung fixieren. Logischerweise sind sie um eine

Rotationsachse drehbar gelagert. Sonst könnte man ja nur im Stehen lenken, und genau das soll man nicht tun.

Querlenker heißt er, weil er eben quer eingebaut ist, und genauso gelenkig ist wie Längs- und Schräglenker. Ohne Lenker müsste man das Auto bei jeder Biegung anheben und in die neue Richtung stellen, damit es weiter rollen kann. Damit es ordentlich rollt, hat man nicht nur Räder und Felgen erfunden, sondern diese auch noch mit Reifen ausgestattet.

Reifen

In der EU haben Reifen seit kurzem sogar ein eigenes Label, also eine amtliche Feststellung ihrer Eigenschaften. Label kannte man bisher nur als Plattenfirma, aber einen Platten hat man als Autofahrer lieber nicht. Besser wäre schon, wenn er schön aufgepumpt ist, und zwar genau mit dem richtigen Druck. Zuwenig Luft im Reifen treibt den Verbrauch in die Höhe. Ohnehin wird schon 30 Prozent des Kraftstoffes dafür gebraucht, den Rollwiderstand zu überwinden.

Im Gegensatz zur Formel 1, bei der es die verschiedensten Reifenarten gibt, ist für Otto Normalverbraucher nur die Unterscheidung in Sommer- und Winterreifen interessant. Sommerreifen sind für Straßenverhältnisse ohne Schnee ausgelegt. Genau das sollten sich alle Kraftfahrer hinter die Ohren oder besser an das Armaturenbrett schreiben, dann gäbe es im Winter viel weniger Unfälle. Im Gegensatz zum Sommer fährt man im Winter die O-O-Reifen – nein, die

M+S-Reifen, also die für Matsch und Schnee. Die beiden O's stehen für Anfang und Ende der Winterreifenzeit, also Oktober und Ostern. Winterreifen haben größere Stollen und Rillen als ihre Sommerkollegen und zusätzliche Lamellen, die für Traktion im Schnee sorgen. Grundsätzlich sollte die Profiltiefe fünf Millimeter nicht unterschreiten, und zwar an jedem Reifen. Nicht dass am Ende noch jemand sagt: „Vorn sind es je zwei Millimeter und hinten auf beiden Reifen ein halber, das reicht."

Es reicht auch nicht, nur darauf zu achten, ebenso hat die Laufrichtung der Reifen eine gewisse Bedeutung. Es soll schon Frauen gegeben haben, die nach falscher Montage nur im Rückwärtsgang gefahren sind, damit die Laufrichtung stimmt.

Die Reifen sollte man tunlichst im Fachhandel oder in Werkstätten erwerben, denn im Internet kann man anhand des Benutzerprofils zwar allerhand über den Verkäufer erfahren, aber kaum etwas über das Profil der von ihm angebotenen Reifen. Die normale Lebensdauer eines Reifens beträgt laut Experten etwa zehn Jahre, deshalb kam es vor kurzem einigen Polizisten hierzulande seltsam vor, als sie einen LKW stoppten, der noch einen Satz Original-DDR-Reifen aufgezogen hatte. Angesichts dieser Abgefahrenheit sollen selbst die Ordnungshüter den sonst bei ihnen so verpönten Scheibenwischer gemacht haben.

Scheibenwischer
Als Handbewegung ist er im Straßenverkehr unter Strafe gestellt, als Satiresendung im Fernsehen ist

er längst abgesetzt, aber als Teil am Fahrzeug ist er unbedingt nötig. Gelegentlich wird der Scheibenwischer zwar als Haltevorrichtung für Strafzettel missbraucht, aber in normalen Autofahrerleben sorgt er für Durchblick. Genauso nötig ist der Behälter für den Kraftstoff.

Tank

Aus Sicherheitsgründen befindet er sich wie beim auch als Tank bezeichneten Kampfpanzer nicht am Heck, sondern aus Sicherheitsgründen unter den Rücksitzen bzw. vor der Hinterachse. Dass in einen Tank mehr Kraftstoff hineinpasst als von den Herstellern angegeben, hat mit der Physik zu tun. Bei Wärme dehnt sich bekanntlich alles aus, also auch Kraftstoff. Deshalb sollte man bei sommerlicher Hitze den Tank nicht bis zum Überlaufen mit dem normalerweise an Tankstellen kühl gelagerten Benzin befüllen, falls man sich das bei den Preisen überhaupt noch leisten kann. Bei Überfüllung kann es passieren, dass sich der Kraftstoff aus dem Tankdeckel herausdrückt. Dabei kann es zu Schäden kommen, vom Wert des ausgelaufenen Benzins ganz zu schweigen. Sprechen wollen wir jetzt vom Unterboden.

Unterboden

Der Unterboden muss genauso gepflegt werden, wie die Karosse oben, denn er ist noch mehr Umwelteinflüssen wie Steinschlägen und Rostangriffen ausgesetzt. Wenn man bedenkt, was und wer heutzutage alles auf der Straße liegt, muss man darüber nicht mehr nachdenken. Deshalb ist die Konservierung des Unterbodens wichtig, sonst ist die ganze Büchse bald Schrott. Gewissermaßen konserviert, genauer gesagt, sterilisiert ist der Inhalt eines weiteren Zubehörs von Kraftfahrzeugen.

Verbandskasten
Beim Verbandskasten sollte darauf geachtet werden, dass das Haltbarkeitsdatum nicht überschritten ist, sonst wird man bei Kontrollen mit einem Knöllchen verarztet. Er enthält nicht nur Verbandsmaterial, sondern auch Geräte für die Erste Hilfe, wie zum Beispiel Atemmasken. Wie diese angewendet werden, ist in der Bedienungsanleitung aufgeschrieben. Nur hat im Notfall keiner Zeit zum Nachlesen, deswegen sollte man für den Ernstfall vorbereitet sein und das teilweise vor Jahrzehnten erworbene Wissen im Rotkreuzlehrgang gelegentlich mal auffrischen. Inzwischen hat sich so manches geändert. Zudem kann es auch sein, dass man nicht Helfer sondern Opfer ist und Hilfe benötigt. Wer will schon wegen der Unkenntnis anderer vor die Hunde gehen? Apropos Hund …

Wackeldackel
Ein unverzichtbares Accessoire mancher PKW ist der Wackeldackel. Dieser Kunststoffhund auf dem Armaturenbrett oder der Hutablage bewegt seinen Kopf je nach Bewegung des Fahrzeuges. Es soll schon vorgekommen sein, dass ältere Exemplare in

einem Schlagloch plötzlich kopflos waren. Es gibt aber nicht nur Tiere, sondern auch menschliche Figuren, mit denen man sein Auto verzieren kann. So hat sich so mancher Musikfan einen Wackel-Elvis zugelegt, der allerdings nicht mit dem Kopf wackelt. Elvis hatte nie Parkinson, er bewegt, wenn er in Fahrt kommt, immer noch die Hüften. Auf und ab bewegt sich im Auto auch etwas, und zwar im Motor.

Zylinder
Es kann zwar sein, dass sich unter dem Zylinder eines Zirkusdirektors während einer Autofahrt auch etwas bewegt, und zwar der Gedanke, wie und wo er etwas Futter für seine Tiere und Artisten bekomme, aber wir sprechen hier vom Zylinder, der mit dem Kolben und dem Zylinderkopf den Arbeitsraum des Motors bildet. Die Wand des Zylinders wird bei der Arbeit des Kolbens ständig mit Öl geschmiert. Beim Zirkusdirektor ist es eher die Pomade, die im Zylinder die Frisur in Form hält.

Aber egal, ob man nun mit oder ohne Zylinder auf dem Kopf, Prüfplakette, Navigationssystem, Wackeldackel unterwegs ist, nur eines zählt: „Hauptsache, es fährt.“

Sowohl Theoretiker als auch Praktiker machen sich Gedanken, wie das Auto der Zukunft aussieht. Von der Farbe her ist es vermutlich ökologisch korrekt in einem Grünton gehalten, aber über den Rest streiten sich die Gelehrten.

So haben Wissenschaftler der Universität Bremen ein Modell namens „EO smart connecting car" gebaut und ihre Spielsucht daran ausgelassen. Das Gefährt kann zum Beispiel um die eigene Achse kreisen. Aber das bekommt man mit heutigen Autos und einiger Übung auch hin, am besten geht es im Winter auf Glatteis. Der EO kann seine Räder um 90 Grad drehen und seitlich in eine Parklücke fahren. Und das geht heutzutage noch nicht. Man kann zwar ein einzelnes Rad durchaus um 90 Grad versetzen, aber mit einer gebrochenen Achse wird dann selbst normales Einparken schwierig. Der Clou an diesem Bremer Roboterauto ist aber, dass sich mehrere Exemplare zu einer Art Autozug zusammenschließen können. Dazu schiebt sich das Fahrwerk zusammen und drück die Fahrerkuppel nach oben. Daten und Energie werden dann von Auto zu Auto übertragen, auch an eine autonome Steuerung des Vierer-, Sechser- oder Fünfziger-Packs ist gedacht. Nur ist dieses Gefährt mit dem heutigen Entwicklungsstand der Technik zwar machbar, aber nicht für die Massenproduktion tauglich.

Das beginnt schon beim Elektronantrieb, der zweifellos Vorteile, aber auch Schwachstellen hat. Die

Bundesregierung wollte bis Jahr 2020 zwar eine Million E-Autos auf unseren Straßen sehen, aber hat dabei wohl nicht bedacht, dass die Batterien viel zu wenig Kapazität haben. Theoretisch sind heute mit einer Ladung schon über 300 km Reichweite möglich, aber nicht überall in Deutschland geht es eben zu oder gar bergab. Ab und zu ist hierzulande auch mal Winter, und dann kommt man keine 100 km vorwärts. Weil zudem die Zeit auch Geld ist, können Ladezeiten von acht Stunden sehr teuer werden. Und nicht zuletzt wird auch der Strom immer teurer. Deshalb waren Ende 2012 erst ganze 5.000 Elektroautos in Deutschland zugelassen.

Wenn man von Hamburg bis München mehrere Tage braucht, ist die Bahn sogar mit ihren Verspätungen schneller. Andere Länder sind da schon weiter. In Frankreich will man jetzt gemeinsam mit Stromkonzernen und den großen Autobauern ein flächendeckendes Netz von Stromtankstellen schaffen. Aber die Franzosen müssen auch gegen den TGV antreten, einen der schnellsten Züge weltweit. Weil wir gerade auf die Bahngleise geraten sind: Eine Vision ist es auch, den Autoverkehr auf die Schiene zu verlagern. Das könnte mit fahrerlosen, computergesteuerten Kabinen geschehen, die auf Abruf Passagiere und Fracht aufnehmen und auf Zuruf am Zielort wieder ausspucken. Nur liegen dort, wo man hin möchte, meist keine Schienen, und so schnell kann man heutzutage keine Gleise in der freien Natur verlegen, vom Straßenneubau ganz zu schweigen. Irgendeiner hat immer etwas dagegen.

Also ab in die Lüfte. Schon in den 50er Jahren hat sich eine Firma namens Aerocar mit der Entwicklung fliegender Autos beschäftigt. Gelegentliche Flugeinlagen gab und gibt es seitdem immer wieder, mal auf eine Wiese, mal in einen Graben oder auch in ein Kirchendach. Nur sind diese Stunts in den meisten Fällen nicht beabsichtigt. Nun hat ein holländischer Hersteller vor kurzem eine Mischung aus Propellerauto und Hubschrauber vorgestellt. Ob sich das Gefährt am Markt durchsetzen wird, ist fraglich, denn gerade die Niederländer hängen gern mal einen Wohnwagen hinten ans Auto. Und das ist in der Luft eine Luftnummer.

Nicht aus der Luft gegriffen ist dagegen das Gasgeben mit Gas. Mit LPG wurde früher die Landwirtschaftliche Produktionsgenossenschaft abgekürzt. Heute findet man unter diesen drei Buchstaben Erdgastankstellen. Davon gibt es, genau wie die CNG genannten Erdgasstationen, immer mehr. Auch wenn alternative Antriebe immer noch Ladenhüter sind, knapp eine halbe Million Erdgas-Autos rollen schon auf unseren Straßen. Auch mit Solarautos experimentiert man, auch wenn eines davon bei einer Fahrt um die ganze Erde vor einiger Zeit ausgerechnet in Dresden schlapp machte, als der sächsische Ministerpräsident eine Runde damit drehen wollte. So etwas nennt man dann wohl Vorführeffekt.

Alternativen zu Benzin- oder Dieselantrieb gibt es also, aber diese sind noch nicht ausgereift. Deshalb sind sich die Experten sicher, dass die Verbrennungsmotoren so schnell nicht abgelöst werden. Außerdem können wir die Araber nicht einfach so auf ihrem Öl sitzen lassen. Nein, manch Wirtschaftsexperte geht davon aus, dass in 20 Jahren Benzin und Diesel rationiert werden muss. Selbst dann gibt es Öl in unbegrenzter Menge vermutlich immer noch, aber nur gegen die Zahlung von Schmiergeld.

Nein, es muss gespart werden, deshalb geht der aktuelle Trend in Richtung Hybridfahrzeug, also einen Diesel oder einen Benziner, der durch eine andere Energiequelle, meist Strom, unterstützt wird.

Der Begriff „Hybrid" kommt übrigens aus dem Griechischen und bedeutet so viel wie „aus zwei Dingen zusammengesetzt", steht aber auch für „hochmütig" und „überheblich". In der Botanik sind Hybride Kreuzungen aus verschiedenen Gewächsen, die aber auch Bastarde genannt werden. Weil das Wort Bastard in der Werbung nicht gut ankommt, sind auf unseren Straßen also immer mehr Hybride unterwegs. Dass da durchaus mal ein Fahrer als Bastard beschimpft wird, steht auf einem anderen Blatt.

Eine der wichtigsten Bestrebungen für die Zukunft ist es, die Autos leichter zu machen, um Kraftstoff zu sparen. Nicht nur unsere Bevölkerung, auch ihre „liebsten Kinder" sind ganz einfach zu dick. So setzt man im Autobau auf Carbon, das nur die Hälfte von Stahl wiegt, allerdings auch sechs Mal so teuer ist. Aber Geld spielt beim Sparen manchmal einfach keine Rolle.

Bei Audi ist man dabei, Schraubenfedern aus Plastik zu entwickeln, keine leichte Aufgabe. Einen Vorteil hat die Sache aber auf alle Fälle, denn rosten können die Dinger auf keinen Fall. Ein neuer Trend ist auch, Metall und Kunststoff im Auto durch Multimaterialsysteme zu ersetzen, die auf Holz basieren. Es kann also sein, dass IKEA nach Möbeln, Häusern und ganzen Stadtteilen demnächst auch noch Autos baut.

Nein, das ist wohl eher nicht zu erwarten. Aber die Autos werden heute und auch in Zukunft mit immer mehr Elektronik vollgestopft. Manches dieser Bauteile ist recht nützlich, andere sind eher Spielereien.

So ist es denkbar, dass ein Auto während der Fahrt die Preise von Tankstellen in der Nähe abfragt, oder herausfindet, wie viel das Brot beim nächsten Bäcker kostet. Das wäre dann zwar so etwas wie die erste „Brötchentaste" im Auto, aber die Preise an den Tankstellen sind meist gleich und sowieso viel zu hoch. Da könnte der Bordcomputer schnell mal durchbrennen, denn so ein Rechner kann schließlich nur logische Daten verarbeiten.

Vernünftig sind jedoch verschiedenen Sicherheitssysteme. Nachtsichtgeräte, Spurwechsel-assistenten, Projektionen auf der Frontscheibe und anderes können heute schon helfen, genau wie die von VW angekündigte pyrotechnische Notbremse. Damit könnte man nicht nur wie ein Rakete starten, sondern auch so ab- oder gar ausgebremst werden. BMW hat mit dem neuen 7-er das erste Auto, das lesen kann. Die Elektronik erkennt Geschwindigkeitsbegrenzungen und zeigt sie dem Fahrer an. Der sollte die Schilder zwar auch bemerken und darauf reagieren, aber doppelt ist eben besser. Zudem erkennt das Fahrzeug im Dunkeln Personen auf oder neben der Straße, ehe sie im Blickfeld des Fahrers sind. Das kann gerade bei Polizisten mit einer Laserpistole von Nutzen sein.

Ab 2015 soll in der EU in jedem Neuwagen die aus Flugzeugen bekannten Blackbox eingebaut werden. Einige Blondinen sollen zwar schon angefragt haben, ob es die auch in Pink gibt, aber die Sache macht schon Sinn.

Meist geht es bei den neuesten und allerneuesten elektronischen Bauteilen jedoch um Kommunikation. Mit einem Smartphone kann man schon heute die einzelnen Leistungsdaten des Fahrzeuges auslesen. Es fragt sich zwar, ob man das überhaupt will und was man als normaler Autofahrer dann mit den Informationen anfängt. Denn eines ist klar: Wo viel ist, kann auch viel kaputt gehen.

Wenn man in Zukunft zusätzlich zur Fahrschule nicht auch mindestens zwei Semester Kommunikationselektronik studiert hat, kann man das Auto auch gleich stehen lassen, oder zumindest vor Antritt der Fahrt den Bordcomputer ausschalten – falls man herausgefunden hat, wie das geht.

Zu viele Spielereien im Auto lenken ab, ab und zu sollte man beim Fahren schon noch auf die Straße schauen, aber vermutlich nicht mehr lange. So ist zum Beispiel Erich Sixt, Deutschlands größter Autovermieter, der Meinung, dass die Leute in 20 Jahren im Auto sitzen und Zeitung lesen, weil der Autopilot das Fahrzeug steuert. Gut, manche Trucker bekommen das heute schon hin, aber das ist eine andere Sache.

Tests mit Kolonnenfahrten, in denen Autos selbständig fahren und navigieren, gibt es heute schon. Das

Auto der Zukunft ist vernetzt, aber nicht mit Spinnweben, weil es ständig in der Garage steht. Durch die Elektronik werden Fahrzeuge künftig von vorausfahrenden Autos vor Gefahrenstellen gewarnt, Werkstatttermine werden online angezeigt, Wetterdaten bekommt man aus dem Internet, wenn man selbst nicht mehr merkt, ob es draußen regnet oder hagelt. Beim Einparken kann man sich wohlig zurücklehnen, weil das Fahrzeug sich ganz allein in die Lücke schiebt. Wer davor zurückschreckt, steigt eben vorher aus. Dann ist er im Schadensfall schön raus, denn wer steht, hat bekanntlich Recht. Allerdings wird es auch in Zukunft so sein, dass Recht haben und Recht bekommen oft zwei verschiedene Dinge sind.

Eigentlich braucht das Auto der Zukunft den Menschen gar nicht mehr, man könnte es auch allein zu lästigen Terminen, überlangen Meetings oder zur Schwiegermutter schicken. Aber das Kraftfahrzeug wird auch in Zukunft dazu dienen, Menschen und auch Waren von einem Ort zum anderen zu transportieren.

Wir können uns aber des Eindruckes nicht erwehren, dass es ein rollender Computer ist, in dem der Mensch nicht mehr viel zu sagen und noch weniger zu tun hat. Denn schon heute wäre es möglich, dass die Autos untereinander das Fehlverhalten der Fahrer ausbügeln können.

So gibt es schon Systeme, die die Fahrweise des jeweiligen Nutzers analysieren und sich darauf einstellen. Vermutlich zeigt sich dann Miss Piggy im Display und zeigt an, dass man wie eine Sau fährt. Es kann aber auch sein, dass sich plötzlich das Handschuhfach von ganz allein öffnet und der Beifahrerin sagen will, dass sie die Klappe halten soll.

Nein, aber in den USA gibt es wirklich eine Technologie, die es einem fürsorglichen Familienvater ermöglicht, den Autoschlüssel seines Nachwuchses so zu einzustellen, dass Tochter oder Sohn nur losfahren können, wenn sie angeschnallt sind. Zudem lässt sich die Höchstgeschwindigkeit und die Lautstärke des Radios begrenzen. Nur können die lieben Kleinen mit einiger Cleverness die Sache auch wieder ausschalten. Bloß weiß man dann nie, ob das Auto den Nachwuchs dann doch beim Alten verpetzt.

Kurz gesagt: Früher kam es in der Fahrschule darauf an, zu lernen, mit dem Auto zu fahren und nicht umgekehrt. Nur wird das Auto der Zukunft wieder mit dem Insassen fahren, denn die Wissenschaft hat herausgefunden, dass die Schwachstelle im Kraftverkehr der Mensch ist. Und Schwachstellen müssen zwar nicht unbedingt beseitigt, aber doch ausgeschalten werden. Trotzdem – eines wird immer sein: Auch der Mensch der Zukunft sagt sich angesichts seines wie in I-Pad auf Rädern oder auch wie ein Kugelblitz aussehenden Autos: „Hauptsache, es fährt."

ACH DU HEILIGER MANTA

Klaus nannte ihn „Santa Manta",
als er ihn fuhr mit seiner Sandra.
Am Steuer trank er gerade Fanta,
als sie schon war mit der Hand da.

Sie sagte noch: „Der Gurt, der spannt da."
Und Klaus verschüttete erst Fanta,
dann fuhr gegen diese Wand da.
Es zerschellte der Manta
an der Mauer auf dem Land da.
Und die scharfe Sandra
hat jetzt einen mit einem Panda.
…
Während Mantafahrer Klaus
liegt immer noch im Krankenhaus.
Aus die Maus.

In memoriam

Auf einem Autofriedhof liegen normalerweise alte
Fahrzeuge, aus denen alle noch verwertbaren Teile
ausgeweidet wurden. Der Rest geht dann irgend-
wann in die Schrottpresse.
Nun passiert es aber auch, dass ganze Autofirmen ihr
Leben aushauchen, sei es durch Missmanagement,
weil sie am Markt vorbei produzieren, oder von
vornherein keine Chance hatten.
Und wenn die drei Sachen sogar noch zusammen
kommen, geht es einer Firma so wie jenem Preston
Tucker, der 1947 in Chicago seinen „Tucker Torpedo" vorstellte. Er wollte ein Auto bauen, dass die
Kunden überzeugen sollte. Leider waren potentielle
Geldgeber dafür weniger zu begeistern, so dass er
ein Franchise-Modell über die künftigen Händler
entwickelte. Zudem wollte Mr. Tucker über einen

Börsengang zusätzliches Geld auftreiben. Allerdings hielten sich nach der Vorstellung des Prototypen, der nicht mal selbst fahren konnte, auch noch die Zulieferbetriebe zurück, so dass der Torpedo ein Rohrkrepierer wurde. Vielleicht hätte Tucker auch statt des dritten, mitlenkenden Frontscheinwerfers doch so profane Dinge wie einen Rückwärtsgang einbauen sollen. Die Sache ging später vor Gericht, Tucker wurde wegen Unterschlagung, Steuerhinterziehung und weiteren Verfehlungen angeklagt. Zeitweise sollen mehr als 500 Rechtsanwälte für und gegen ihn gearbeitet haben. Da war an das Bauen von Autos natürlich nicht mehr zu denken. Preston Tucker wurde zwar von allen Anschuldigungen frei gesprochen, pleite war er hinterher trotzdem.

Eine erstklassige Pleite legte auch General Motors mit seinem Hummer hin. Drastische Verkaufseinbrüche zwangen im Jahr 2010 zur Aufgabe des eigentlich für das Militär entwickelten Offroaders. Wahrscheinlich schluckte dieses Riesengefährt selbst den an großen Durst gewohnten Amerikanern zu viel. Ford ging es mit seiner Marke Edsel nicht viel anders. Die Autos sollten eine äußere Form haben, die sich von allen anderen bekannten Fahrzeugen unterschied. Das war auch so – nur wenn sich fast alle Medien einig sind, dass schon der Kühlergrill aussieht wie ein Toilettensitz, will man gar nicht mehr wissen, was mit dem Rest des Fahrzeuges ist. Auch Ford erkannte, dass man damit wohl einen ziemlichen Sch… fabriziert hatte und versenkte die Marke in der Grube.

Andere amerikanische Marken hatten dagegen ein langes und erfülltes Leben, ehe sie in Siechtum verfielen, im Koma lagen, ehe endgültig das Licht ausgeknipst wurde. Oldsmobile (1897-2004), Pontiac (1899-2010) und Studebaker (1897-1966) sind dabei noch die prominentesten Autoleichen. Allerdings versucht man hin und wieder, die eine oder andere Marke zu exhumieren und wieder zum Leben zu erwecken. Das hat jetzt angeblich ein Fan der Marke Studebaker vor. Er hat sich die Namensrechte gesichert und will in einer Kleinserie Geländewagen bauen. Hoffentlich verfährt er sich damit nicht.

Andere Automarken wurden nicht begraben, sondern vorsichtshalber tiefgekühlt aufbewahrt, für den Fall, dass man sich vielleicht doch mal wieder an ihnen erwärmen kann. So geht es in Frankreich den Marken Alpine, die in den 70er Jahren von Renault übernommen wurde, 1995 eingefrostet und jetzt wieder aufgetaut werden soll. Wenn wir schon bei der Grande Nation sind, kommen wir auch an Matra nicht vorbei. Die Firma wurde 1941 gegründet und überließ – aus welchen Gründen auch immer – Anfang der 70er Jahre den Vertrieb ihrer Fahrzeuge der ursprünglich ebenfalls französischen Firma Simca, die damals als Tochterunternehmen zum Chrysler-Konzern gehörte. Verkauft wurden die Wagen unter der Bezeichnung Matra-Simca-Chrysler. 1979 wollte Mama Chrysler nicht mehr und schickte die ungeliebte Tochter zurück über den Großen Teich, und zwar zu PSA, also Peugeot und Citroën. Allerdings konnten diese beiden Brüder mit dem verstoßenen

Töchterlein Matra auch nichts anfangen, verkauften sie an den noch existierenden Matra-Konzern zurück, und tauften Simca in Talbot um, obwohl Simca einst Talbot geschluckt hatte. 1983 verstieß man Matra, nachdem Renault noch mal als Stiefmutter einsprang, wurde der Name 2003 endgültig beerdigt. Talbot ist übrigens schon seit 1986 von der Bildfläche verschwunden, ob wenigstens der Name in dieser riesigen Patchwork-Autofamilie noch mal eine zweite oder auch dritte Chance bekommt, steht in den Sternen, vermutlich in denen zwischen dem Kleinen und dem Großen Wagen.

Die Zukunft wird es zeigen, und damit sind wir auch schon beim DeLorean. Die aus dem Film „Zurück in die Zukunft" bekannte Marke will dem Filmtitel jetzt alle Ehre machen und eine Wiederauferstehung hinlegen, allerdings als Elektroauto. Wie lange es dauert, bis der Sache der Strom wieder abgestellt wird, kann man nur vermuten. Die Konkurrenz schläft bekanntlich nicht, und die steht voll im Saft. Ausgepresst wurden aber auch hierzulande einige bekannte Autofirmen. Gut, Trabant und Wartburg hatten im wiedervereinigten Deutschland ohnehin keine Chance, das waren – abgesehen von Karmann und einigen kleinen Sportwagenschmieden wie Artega, die letzten großen automobilen Beerdigungen in Deutschland.

Vorher sind ganz andere Firmen verschwunden, manche still und heimlich, anderen mit einem großen Krach. So baute man bei der Röhr Auto AG in Hessen Ende der 20er Jahre die sichersten Autos der

Welt, ehe die Welt mit der Wirtschaftskrise zurück schlug, der Firma arg zusetzte, ehe die Nationalsozialisten wegen der jüdischen Geldgeber der Firma die Sache ganz beendeten.

Anders lief es bei NSU, einer traditionsreichen Firma, die später in Audi aufging. 1967 stellte NSU mit dem Ro80 einen mit Wankelmotor angetriebenen Wagen vor, zehn Jahre später war die Bezeichnung NSU in der Versenkung verschwunden. Was heute als NSU bezeichnet wird, ist ein völlig anders geartetes schwieriges Kapitel der neueren deutschen Geschichte, dass mit einem brennenden Wohnwagen aufgedeckt wurde.

Ebenso verschwunden sind hierzulande Firmen wie Horch, DKW, Hanomag und Borgward. Letztere Firma ist 1920 von Carl Friedrich Wilhelm Borgward gegründet worden und war besonders mit dem Modell „Isabella" bis Anfang der 60er Jahre in der Bundesrepublik sehr erfolgreich, ehe man in Insolvenz ging. Der Tradition von Borgward wird aber heute noch gehuldigt. Jedes Jahr veranstalten Borgward-Fans ein Treffen, dass 2012 erstmals in Annaberg-Buchholz über die Bühne bzw. die Straßen ging.

Ein ehemaliger Borgward-Händler versuchte 1970, ein eigenes Auto, den AWS-Shopper, zu etablieren. AWS stand für Automobile Walter Schätzle, aber die als „Einkaufswagen für die Familie" beworbenen Autos wurden einfach zu wenig gekauft.

Und wer in der Branche zu wenig verkauft, kommt in Schwierigkeiten, egal wie groß oder klein der Name auch ist. Man kann versuchen, ihn durch

Spritzen, also Finanzzuschüsse, am Leben zu erhalten, oder ihm durch riesige neue Modellpaletten neue Kraft zu verleihen. Am Ende entscheidet aber doch der Markt. Selbst riesige Werbekampagnen helfen nur noch bedingt, wenn der Name einmal angeschlagen ist.

Auch wenn sich die Autowelt verändert, verkauft werden müssen die Fahrzeuge nach wie vor, sonst landen nicht nur die Autos, sondern auch die Autobauer auf dem Friedhof. Da kann dann der Nachruf noch so sentimental sein – tot ist tot. Aber man soll bekanntlich niemals nie sagen, sondern: „Hauptsache, es rollt." Wohin es rollt, ist aber genauso wichtig – die letzte Fahrt endet bekanntlich immer in der Grube.

Reise durch das Land

Das ist die Geschichte von 19258 HORST und 56479 IRMTRAUT, die mit einem Auto quer durch das Land 24253 FAHREN.

Eins vorweg:

Die mit der jeweiligen Postleitzahl angeführten Orte gibt es wirklich, im 56814 ERNST, völlig 14728 OHNEWITZ.

Nur gibt es ein Problem. 19258 HORST und 56479 IRMTRAUT sind noch 48465 OHNE Auto, weil er seinen bisherigen Wagen neulich zu 46537 BRUCH fuhr. Er gab nicht 56729 ACHT, und setzte den nagelneuen Opel 83629 ADAM in einem 94327 BOGEN an eine 69256 MAUER. Die 73574 MÜHLE war völlig 54426 BREIT. Besonders der 18556 BUG bestand nur noch aus 14547 STÜCKEN. Das 21765 MITTELTEIL sah aus wie von einem 07806 EISENHAMMER bearbeitet, man konnte annehmen, dass ein Bulldog von 19309 LANZ mit 31855 EGGE und 04655 PFLUG darüber gerollt wäre. Selbst die Sanitäter meinten: „War das eine 01655 HEBELEI, ehe wir 19258 HORST raus hatten, aber wie durch ein 84152 WUNDER ist nichts passiert.

56479 IRMTRAUT war trotzdem sauer auf ihn, wollte ihm eine 54673 SCHEUERN, drohte ihm gar 96264 PRÜGEL an, zog ihn an den 65597 OHREN und beschimpfte ihn als 87719 KATZENHIRN: „Du blöder 94060 HUND, du hättest 57537 WISSEN 21516 MÜSSEN, dass es bei 94209 REGEN und 97357 LAUB auf der 07613 LANDSTRASSE 72172 GLATT ist."

So weit dazu, aber jetzt hieß es erst einmal, ein neues bzw. altes Auto zu kaufen. Aber dazu gingen 19258 HORST und 56479 IRMTRAUT nicht allein zum Gebrauchtwagenhändler, sie nahmen 83346 KLAUS mit, der war 83739 SCHLOSSER und zumindest etwas vom 73453 FACH.

„15890 SIEHDICHUM", sagte 56479 IRMTRAUT zu 19258 HORST, „ich will ein Auto, das zu uns passt, nicht irgendeinen 34326 MORSCHEN 82131 KASTEN. Schau mal, der Wagen dort! Es ist bald Weihnachten und der ist so schön 08543 CHRISTGRÜN!" Aber 19258 HORST schüttelte den Kopf: „Ich bin doch kein 06193 PRIESTER, und eine 07330 GABE GOTTES ist die Kiste auch nicht. Der ist doch 01561 ROSTIG, und guck dir mal den 91174 SPALT an der Tür an!" Jetzt kam der Autohändler, 58089 HAGEN 14943 FELGENTREU hinzu. 58089 HAGEN war sehr verschlagen und witterte 24361 PROFIT. „Dieser Wagen ist doch eine 57589 PRACHT, er bietet viel 01824 RAUM, innen ist alles echt 55569 NUSS-BAUM, und erst die Sitze! Die sind mit dem 56332 OBERFELL von 34439 LÖWEN überzogen, und der Ganghebel, echt 67732 HIRSCHHORN!" Allerdings hatte 58089 HAGEN nicht mit 83346 KLAUS gerechnet, der 19258 HORST warnte: „Guck dir die Karosse an, ein 83664 LOCH neben dem anderen. Komm mal mit!" Und 83346 KLAUS zeigte 19258 HORST einen alten 19249 BENZ. „Das scheint eine 56346 GUTE MÜHLE zu sein", sagte er und schon saß 19258 HORST in dem 82131 KASTEN, denn das 33758 SCHLOSS war offen. „17440 LASSAN", rief 83346 KLAUS, doch nichts passierte. „25836 BATTERIE 26789 LEER", schlussfolgerten beide. Der dazu gekommene 58089 HAGEN gab zu: „19386 BENZIN ist auch keins drin."

„Hier", rief 56479 IRMTRAUT plötzlich, „hier steht ein alter 99510 WARTBURG". 83346 KLAUS meinte: „Klar ist der alt, einen 16775 NEUBAU gibt es vom 99510 WARTBURG nicht. Aber was wollt ihr damit? Guckt euch doch mal die Form an, das ist ein 18292 WINDFANG." Aber 56749 IRM-TRAUT konnte ihren 24392 BLICK nicht mehr abwenden, es war ein 02708 HEITERER BLICK. Ihre Augen wurden 16866 GANZ 90537 FEUCHT, und sie sagte: „Den oder keinen." Das ging 19258 HORST 98711 ALLZUNAH, nur 83346 KLAUS meinte: „Ihr habt ja einen 15748 HAMMER, der 26160 OFEN hat nicht mal eine 88285 WAGEN-SPERRE." Doch 56479 IRMTRAUT Und 19258 HORST blieben 57080 EISERN.

83346 KLAUS bestand auf einer Probefahrt und so fuhren alle drei mit dem 99510 WARTBURG in seine Werkstatt, die nur 39307 DREIHÄUSER weiter lag. Er wies 19258 HORST an: „Fahr auf die 38835 BÜHNE, ich klettere derweil in die 23749 GRUBE, ich will mir mal den 82383 UNTERBAU anschauen." Doch 19258 HORST fuhr rückwärts auf die 19067 RAMPE. „Mann", schimpfte 83346 KLAUS, „umdrehen!" Du fährst jetzt aus der 33790 HALLE auf den 95032 HOF, dort 01069 DRES-DEN und kommst vorwärts rein!"

„24253 FAHREN könnt ihr damit zwar noch", meinte 83346 KLAUS, aber auf die 04720 DREIS-SIG Euro muss euch der Händler noch 04769 AB-LASS gewähren. Auf meine 16775 KAPPE nehme ich das nicht."

19258 HORST zahlte und sagte noch zu 56479 IRMTRAUT: „Den 99510 WARTBURG 03185 MAUST uns keiner, wir gehen jetzt damit auf 69488 REISEN und zeigen denen im 27313 WES-TEN, was der 21756 OSTEN früher gebaut hat."

Und so nahm das 38875 ELEND seinen 91207 LAUF.

Schon nach 19285 VIER Kilometern begann der Motor zu 57489 HUSTEN. 19258 HORST hielt an, öffnete die Motorhaube und rief 56479 IRMTRAUT zu: „Kannst du mal 78628 HOCHHALDEN? Der 02999 RIEGEL ist kaputt! 36286 AUA!" Und schon hatte 19258 HORST eine 88179 BEULE und schrie: „78628 HOCHHALDEN! 78628 HOCHHAL-DEN!" Nachdem er sich auch noch an den Fingern 32689 WEHE getan hatte, weil es im Motorraum eines 99510 WARTBURG nun mal 67742 LAU-TERECKEN gibt, fiel ihm ein: „Der 84405 HUB wird schon stimmen, vielleicht sollte ich den 56742 HAHN für das 19386 BENZIN öffnen."

Gesagt, getan. Die Freude war beiderseitig. „Jetzt wird er nicht mehr 37620 HUNZEN", meinte 19258 HORST und 56479 IRMTRAUT sagte: „Ja, 59558 HÖRSTE, wie er 16567 SUMMT? 84323 BRUMM, 84323 BRUMM!"

Und schon schaute sie nach hinten, wo sie einen 02747 HERRNHUT aus echtem 56766 FILZ drapiert hatte, und sprach: „83364 ROLL los, wir 24573 FAHREN auf 18356 GUTGLÜCK weiter."

Doch schon eine 08355 HALBE MEILE weiter frag-te 56749 IRMTRAUT: „Was ist das? Hier riecht es nach 14715 KNOBLAUCH!" „Das werden meine 06917 MAUKEN sein, 99510 WARTBURG zu 24573 FAHREN ist an den 87629 FÜSSEN anstreng-end. Das ist wirklich eine 06862 HUNDELUFT hier drin. Mach das Fenster einen 91174 SPALT auf."

Inzwischen hatte sich das Wetter geändert. Es war 24395 NIESGRAU geworden, der 09358 WIND pfiff. „Schau mal, wie die 25946 NEBEL 34590 WABERN", meinte 56749 IRMTRAUT noch, als sie in eine Sackgasse gerieten. „Wir müssen 57482 WENDEN", meinte 19258 HORST. „Kriegst du die 88271 WANNE rum", fragte 56479 IRM-TRAUT, „hier wird es immer 32130 ENGER. Pass auf! Die 69256 MAUER!" Nachdem es leicht 85586 POING gemacht hatte, und der 99510 WART-BURG eine 88179 BEULE mehr hatte, sah 56749 IRMTRAUT die Lösung: „Da vorn wird der 97340 MARKTBREIT, da ist mehr 01824 RAUM zum 57482 WENDEN."

Als sie wieder auf dem 18437 FREIENLANDE waren, drückte 19258 HORST auf das Gas. „Mal 38835 SCHAUEN, wie viele 99998 KÖRNER drin sind", sagte er sich, „jetzt gibt es volles 70565 ROHR auf den 47574 KESSEL." Und er raste wie im 82211 RAUSCH über 39638 BERGE und 55767 BRÜCKEN, nahm jeden 21259 KNICK in großem 94327 BOGEN. Ein 54298 IGEL namens 24616 BORSTEL geriet unter die Räder, ein 94060 HUND, zwei 53579 ERPEL, drei 56858 HÄHN-CHEN erlitten 16559 KREUZBRUCH, nur ein 04874 FUCHS konnte seinen 71577 HALS gerade noch retten. Ein Rudel 56479 REHE nahm 02894 REISSAUS, und zwei 33189 SCHLANGEN waren alle 17192 SORGENLOS. Ein 06647 SCHIMMEL machte einen 83364 SPRUNG in den Graben und wurde 17252 SCHWARZ dabei. Vor einem Senio-renheim 17429 STOBEN die Rentner auseinander und drohten mit ihren 29588 STÖCKEN.

„Vorsicht, 88279 BLITZER", schrie 56479 IRM-
TRAUT, aber schon hob ein 06901 WACHT-
MEISTER sein 15528 STÄBCHEN. „Dem zitie-
re ich gleich den 14778 GÖTZ", drohte 19258
HORST. Aber 56749 IRMTRAUT machte einen
auf 23970 GROSS FLÖTE: „Ach Herr 09618
HIMMELSFÜRST, bei allen 9941 GÖTTERN,
wie ist die 32791 LAGE? 17912 WAREN wir etwa
zu schnell?" Der 06901 WACHTMEISTER meinte
nur: „94496 BLASEN! Aber nicht Sie, sondern er!"
Da 19285 HORST aber nur 88605 WASSER ge-
trunken hatte, kam er mit einem Strafzettel davon.
Kaum war er ums 83552 ECK, warf den 24217
WISCH weg. „Der hat ja eine 09481 OBERSCHEI-
BE", schimpfte er auf den 06901 WACHTMEIS-
TER. Und wenn hier ganze 02699 TRUPPEN von
denen aufmarschieren, die sind doch 83236 AL-
BERN unterm 19243 HELM."
„Soll ich 24253 FAHREN", fragte 56479 IRM-
TRAUT, du bist ja wie im 49762 WAHN!"
„Meinetwegen, da 31559 HASTE deinen 26409
WILLEN", kam die Antwort.
„Höre auf zu 73453 ZANKEN, wir 51647 WÜR-
DEN unseren Opel 83629 ADAM noch im 19258
BESITZ haben, wenn du nicht so rasen würdest",
meinte 56479 IRMTRAUT, „schon dein Motorrad
hast du in ein 06507 HAFERFELD gelegt!"
„Ja, ich wollte Ökosprit tanken", entgegnete 19258
HORST. „Dann hättest du aber 83552 MAIS neh-
men müssen, das Ding hatte einen Kolbenmotor!
Also mache hier keinen 02627 RABITÄZ, äh 04509

RABUTZ – nein, Rabatz meine ich. Rutsch 56295 RÜBER.

Und damit ist die Geschichte von 19258 HORST und 56479 IRMTRAUT zu Ende, denn dass sie auf der Heimfahrt einen 54518 PLATTEN 26209 HATTEN, den 99510 WARTBURG ein Stück 29416 SCHIEBEN mussten – Grund war ein 21449 RADBRUCH –, und sich schließlich noch auf einer 39599 INSEL verfuhren, weil sie den 24799 UMLEITUNGSDEICH übersahen, zum Ende des 18528 TRIPS völlig 54426 BREIT am 01471 BODEN lagen, und den 99510 WART-BURG zum Schluss 83346 KLAUS schenkten, verschweigen wir.

Und die Moral von der Geschicht:

Selbst das 29643 GRAUEN ist wie 24806 HOHN, denn Undank ist der Welten 52249 LOHN.

Oder:

Liegt die 56479 IRMTRAUT auf der 04416 LAU-ER, ist die 39446 LUST am 24253 FAHREN nicht von 17291 DAUER.

GROSSE WORTE

Gelegentlich gibt auch ein Auto – eigentlich keine richtigen Worte, sondern mehr unartikulierte Laute von sich, aber „Aua" kann das Getriebe schon mal sagen. Aussagekräftiger sind dagegen Sätze, die mehr oder weniger prominente Menschen zum Thema Auto und Straßenverkehr gesagt haben oder ihnen zumindest in den Mund gelegt wurden. Bekanntlich sind die besten Zitate erst nach dem Ableben der betreffenden Person erfunden worden. Aber wer das gesagt hat, ist heute nicht mehr hundertprozentig zu ermitteln.

Kaiser Wilhelm II.:
„Das Auto ist nur eine vorübergehende Erscheinung. Ich glaube an das Pferd."

Springreiter Hans-Günther Winkler:
„Das Auto hat das Pferd noch lange nicht verdrängt. Oder kennt jemand ein Denkmal, auf dem ein Mann am Steuer sitzt?"

Autofabrikant Henry Ford:
„Wenn ich die Leute gefragt hätte, was sie denn wollen, hätten sie schnellere Pferde gesagt."
„Die Japaner haben eine raffinierte Art, ihren Stahl in die US zu schmuggeln. Sie malen ihn an, stellen ihn auf vier Räder und nennen das Ganze dann Auto."
„Es hängt von dir selbst ab, ob du das neue Jahr als Bremse oder Motor benutzen willst."

Autofabrikant Gottlieb Daimler:
„Die weltweite Nachfrage nach Kraftfahrzeugen wird voraussichtlich eine Million nicht überschreiten, allein schon aus Mangel an verfügbaren Chauffeuren."

Autofabrikant Ferdinand Anton Ernst „Ferry" Porsche:
„Das letzte Auto, das einmal gebaut werden wird, wird ein Sportwagen sein."
„Der beste Rennwagen siegt und fällt gleich hinter dem Ziel zusammen."

Autofabrikant Henry Royce:
„Nimm das Beste, das existiert, und mach es besser."

Autofabrikant Enzo Ferrari:
„Das Auto ist erfunden worden, um den Freiheitsspielraum des Menschen zu vergrößern, nicht um ihn zum Wahnsinn zu treiben."
„Ich baue Motoren und befestige Räder daran."

TV-Moderator Robert Lemke:
„Die größte Gefahr im Straßenverkehr sind Autos, die schneller fahren, als ihr Fahrer überhaupt denken kann."
„Ein Sportwagen ist die einzige Sitzgelegenheit, die es ermöglicht, von unten auf andere herabzuschauen."
„Es gibt nur zwei Arten von Fußgängern – die schnellen und die toten."

TV-Moderator Joachim Fuchsberger:
„Ein Fußgänger ist ein glücklicher Autofahrer, der einen Parkplatz fand."

Schriftsteller Bill Vaughan:
„Wenn Frauen heute als Jockeys arbeiten, Firmen vorstehen und in der Atomphysik forschen, war-

um sollten sie dann nicht auch rückwärts einparken können?"

Schriftsteller Ephraim Kishon:
„Am Anfang war das Benzin und der Vergaser. Dann schuf Gott den Motor und die Karosserie, die Hupe und das Verkehrslicht. Dann betrachtete er sein Werk und sah, dass es noch nicht genug war. Darum schuf er noch das Halteverbot und die Verkehrspolizisten. Als das alles fertig war, stieg der Satan aus der Hölle und schuf die Parkplätze."

Schriftsteller Kurt Tucholsky:
„Der Deutsche fährt nicht wie alle anderen Menschen. Er fährt, um Recht zu haben."

Schriftsteller Jerzy Lec:
„Wenn alle in den Kurven aufpassen würden, müsste man in den Kurven nicht mehr aufpassen."

Schauspielerin Anna Magnani:
„Die Männer wünschen sich Frauen, mit denen man Pferde stehlen kann. Frauen wünschen sich Männer, mit denen man ein Auto kaufen kann."
„Ein Mann am Lenkrad eines Autos ist wie ein Pfau, der sein Rad in der Hand hält."

Schauspielerin Jeanne Moreau:
„Autofahren ist wie das Liebesspiel. Frauen mögen die Umleitung, Männer die Abkürzung."

Schauspieler Peter Sellers:
„Die Endstufe der Motorisierung ist dann erreicht, wenn das Parken mehr kostet als das Autofahren."

Schauspieler Jean-Paul Belmondo:
„Ein Autorennfahrer ist ein Pilot, der nur zu niedrig fliegt."
„Ein vorsichtiger Fahrer ist einer, der nach beiden Seiten schaut, wenn er bei Rot über die Kreuzung fährt."

Schauspieler Fernandel:
„Wer Geld hat, kauft sich ein Auto. Wer keines hat, der stirbt auf eine andere Weise."

Schauspieler Jaques Tati:
„Der größte Aberglaube von allen ist der Glaube an die Vorfahrt."

Jazzmusiker Ralph Marterie:
„Ein vorsichtiger Fahrer schaut nach beiden Seiten, wenn er bei Rot über die Kreuzung fährt."

Rennfahrer Stirling Moss:
„Das erste Auto im Leben vergisst man ebenso wenig wie die erste Frau im Leben."
„Es gibt nur zwei Sachen, von denen ein Mann nie zugeben würde, dass er sie nicht gut kann: Sex und Auto fahren."

Rallyefahrer Walter Röhrl:

„Man kann ein Auto nicht wie ein menschliches Wesen behandeln. Ein Auto braucht Liebe."

„Ein Auto ist erst dann schnell genug, wenn man morgens vor ihm steht und Angst hat, es aufzuschließen."

„Beschleunigung ist, wenn einem die Tränen der Ergriffenheit waagerecht zum Ohr hin abfließen."

Formel-1-Weltmeister Juan Manuel Fangio:

„Eines der besten Mittel gegen das Altwerden ist das Dösen hinterm Steuer eines fahrenden Autos."

Formel-1-Weltmeister Emerson Fittipaldi:

„Die Kunst des Autofahrens ist es, so langsam wie möglich der Schnellste zu sein."

Formel-1-Weltmeister Niki Lauda:

„Ich glaube, dass jeder Autorennfahrer einmal zur Vernunft kommen muss, um mit diesem pubertären Sport wieder aufzuhören."

Übrigens …

… sparen Deutschlands Autofahrer an Reparaturen und Wartungen ihrer Fahrzeuge. Vor allem bei älteren Autos überlegt man sich, ob das Geld für einen Werkstattbesuch ausgegeben werden sollte.

Richtig so! Schon vom Kraftstoff übersteigen die Kosten der Fahrt zur Werkstatt schon den Restwert des Fahrzeugs.

… schädigt laut einer Studie der Feinstaub von Autos Babys schon im Mutterleib.
Ganz schlimm wird es aber, wenn die Babys dann geboren wurden und von ihren Eltern im Fahrradanhänger während der Hauptverkehrszeit in Höhe der Autoauspuffe auf der Straße gezogen werden.

… ist Münchens Nobelvorort Starnberg die Stadt mit den meisten Cabrios in Deutschland. Die wenigsten offenen Wagen gibt es in Ostdeutschland.
Wir sind hier eben sehr häuslich und haben gern ein Dach über dem Kopf.

… gibt es in den USA einen offiziellen Feiertag für ein Auto. Der 17. April ist dort der „Ford Mustang Day".
Das könnte man bei uns auch einführen, einen Trabi-Tag zum Beispiel.

… sind auf den Highways und Interstates der USA rollende Kirchen im Einsatz. Die Organisation „Transport for Christ" hat 30 solcher mobiler Kapellen im Einsatz.
Das ist wohl auch nötig, viele der Trucker sündigen. Sie geben nur Gas und denken, dass Gott sie schon lenken wird.

… muss man bei Wahlen in den USA nicht mal aus dem Auto steigen. Im kalifornischen Santa Ana wurde der erste Drive-In-Schalter für die Präsidenten-Wahlen eingerichtet.

Und bei uns hat man Gerhard Schröder mal als Autokanzler bezeichnet.

… hat der ADAC festgestellt, dass die Zahl der Autos mit geringem Verbrauch und sauberen Abgasen zunimmt. Aber wirklich optimal sei kein einziges Modell.
Optimal ist vermutlich das Auto, bei dem im Rückwärtsgang der Tank wieder voll wird, weil es die Abgase durch den Auspuff wieder einsaugt.

… ist ein chinesisches Auto bei einem Crashtest völlig durchgefallen.
Vermutlich hat die Karre es nicht mal bis zur Mauer geschafft.

… ist jene Aushilfskraft, die vor einiger Zeit in Iserlohn aus Versehen eine halbe Nacht lang Sprit für drei Cent pro Liter verkaufte, sofort danach gefeuert worden.
Aber die Dame hat vermutlich schon einen neuen Job gefunden, vielleicht bei der Caritas, bei der Heilsarmee, den Maltesern oder beim ADAC. Die Frau ist ein Engel.

Autorenteam, Ideengeber: Frank Klinger und Böttcher & Fischer

NACHBETRACHTUNG

Wir haben beim Schreiben dieses Buches natürlich auch diverse Quellen für Information und Inspiration genutzt, wie zum Beispiel den Quell frischen Wassers, der für das Bierbrauen unabdingbar ist. Nein, unsere Informationen und Inspirationen haben wir neben unserer hyperaktiven Phantasie auch mehr oder weniger allen Tageszeitungen, die in Sachsen erscheinen, zu verdanken, ebenso verschiedenen Vor- und Nachschlagewerken, und natürlich vielen Webseiten im www (WunderWagenWerk).
Wir hatten diese Quellen auch aufgelistet, leider ist der Zettel in irgendeinem Handschuhfach verschwunden. Vielleicht ist er auch bei Tempo 130 auf der Autobahn aus dem offenen Fenster geflogen, jedenfalls ist er nicht mehr aufzufinden.
Aber wir erklären hiermit, dass wir weder abgeschrieben, noch kopiert oder gar manipuliert haben, denn wir heißen weder zu Guttenberg noch Wulff, sondern

Frank Klinger und Böttcher & Fischer

Böttcher & Fischer

BöFis Bierfibel

Bier ist Bestandteil des Lebens. Bier ist ein Wirtschaftsfaktor, nicht nur auf die Schankwirtschaft bezogen. Bier ist ein Politikum, nicht nur bei der jährlichen Verkündung der Bierpreise für das Münchener Oktoberfest. Zum Fußball gehört das Bier, zum Grillen sowieso und auch den einen oder anderen Skatspieler hat man schon hin und wieder zum Bierglas greifen sehen.
Bier hat seinen Platz in Kunst, Literatur und Musik. Davon künden nicht nur Trinklieder und Sprüche an der Klowand.
Bier findet man in Namen, Bier und artverwandte Begriffe sind auf Stadtplänen und Landkarten vertreten.
Kurz gesagt: Bier steht für sich. Bier steht für Freude und Hochgefühl, aber auch für Skepsis oder gar Unbill. Bier kann Probleme machen, sie aber auch lösen. Davon handelt dieses Buch.

ISBN 978-3-86237-527-1   Klappenbroschur
9,99 Euro   157 Seiten, 11 x 17 cm

Böttcher & Fischer

**Mann und Frau
im Team**

Seit Adam und Evas paradiesischer Affäre hat
sich nicht viel geändert: Zwischen Mann und
Frau knistert es, funkt es oder knallt es auch mal.
Böttcher und Fischer vom Radiosender R.SA
haben erneut tiefgründig recherchiert und zum
ewigen Geschlechterkampf allerlei Wissenswer-
tes, Kaumzuglaubendes und Ergötzliches zusam-
mengetragen. Allen schon Liebenden oder noch
Suchenden sei dieses Buch ans Herz gelegt – und
wenn es nur zu einer Erleuchtung gereicht: Humor ist, wenn man trotzdem liebt.

ISBN 978-3-86237-725-1   Klappenbroschur
10,00 Euro   297 Seiten, 11 x 17 cm